D0987512

El retorno de las yolas

Silvio Torres-Saillant

EL RETORNO DE LAS yolas

Ensayos sobre diáspora, democracia y dominicanidad

Editorial Universitaria Bonó
Calle Josefa Brea nro. 65, Mejoramiento Social, Edificio Bonó,
Santo Domingo, República Dominicana
Tel: 809-682-4448 ext. 1013
http://bono.edu.do
publicaciones@bono.edu.do

Ediciones

Ediciones MSC
Calle Manuel Ma. Valencia #4, esq. Max Henríquez Ureña,
Los Prados. Apartado Postal 1104,
Santo Domingo, República Dominicana
Tel: 809-548-7594 • Fax: 809-548-6252

Segunda edición, 2019

ISBN: 978-9945-9140-3-0

 Este libro fue impreso en papel libre de ácidos provenientes de árboles ecológicamente amigables y su proceso de impresión cumple con las exigencias requeridas para garantizar su permanencia y durabilidad.

Diseño y diagramación: Letragráfica
Calle Marginal Primera nro.12, Mirador Norte, Santo Domingo, República Dominicana
Tel: 809-482-4700
librosletragrafica@gmail.com

Impresión: Amigo del Hogar
Calle Manuel Ma. Valencia #4, esq. Max Henríquez Ureña, Los Prados. Apartado Postal 1104,
Santo Domingo, República Dominicana
Tel: 809-548-7594 • Fax: 809-548-6252

Imagen de portada: Luis Roberto Prieto.

Cómo citar esta obra

APA

Torres-Saillant, S. (2019). *El retorno de las yolas. Ensayos sobre diáspora, democracia y dominicanidad.* Santo Domingo: Editorial Universitaria Bonó; Ediciones MSC.

BONÓ

Torres-Saillant, Silvio. *El retorno de las yolas. Ensayos sobre diáspora, democracia y dominicanidad.* Santo Domingo: Editorial Universitaria Bonó / Ediciones MSC, 2019.

MLA

Torres-Saillant, Silvio. *El retorno de las yolas. Ensayos sobre diáspora, democracia y dominicanidad.* Santo Domingo: Editorial Universitaria; Ediciones MSC, 2019.

Este libro fue publicado anteriormente con el título *El retorno de las yolas: ensayos sobre diáspora, democracia y dominicanidad* (Santo Domingo, Manatí, 1999). La presente edición tiene como base la anterior, con la exclusión de los capítulos que no trataban la temática de la diáspora dominicana. Se han incluido un nuevo prólogo de Néstor Rodríguez, y un nuevo prefacio y un postfacio del autor.

IMPRESO EN REPÚBLICA DOMINICANA - *PRINTED IN DOMINICAN REPUBLIC*

Contenido

Prólogo a la segunda edición
Un humanista dominicano

Mi primer contacto con el pensamiento de Silvio Torres-Saillant se dio a través de uno de sus artículos en la revista *Rumbo* a mediados de los años noventa. Me hallaba inmerso en los estudios de postgrado en letras hispánicas en los Estados Unidos y todo apuntaba a que me especializaría en la literatura vasca. El escrito al que aludo: "La oblicua intelectualidad dominicana", me sacudió profundamente e hizo que me volcara en la lectura de toda la obra de este pensador dominicano fundamental al punto de provocar un cambio drástico en mis intereses académicos, que desde entonces se orientaron hacia el tema dominicano. En su artículo, Torres-Saillant interpelaba con envidiable gracia a esa intelectualidad que no había sabido servir de dique a la perniciosa tradición autoritaria de nuestro país. El asedio sin tregua al que sometió la praxis de varias figuras señeras del mundo intelectual, así como el llamado a que esa inteligencia abrazara el dolor de la gente e hiciera con ella causa común, dejaron una profunda huella en mi imaginación de crítico en ciernes. Tenía ante mí el trabajo de un modelo distinto de intelectual, uno que, curtido en los más exigentes circuitos académicos y editoriales de Norteamérica, adonde había alcanzado los mayores laureles, no vacilaba en trasladar a un lenguaje llano, sin tecnicismos ni meandros, el arsenal epistemológico adquirido en esas empresas al ruedo del saber dominicano.

"La oblicua intelectualidad dominicana" es uno de los doce ensayos que integran la nueva edición de *El retorno de las yolas: ensayos sobre diáspora, democracia y dominicanidad*, obra que marcó un hito en la historia de la crítica dominicana tras su publicación en 1999. En este libro capital, Torres-Saillant examina con pericia de auriga los más urticantes temas de la historia social y cultural de la República Dominicana moderna al tiempo que teoriza sobre la ética del hacer intelectual y su insoslayable dimensión política. Es evidente que Torres-Saillant asume el debate de ideas como una forma de pedagogía pública. El estilo directo y sin concesiones lo hermana con otro gran pensador que supo conciliar los rigores de la esfera académica con la presencia sostenida en debates coyunturales de la sociedad: Edward Said (1935-2003). Al igual que el crítico palestino-estadounidense, Torres-Saillant asume su labor de intelectual público en República Dominicana equilibrando el ejercicio humanista con lo que Said denomina en *Humanismo y crítica democrática* (2004) la "práctica de la ciudadanía participativa": "[El humanismo] consiste en someter a escrutinio crítico más temas, como el producto del quehacer humano, las energías humanas orientadas a la emancipación y la ilustración o, lo que es igualmente importante, las erróneas tergiversaciones e interpretaciones humanas del pasado y el presente colectivos". Tales objetivos se pueden identificar con claridad en la escritura del Torres-Saillant de *El retorno de las yolas*. Y es que cada uno de los ensayos constituye una máquina de indagación infalible que fuerza a la reconsideración de aspectos normalizados al punto de la mitificación en el imaginario social dominicano, a saber: la prevalencia de la cultura del autoritarismo y el machismo, la imagen falseada de la composición racial del dominicano, la xenofobia, la demonización de la diáspora. En pocas palabras, en los escritos que integran este volumen es posible reconocer lo que a todas luces constituye una teoría del sujeto dominicano del porvenir.

Los planteamientos de Torres-Saillant se encaminan a la definición de un proyecto de utopía política orientado hacia la elaboración de nuevas configuraciones cívicas. Su crítica promueve el asumir la conciencia de la nacionalidad dominicana desde la dimensión aperturista de la ciudadanía, esto es, desde la esfera tangible de un sentido de comunidad afincado en nuevos mores sociales, y que no necesita de la geografía para su legitimación: "la diáspora se caracteriza por el interés en reconciliar el concepto abstracto de nacionalidad con el conjunto de principios que se concretizan en la ciudadanía». La cita es del texto que da título al volumen, el más extenso del conjunto, en el cual el crítico hilvana su ideario en torno a una "dominicanidad democrática" llamada a separar la experiencia del sujeto dominicano de los mitos culturales que escamotean la representación de esa experiencia en el archivo letrado.

Como se puede apreciar, Torres-Saillant confiere al pensamiento producido desde el horizonte extramuros de la diáspora la tarea de afianzar una "ruptura epistemológica" con el saber dominante en el lar patrio, sobre todo en lo que concierne a la pretendida uniformidad del cuerpo político de la nación. La diáspora se presenta así como el espacio idóneo para llevar a cabo esa necesaria reformulación de parámetros que encauce a la sociedad dominicana por el derrotero de una democracia objetiva. A los veinte años de la publicación de *El retorno de las yolas*, la propuesta de Silvio Torres-Saillant en cuanto a la posibilidad de desarrollar una praxis intelectual que contribuya al desarrollo de una verdadera cultura democrática en República Dominicana no puede ser más urgente.

Néstor E. Rodríguez

Prefacio a la segunda edición

Esta segunda edición reducida y modificada de *El retorno de las yolas: ensayos sobre diáspora, democracia y dominicanidad* sale a la luz gracias a los buenos oficios del Dr. Pablo Mella, profesor de Antropología Filosófica y director académico del Instituto Superior Pedro Francisco Bonó, quien llevó con éxito ante el Consejo Editorial de la Editorial Universitaria Bonó la idea generosa de reeditar el libro. Al padre Pablo le favoreció en su gestión la coyuntura feliz de que en junio del 2019 el Instituto Superior Bonó llevaría a cabo su VII Seminario de Hermenéutica, evento académico anual que en esta ocasión había escogido la noción de "Pensar con la diáspora dominicana" como eje temático principal, además de haber usado en su título la frase "El retorno de las yolas" como metáfora alusiva a la circulación de saberes entre la población dominicana en el exterior y su contrapartida en la tierra de origen. A mí me llena de singular gratitud ver salir de nuevo a la calle el primero de mis libros que se publicó en el suelo natal y atesoro la posibilidad de que el mismo pueda resultar de interés a una nueva generación de lectores dos décadas después de la publicación original.

La primera edición de *El retorno de las yolas* apareció en el año 1999 mediante una colaboración entre la indispensable Virtudes Uribe, quien había añadido a su labor de promoción de la lectura la producción de libros al iniciar el proyecto de Ediciones Librería La Trinitaria, y el valorado Miguel Decamps Jiménez, quien para la fecha dirigía la Editora Manatí. El libro vino al mundo saludado por un prólogo solidario del merecidamente prestigioso historiador Frank Moya Pons. Tras su publicación fue objeto de reseñas y juicios favorables de parte de plumas incisivas como las del erudito y crítico literario Néstor E. Rodríguez, el original novelista Pedro Cabiya, el filósofo y especialista en informática Andrés Merejo y el científico social José Bello Núñez. Desde Puerto Rico, el conocido exégeta de las letras y la cultura dominicanas Giovanni Di Pietro le dio un trato mixto a la obra en una serie de tres artículos aparecidos en *El Siglo*. Cuando se desempeñaba como Secretario de Estado, el sociólogo Carlos Dore Cabral encontró mucho que admirar en la línea de análisis desplegada en *El retorno de las yolas*, refiriéndose al texto en un par de estudios sobre las nuevas interpretaciones de la migración dominicana.

Seña de que quizás la lectura del libro no se circunscribió al predio de la erudición se percibe en la llamada telefónica que entró a mi casa en Syracuse alrededor el 2003 de Yaqui Núñez del Risco, el famoso comunicador social, animador de espectáculos y productor de televisión. Junot Díaz, ya aclamado para la fecha como el autor de la colección de relatos *Drown*, se encontraba en la casa y fue a él que le tocó contestar el teléfono. Al reconocer el nombre de Yaqui, con urgencia Junot fue a tocarme a la puerta del baño mientras yo me aseaba. Con no menos apremio, yo procedí a devolverle la llamada tan pronto me vestí. Cuando hablamos, me enteré de que estaba en New York City y quería discutir un proyecto que él pensaba podría girar temáticamente en torno a la metáfora del "retorno de las yolas". No menos impresionado que Junot, yo viajé el próximo día seis horas en autobús desde Syracuse para verme con Yaqui en el sótano de un edificio en la ciudad de los rascacielos (los detalles se me escapan en la lejana memoria). A manera de entrevista de empleos, sentados frente a frente en ambos lados de la mesa abultada de papeles que hacía de escritorio, él decía o preguntaba, poniéndome a hablar, y pasaba a tomar notas en un cuaderno. Cuando le pareció que ya tenía bastante, la conversación concluyó y nos despedimos diciéndonos que continuaríamos en comunicación con el fin de precisar la manera en que yo podría aportar al proyecto. No volví a saber de él aunque llegué a ver un breve artículo suyo en el que se refería a "el retorno de las yolas". Supuse que el proyecto no había llegado a cuajar.

Los ejemplares de la tirada inicial de *El retorno de las yolas* se agotaron en un plazo considerado aceptable en vista del escaso dinamismo del mercado del libro en la República Dominicana. Pero para entonces ya se había disuelto la colaboración entre La Trinitaria y Manatí, quedando el libro desprovisto del hogar editorial donde había nacido. Por varios años me llegaron lamentaciones de colegas y amigos deseosos de tener a su alcance un ejemplar del libro para usos diversos tanto en el aula como en su investigación. En más de una ocasión me he sentido obligado a escanear secciones enteras del volumen para enviárselas electrónicamente a colegas en otras geografías que me las han solicitado con una avidez difícil de desestimar. En el 2014 el joven colega Jhensen Ortiz, bibliotecario adscrito al Archivo y Biblioteca del Instituto CUNY de Estudios Dominicanos en City College de la Universidad Municipal de Nueva York, me emplazó con la petición enfática de que velara por la reedición de *El retorno de las yolas*. Petición no menos enfática me ha venido de la colega Nancy Kang, profesora del Departamento de Estudios de Mujer y Género en la Universidad de Manitoba, en la ciudad canadiense de Winnipeg, quien a lo largo de los años de la colaboración que culminó en nuestra co-autoría del estudio monográfico *The Once and Future Muse: The Poetry and Poetics of Rhina P. Espaillat*, me ha escuchado hablar repetidas veces de la gente que me escribe con deseos de saber cómo obtener un ejemplar de *El retorno de las yolas*.

Razón demás tengo, pues, para agradecer la acogida que ha dado la Editorial Universitaria Bonó a esta reedición de *El retorno de las yolas* entre sus títulos. Atinada me parece, además, la decisión del Consejo Editorial de abreviar la longitud del volumen original circunscribiendo esta versión a los trabajos de la primera edición referentes de forma directa a la diáspora y excluyendo aquellos concernientes a temas primordialmente literarios y coyunturales. A manera de "Postfacio" esta edición incluye un trabajo nuevo que actualiza el conjunto del libro al tratarse de una reflexión sobre la orientación que ha seguido la producción de saberes desde la diáspora como respuesta a los esquemas característicos del trujillismo cultural reinante en el discurso público de la sociedad dominicana durante las dos décadas transcurridas desde la edición original del libro. El nuevo prólogo escrito por Néstor E. Rodríguez constituye un broche de oro por venir de la pluma de un miembro de la diáspora quien leyó con profundidad la edición original de *El retorno de las yolas* y ha seguido siendo desde entonces observador agudo de la realidad social que allí se retrata.

Prólogo de la primera edición

Este debió ser un prólogo innecesario de no haber sido porque el autor de esta obra, Silvio Torres-Saillant, suena a veces como una voz solitaria, de ésas que todo el mundo escucha con atención, pero que pocos se atreven a decir públicamente que están de acuerdo con ellas.

En realidad, solitaria no es la voz de Silvio Torres-Saillant, y la prueba es este mismo libro que ha sido producido al calor de muchos diálogos e intercambios del autor con numerosas personas, entre las cuales me honra haber estado presente en ocasiones.

He acompañado al autor en algunos de sus debates, he discutido profundamente con él numerosas cuestiones, y muchas veces lo he contemplado con admiración librando grandes batallas mentales en las cuales rompe lanza contra poderosos molinos políticos e intelectuales que estorban su caminar a través de la cultura dominicana.

Silvio Torres-Saillant era casi desconocido entre la intelectualidad dominicana de Santo Domingo hace apenas cinco años, y así tenía que ser pues mientras muchos de sus colegas se entretenían echando horas por la borda de tertulias y bares en Santo Domingo y Nueva York, él las pasaba encerrado en las grandes bibliotecas newyorkinas estudiando humanidades, literatura comparada e historia.

Pudiendo haberse dedicado a la política académica como han hecho otros, Torres-Saillant se dedicó a estudiar aprovechando los inmensos recursos bibliográficos disponibles en Brooklyn College y en New York

University, en donde obtuvo sucesivamente una licenciatura, una maestría y un doctorado.

Su nota biobibliográfica no deja dudas de que estamos en presencia de un académico cabal que ha pasado la mayor parte de su vida adulta aprendiendo y enseñando, entregando lo que sabe a otros, mientras continúa profundizando sus conocimientos.

He venido tratando personalmente a Silvio Torres-Saillant desde el verano de 1993 y puedo declarar con gran satisfacción que he encontrado en él un raro espíritu comprometido únicamente con la búsqueda de la verdad, independientemente de quién la posea y en donde ésta se encuentre.

En las interminables horas de conversación que hemos sostenido, he observado que en él domina la pasión por entender la formación del alma dominicana, consciente de que la migración a los Estados Unidos ha impactado tan profundamente el ser nacional que hoy los dominicanos viven descentrados y perplejos ante el espejo roto de su identidad.

Este libro contiene, entre otras cosas, una gran disquisición acerca de la nueva identidad nacional dominicana, de esa que todavía no hablan los libros de texto, pero que se ha venido formando a medida que los emigrantes dominicanos han ido absorbiendo otras culturas y han estado transvasando sus contenidos a la sociedad isleña dominicana.

Este libro señala la existencia de otra sociedad dominicana allende los mares que reclama para sí el reconocimiento que los que quedan en la isla se han resistido en otorgarle: el reconocimiento de que la diáspora dominicana en los Estados Unidos es una extensión de la sociedad isleña.

El autor se queja, con razón, de que cuando la diáspora es reconocida por los isleños, los vehículos utilizados para este reconocimiento son los menos positivos, esto es, los deportados, los delincuentes y los narcotraficantes que forman la minoría de los emigrantes pero que por el dramatismo con que terminan sus vidas, o las de otros, son objeto de atención de la prensa y sirven de prototipos para injustas generalizaciones acerca de todos los que han emigrado.

Para Torres-Saillant, el término Dominican-york es injusto porque define una minoría de sujetos que no representan el perfil social, económico, intelectual y moral de la mayoría de los emigrantes que salieron del país expulsados por la pobreza o la política, y que hoy llevan una vida digna de trabajo y estudio en los Estados Unidos y otras partes del mundo.

"La diáspora piensa", dice Torres-Saillant, y lo hace con independencia y sin los compromisos políticos o de otro orden que obligan a los que han quedado en la isla a pactar continuamente con lo mismo que reniegan. Según él, esa independencia de criterio permite a los intelectuales de la diáspora ver y decir las cosas de otra manera, sin los velos que imponen los temores y favores de la política isleña.

En este sentido, este libro constituye una mirada alternativa de la dominicanidad y es, por lo tanto, un discurso alternativo a la acostumbrada complacencia de los grupos más leídos con el poder político, económico o eclesiástico en la isla.

Armado a partir de tres textos inéditos y de una serie de artículos y ensayos publicados en revistas y periódicos dominicanos y newyorkinos, este libro sorprende por su unidad y parece haber sido escrito como una sola pieza, a pesar de las aparentes desconexiones de los temas tratados.

Moviéndose desde la emigración como ruptura cultural hasta la visión trujillista de la identidad racial dominicana, y desde los resabios clericales de algunos intelectuales criollos hasta el feminismo como instrumento del poder trujillista, Torres-Saillant abre nuevas perspectivas para el estudio de la cultura dominicana contemporánea.

En este libro Torres-Saillant advierte de los lastres autoritarios y las herencias trujillistas que todavía oscurecen el entendimiento de algunos de nuestros más conocidos intelectuales, al tiempo que denuncia la arrogancia e inmoralidad de ciertas autoridades eclesiásticas que predican continuamente lo que no practican y que prefieren servir al poder plutocrático y tiránico antes que a los pobres de Dios.

En sus análisis y denuncias, Torres-Saillant utiliza pocos adjetivos y prefiere, en cambio, describir conductas perfectamente documentadas y bien conocidas por todo aquél que lee los periódicos o escucha lo que se ventila en los medios de comunicación. De esta manera, Torres-Saillant le exige poco al lector, y sus argumentos solamente requieren de un simple ejercicio de recordación de lo que hace poco tiempo pasó ante la mirada de todos.

Torres-Saillant organiza el reciente pasado dominicano para que todo aquel que lo ha vivido lo recuerde dentro de un nuevo contexto significativo, no como anécdota ni cuento sino como memoria colectiva que toma en cuenta un proceso más amplio del acontecer nacional, esto es, la formación de una nueva nacionalidad dominicana.

Deberíamos decir, en realidad, "transnacionalidad dominicana" porque, por donde quiera que se lea *El retorno de las yolas* el tema permanente que unifica todos los capítulos de esta obra es la formación de una sociedad transnacional a partir del fenómeno de la emigración dominicana a los Estados Unidos y otras partes del mundo. Una sociedad que ha devenido en múltiples identidades: criolla, domínico-americana y domínico-haitiana, cada una de ellas con sus peculiaridades pero con una raíz única sembrada en la isla y abonada por una singular historia de asociaciones y rupturas del pueblo dominicano con los Estados Unidos y con Haití.

Esta tricotomía radical del ser dominicano es también una cuestión de permamente preocupación para Torres-Saillant, como bien se ve en sus ensayos sobre el concepto de la dominicanidad y la emigración, la cuestión haitiana y la supervivencia moral dominicana, entre otros.

En ellos, el autor retrata el vivo drama de algunos intelectuales y políticos dominicanos empeñados en desvincular al país de sus raíces africanas aun cuando las evidencias señalan que el pueblo dominicano, aunque de lengua y cultura literaria hispana, está profundamente conectado con varias culturas africanas y, más cercanamente, con Haití.

Como el planteamiento de estos temas es todavía algo tabú para algunos, no es de sorprender que los ensayos de Torres-Saillant hayan sido criticados desde determinadas capillas políticas y académicas, algunas veces con propósitos *non sanctos*.

Cuando esas críticas se hicieron públicas, Torres-Saillant recogió el guante y respondió al reto con argumentos cuyos ecos resuenan todavía entre la intelectualidad dominicana. De esas batallas surgieron algunas de las páginas más importantes de esta obra pues Silvio Torres-Saillant tocó el nudo mismo de la construcción del saber nacional e interrogó a los intelectuales dominicanos sobre su quehacer mental y sus compromisos éticos.

Algunos no han podido responder plausiblemente ante la inquisición de Torres-Saillant y se han replegado mudos y resentidos mientras todavía prometen contestar a su atrevimiento de preguntador de cosas prohibidas, pero esas respuestas aún no aparecen.

Otros, más valientes, contestaron con indignación y recibieron respuestas. A ellos les dedica Torres Saillant algunas páginas de esta obra que conciernen a lo que él llama "la oblicua intelectualidad dominicana", en las que también analiza las complicidades y apatías de esta intelectualidad en medio de la crisis nacional.

Como se ve, este es un libro sin concesiones. Torres-Saillant no se arrodilla ante nadie. No lo hace ante la jerarquía católica dominicana, de liderazgo hoy tronante e insultante, ni ante el Estado y sus gobiernos manejados por burócratas mediocres y políticos corruptos, ni ante la nueva Academia compuesta por intelectuales de principios endebles y conocimientos superficiales que continuamente venden sus plumas a los dueños de partidos o a los ocupantes de turno del Palacio Nacional.

Oficio peligroso el que le ha tocado ejercer a este académico de sólida formación humanística que ganó sus grados por méritos intelectuales y en abierta competencia en uno de los centros universitarios más exigentes de los Estados Unidos.

Me consta que Silvio Torres-Saillant no ha sido perdonado por haber puesto el dedo en las muchas llagas del cuerpo social y moral dominicano. Cuando sus ensayos sobre los intelectuales y los clérigos fueron publicados no fueron pocos los que lanzaron el grito al cielo, pidiendo la excomunión de este hereje de las humanidades que se había atrevido a ver las cosas desde afuera, esto es, desde el "descompromiso" de la diáspora... ¡y a decirlas!

Pero me consta también, que Silvio Torres-Saillant no estuvo solo en ese empeño por entender y explicar mejor la sociedad y la cultura dominicana contemporáneas, y que tan pronto comenzó a publicar sus ensayos en la revista *Rumbo* y en otros medios impresos, docenas de personas le llamaron para pedirle que los recogiera en un volumen que sirviera para que los jóvenes dominicanos conocieran otros caminos del pensar y del actuar.

Silvio Torres-Saillant nunca ha estado solo, aunque al principio lo pareciera, y la prueba de ello es la publicación de este libro que se realiza con el concurso de muchas personas de buena voluntad que desean vivir en un país más despejado de sombras, más limpio de espíritu, y más claro de intenciones.

Frank Moya Pons

Agradecimientos de la primera edición

Estos textos aparecen publicados en forma de libro en la República Dominicana gracias a la generosa insistencia de amigos. El novelista Viriato Sención, lector de mis escritos desde mediados de los ochenta, por años me ha instado a dar a la imprenta un volumen en mi país. A partir de julio de 1993 el sociólogo Franklin Franco Pichardo se interesó de tal manera en que saliera una colección de mis ensayos que se ofreció a cargar con el subsidio y la coordinación editorial de la publicación. No llegó a cuajar dicho plan debido a mi propia falta de tiempo para reunir una selección que me pareciera inobjetable. El historiador Frank Moya Pons retomó, finalmente, la insistencia y encabezó la diligencia que llevó a Ediciones Librería La Trinitaria y Editora de Colores a coeditar la presente obra. Había llegado también un momento propicio en mi propia carrera, que me permitió consagrar atención a la preparación del manuscrito. Espero que esta publicación no defraude a los amigos que han insistido en su salida.

Llegue también mi agradecimiento a las otras personas que directa o indirectamente posibilitaron la ejecución de esta publicación. A Sarah Aponte, Coordinadora Administrativa del Instituto de Estudios Dominicanos de la Universidad Municipal de Nueva York, recinto de City College, debo agradecerle el esmero en la preparación del manuscrito y su lectura crítica de cada uno de los textos que lo componen. Los otros miembros del personal de apoyo del Instituto de Estudios Dominicanos, los estudiantes universitarios Roma Francisco y Joel Cruz, prestaron valiosa ayuda a lo largo de esta escritura. En particular a Joel, consumidor empedernido de noticias dominicanas, le debo el hacerme notar en los diarios nacionales muchas declaraciones de figuras públicas que terminaron dándome tela para cortar en varios ensayos.

La forma que ha ido tomando mi prosa, que algunos lectores han juzgado satisfactoria, se remite al estímulo que, durante los ochenta, recibí en el extinto Círculo de Escritores Dominicanos en Nueva York, con algunos de cuyos miembros (Juan Torres, Viriato Sención y Juan Rivero) he mantenido contacto regular. A mis correligionarios en el Consejo de Educadores Dominicanos y posteriores fundadores o aliados del Instituto de Estudios Dominicanos, especialmente a Ana García Reyes, Ramona Hernández, Anthony Stevens-Acevedo, Luis Alvarez-López, Fausto de la Rosa, Josefina Báez, Francisco Rodríguez de León y Daisy Cocco de Filippis les debo un apoyo invaluable, incluso, como en algunos casos, el de dar la cara por cosas que yo había escrito. Mis largas conversaciones con Viriato, Ramona, Daisy, Frank Moya Pons, Agliberto Meléndez, Diógenes Céspedes y Junot Díaz han enriquecido muchos de mis textos. Espero que ellos reconozcan las huellas de sus ideas en mis palabras.

Estoy en deuda con Virtudes Uribe y Miguel Decamps, propietarios, respectivamente, de Librería La Trinitaria y Editora Manatí, por interesarse en publicar este libro, y con Diógenes Céspedes, por su experta revisión editorial del manuscrito. Finalmente, les debo a Frank Moya Pons y a Aníbal de Castro el llevar mis escritos a las páginas de la revista *Rumbo*, donde aparecieron inicialmente muchos de los ensayos aquí recogidos. *Rumbo*, de hecho, merece el más entusiasta de los saludos por venir a romper con la tradición obsecuente de nuestra prensa escrita y por contribuir, de esa manera, a forjar la futura democracia dominicana.

Advertencias

La mayoría de estos ensayos fueron publicados anteriormente en revistas y periódicos. Esos medios, que se indican con la ficha completa en una nota al calce al comenzar cada escrito, tuvieron la cortesía de no objetar la reproducción de los mismos aquí.

Afín con la usanza académica, he tratado de anotar las citas textuales siguiendo el sistema de referencias bibliográficas parentéticas. Dicha anotación está ausente en la versión original puesto que estos trabajos fueron escritos para difusión masiva por medios periodísticos y no necesitaban ajustarse a las exigencias de la comunicación erudita.

En algunos lugares he necesitado explicitar alusiones que en el momento de la publicación original resultaban obvias. Para mayor claridad, he refraseado una que otra idea o modificado el manejo de las fechas. Aparte de eso, he respetado la forma en que inicialmente aparecieron estos escritos. Apenas he corregido erratas, modificado un par de títulos y restituido una que otra oración que los editores originales omitieron al publicar dichos textos. He vencido la tentación de revisar, actualizar y mejorar para no hacer violencia a la memoria de los lectores que conocieron y apreciaron estas páginas tal como se publicaron en la prensa.

Finalmente, queda por advertir que cuando no se identifica otro traductor en la bibliografía dada al final de cada ensayo, la responsabilidad por las traducciones del inglés o del francés recae sobre el autor.

El retorno de las yolas[1]

I. Preámbulo: confesiones de un dominican-york

Confesiones de un *dominican-york*
Permanezco tan extranjera detrás del cristal protector
como en aquel invierno
—fin de semana inesperado—
cuando enfrenté por primera vez la nieve de Vermont
y sin embargo, Nueva York es mi casa (Casal 1981: 60).
Amo las sonoridades difíciles y la sinceridad, aunque pueda parecer brutal. Todo lo que han de decir ya lo sé, lo he meditado completo, y me lo tengo contestado (Martí 1985: 57).

Nací en la República Dominicana y vivo en Nueva York. Por regla etimológica soy *dominican-york*. A decir verdad, la tradición oral que ha dado vigencia a ese apelativo en el ámbito nacional no lo circunscribe a los dominicanos residentes en la ciudad de los rascacielos. Haber pasado la experiencia migratoria en Filadelfia, Paterson, o Boston no

[1] Versión ampliada de una ponencia escrita para el seminario "La República Dominicana en el Umbral del Siglo XXI", Pontificia Universidad Católica Madre y Maestra, Santo Domingo, Recinto Santo Tomás de Aquino, del 24 al 26 de julio, 1997. Agradezco a Ramonina Brea, Rosario Espinal, Radhamés Mejía y Fernando Valerio, del comité organizador, la gentil invitación.

exonera aparentemente a uno de llevar la partícula *"york"* al final del gentilicio *"dominican"*. Pero en mi caso no hay duda, puesto que resido en Washington Heights, el *locus* dominicano por excelencia en Nueva York. A los dominicanos de encumbrado rango social, como Virgilio Díaz Grullón o Bernardo Vega, nadie los incluiría en la nómina de los *dominican-yorks* aunque vivieran largos años en Norteamérica. Si un miembro de la familia Vicini mantiene apartamento en Park Avenue, a nadie se le ocurrirá aplicarle el sello de *dominican-york.* Es decir, se evade dicha denominación al pertenecer a una clase social acomodada o haber residido en los Estados Unidos previo a la migración masiva de la gente de extracción humilde que salió de la República Dominicana a partir de los sesenta. El *dominican-york* debe carecer por lo general de linaje aristocrático, ganarse la vida como trabajador de cuello azul y compartir un vecindario habitado por sus iguales, sean compatriotas, inmigrantes de otros países latinoamericanos o negros norteamericanos.

Por proceder de un estrato social de menor grado y por llenar los requisitos ya mencionados, yo me tengo el apelativo de *dominican-york* super ganado. Como tal, me asiste el derecho al testimonio. Declaro, entonces, ante Dios, las mujeres y los hombres que ningún *dominican-york* anda consciente de su condición de tal. Cuando uno asiste a una recepción en Washington Heights, digamos en el restaurante *Coogan's,* localizado en la avenida Broadway cerca de la calle 169, y se encuentra allí con decenas de empresarios, políticos o activistas comunitarios dominicanos, no verá en sus compatriotas a especímenes de una familia de seres llamados *dominican-yorks.* Tampoco los otros latinoamericanos, los judíos, los irlandeses o los afroamericanos que puedan encontrarse en la concurrencia nos verán como otra cosa que no sea sencillamente como *dominicanos.*

La identidad *dominican-york* existe sobre todo como una construcción que se aloja en la percepción de nuestros compatriotas de clase media en la República Dominicana. La creación del *dominican-york* como un tipo social diferenciado surgió de la necesidad que siente la clase media criolla de regular la interacción de los dominicanos residentes en el exterior con los distintos renglones de la sociedad que los expulsó del país. Sépase que la gente normalmente no abandona su tierra de manera voluntaria. Se desgaja de su cálido terruño, sus paisajes familiares, su lengua, su cultura y sus amores compelida por la urgencia material. Emigra quien no puede quedarse. Se van aquellos a quienes la economía nacional les ha cerrado las puertas. Aunque sus recursos analíticos no siempre les permitan discernir las fuerzas sociales que moldean su decisión de partir, los que se van realmente son expulsados. Nuestra emigración es una expatriación.

Cuando a raíz de la revolución de abril de 1965 mi madre se decidió a procurar una visa para los Estados Unidos, con miras a conseguir para sus hijos el bienestar básico que la tierra natal no les prometía, pensó que actuaba por cuenta propia, movida sencillamente por su sentido de responsibilidad materna. No podía ocurrírsele que realmente actuaba en consonancia con innúmeras familias humildes que también optaban por la partida como cruzados inconscientes de un gran éxodo. Esa decisión colectiva resultó en el asentamiento de enormes comunidades de inmigrantes dominicanos en el exterior, principalmente en los Estados Unidos y Puerto Rico. Con el paso del tiempo, esa movilización poblacional contribuiría a la formación del *dominican-york* como un nuevo tipo humano en la percepción de la clase media del país emisor.

Ninguna madre, pudiendo evitarlo, tomaría al fruto de sus entrañas en una especie vituperada, como lo es el migrante de retorno a quien se le aplica el nuevo gentilicio. Un par de ilustraciones, sacadas del ideario que se maneja en los principales medios de prensa, bastarán por el momento. El columnista Francisco Álvarez Castellanos, velando por la seguridad física del padre Rogelio de la Cruz, párroco de la Iglesia de Cristo Rey en Santo Domingo, le aconseja "tomar precauciones si sale de noche y a pie, porque con su 'barba candado,' tan '*dominican-york*'...cualquier patrulla lo confunde y 'lo rifa'" (1997:9A). Por otro lado, preocupado por la salud de su partido, el dirigente reformista Ángel Lockward insta a su liderazgo a elegir rápidamente a un candidato a Senador por la ciudad de Santo Domingo para competir efectivamente con los candidatos de los partidos principales. Solo les ruega que *por favor* no vayan a cometer la torpeza de escoger a "un ñeco o un *dominican-york*" (1997a: 9 A).

Si desconociéramos la insensibilidad que se despliega públicamente en el país hacia las personas discapacitadas, sería difícil desentrañar la lógica que descalifica a los "ñecos" de echar una buena pelea en una arena como el mercado electoral que no depende de destrezas manuales. Pero, conocida esa desconsideración del discurso público criollo, se colige que para Lockward la imagen del ñeco describe metafóricamente a la gente de menor valía en la escala social. De ahí que la equipare con el *dominican-york*, quien, como se advierte en el juicio de Alvarez Castellanos, puede en cualquier momento ser maltratado ("rifado") impunemente por las autoridades policiales sin necesidad de justificación alguna. El *dominican-york* existe en el país como un subalterno que ocupa el más bajo tramo del orden moral. Funge como chivo expiatorio para una clase media inferiorizada por siete décadas de desenfrenada violencia y soborno estatal, una clase media que anda en busca desesperada de alguien con respecto a quien sentirse superior.

Entonces, no puede uno asumir altivamente la identidad *dominican-york,* como yo me propongo en estas páginas, sin posicionarse como adversario con respecto a esa némesis nuestra que es la clase media criolla. Hablar como *dominican-york* presupone el reconocimiento de una marginalidad intrínseca. Implica reconocerse como voz de la alteridad. Yo estoy, por tanto, condicionado por mi ubicación de alteridad a distanciarme de la mayoría de los intelectuales criollos colaboradores y cómplices del *statu quo.* Para nada me serviría la textura diplomática que exhiben muchas de las principales plumas del país. No puedo hacerle la más mínima concesión a la charlatanería balagueriana, ni a la desfachatez de los prelados del poder, ni al oportunismo egoísta de la clase empresarial. Hacerlo sería enlistarme en las filas del bandidaje que ha llevado al país a la deriva.

En la novela *Dreaming in Cuban* de la escritora cubano-norteamericana Cristina García, al nacer la niña Pilar, quien habrá de marcharse al exilio, la abuela Celia, se reconforta diciendo que su nieta "lo recordará todo" (1992:245). La abuela da en el clavo acerca del papel que la historia le confiere a quienes sufren expatriación. Según la interpretación de una estudiosa del exilio cubano, quien se va sirve como "una reserva del recuerdo para la nación" (Torres 1995: 235). En mi caso, y en el de muchos como yo, se ha acentuado la conciencia de que las fuerzas que causaron nuestro destierro están vivitas y coleando, todavía haciéndole daño al país y causando otros destierros. Esa conciencia nos ha dejado desprovistos de la inocencia histórica. Nos ha robado el privilegio del olvido. En el país la gente necesita olvidar y lo logra para, sin pegarse un tiro o terminar en el manicomio, poder sobrellevar la asfixia espiritual que causa un ambiente de malhechores impunes que exhiben con arrogancia su espurio protagonismo en los distintos renglones sociales. Liberados del contacto material constante con el mal nacional, los desterrados podemos sobrevivir sin llegar a reconciliarnos con los valores invertidos de la sociedad emisora. Esa relativa independencia, junto a nuestra tensa convivencia con la sociedad receptora, nos agudiza la memoria de la tierra natal, memoria que se alimenta con nuestro resentimiento de haber sido expulsados del suelo patrio. Seducido por el imperativo del recuerdo, la persona expatriada resiente las fechorías impunes de los arquitectos y los beneficiarios del gran éxodo.

Naturalmente, no a todo el mundo lo orienta la conciencia histórica. Reconocerse como parte de un desecho poblacional tiene graves implicaciones que hacen un tanto incómoda la relación de uno con la tierra natal igual que con el país receptor. Haciendo autobiografía ideológica, yo trazaría hacia el principio de los ochenta el inicio de mi propia toma de conciencia con respecto al significado de mis orígenes sociales. Para esa fecha había terminado mis estudios de licenciatura en Brooklyn College, de la Universidad Municipal de Nueva York. Había completado mi entrenamiento de "hombre renacentista" en latín y griego antiguo y ahora cursaba el programa doctoral en literaturas comparadas en New York University. Habiendo salvado la barrera lingüística, daba la talla intelectualmente con respecto a mis condiscípulos aunque mi inmigración relativamente reciente y mi condición de obrero en una factoría de zapatos me distanciaba de ellos en aspectos importantes. Caí pronto en la cuenta de que no éramos lo mismo y que había una historia que explicaba la diferencia. Mi trayectoria distinta a la del estudiantado típico de New York University —proveniente en su mayoría de familia acomodada y avalado por un considerable capital social— se transformó rápidamente en una diferencia de cosmovisión que se manifestaba en una manera determinada de leer textos y de interpretar la realidad.

En ese terreno exclusivo, donde yo era el único dominicano, se me desarrolló el interés en detectar el lado dominicano de las cosas. Cuando el Departamento de Literaturas Comparadas anunció un curso de post-grado sobre la novela histórica, dictado por el profesor Alexander Coleman, se me abrió el apetito por escudriñar el tema a partir de la experiencia de mi mundo. Aunque el pensum de lecturas se concentraba en autores occidentales como Víctor Hugo, George Eliot, Honorato de Balzac, Benito Pérez Galdós, Giuseppe di Lampedusa y León Tolstoi, consulté al catedrático acerca de mi intención de matricularme en su curso y mi deseo de dedicar la monografía de término a una investigación sobre la expresión dominicana de la novela histórica. Tenía en mente trabajar obras como *Enriquillo* y *La sangre,* pero el profesor me informó que no aceptaría ninguna monografía sobre novelas que no estuvieran en la lista de lecturas, lo cual me pareció una regla objetable por su estrechez cultural. Como ya entendía que cualquier vistazo con pretensión panorámica sobre la cultura humana que excluyera a mi propia zona cultural no podía contar con mi respeto, opté por quedarme fuera del curso.

Para 1982, por instancia del fenecido Miguel Amaro, entonces mi cuñado, me iniciaba en los predios del activismo comunitario. Amaro me reclutó para la directiva de una organización naciente llamada Washington Heights Dominicano, la que sirvió de base para propulsar en la comunidad la idea del primer Desfile Dominicano. Comencé a cumplir para entonces un intenso programa de charlista en clubes comunales de Nueva York. Los temas eran determinados por la necesidad del club que requiriera la charla. Cuando el tópico se salía de mi dominio tenía que irme a la biblioteca y aprendérmelo.

Posteriormente me toparía con un grupo de almas afínes y formaríamos, con el liderazgo del poeta y narrador Juan Torres, el Círculo de Escritores Dominicanos en Nueva York, cuyo órgano, la revista *Punto 7,* serviría para difundir nuestros escritos entre el sector de la comunidad dominicana del norte de Manhattan que se interesaba por asuntos literarios. Del seno de ese Círculo surgió la obra que le dio celebridad al narrador Viriato Sención.

Para entonces lo dominicano me parecía uno e indivisible. De ahí el tono un tanto ingenuo de mis primeros artículos sobre la realidad dominicana, como "El futuro comienza hoy mismo" publicado en la revista *¡Ahora!* en 1983 y "Perspectivas historiográficas de la independencia dominicana" dado a conocer en *Punto* 7 en 1984. Se percibe en esos textos la creencia de que, no obstante las insalvables tensiones de clase, existía lo dominicano como un cuerpo integral que estaba llamado a superar sus dolencias gracias a lo que parecía una inminente caducidad de la mentalidad trujillista. De algo había servido la cuota de sangre ofrendada por los miles de compatriotas que perdieron su vida en pos de una sociedad más justa entre el derrocamiento de Bosch en septiembre de 1963 y el frustrado intento balagueriano de burlar una vez más la voluntad popular en mayo de 1978. Presumía que habíamos avanzado como sociedad y que se avecinaba un orden democrático. Se vio luego, sin embargo, que se trataba de una presunción apresurada. Joaquín Balaguer regresó en 1986 y trajo consigo el resurgimiento del oscurantismo mediante ideologías culturales, políticas y raciales retardatarias que habíamos creido superadas.

Fue para 1986 que lo dominicano se me reveló como múltiple y divisible. Otros ya lo tenían sabido, pero rara vez se aprende por experiencia ajena. En abril de ese *anno mirabile* se dio el memorable seminario "Primera Conferencia Internacional Multidisciplinaria sobre la República Dominicana" coordinado por el colega puertorriqueño Carlos Rodríguez Matos de la Universidad de Seton Hall en colaboración con la Universidad de Rutgers, en New Jersey, y de algunas instituciones de educación superior de Santo Domingo. Académicos venidos de la República se juntaron en New Jersey por tres días con sus iguales procedentes de universidades norteamericanas y dilucidaron tópicos quisqueyanos. El evento marcó un hito crucial en la diseminación del conocimiento sobre la historia y la cultura dominicanas en la academia estadounidense. A mí particularmente me brindó un escenario en el cual pude percibir las complejidades del drama nacional. Fui testigo de la gran inconformidad que sintieron miembros de la comunidad dominicana de Nueva York porque no se les había consultado a la hora de diseñar el programa. Las quejas se multiplicaron sobre el porqué este expositor y no aquel; por qué asignar la ponencia sobre emigración dominicana a los Estados Unidos a un erudito que no había vivido la experiencia migratoria; y por qué la escasez de ponencias dictadas por miembros de la comunidad dominicana en Nueva York. Mi propia participación en el simposio con una ponencia sobre la visión integradora caribeña en la obra de Pedro Mir resultó ser uno de los ajustes tardíos incorporados al programa producto de la presión de los dominicanos en Nueva York.

La ocasión del seminario me permitió fijarme en —e identificarme con— voceros de una comunidad que pedía su cuota de representación en el plano del discurso. La revelación consistió en ver que ya no bastaba con que hablaran los dominicanos de la isla. Para sentirse representados, los del exterior exigían que se les diera también la palabra. Lo dominicano, entonces, devino bifurcable: los de aquí, por un lado, y los de allá, por el otro. En en el tiempo que ha transcurrido desde esa revelación mucho ha acontecido tanto en la sociedad emisora como en la receptora para justificar mi apego a una identidad *expátrida.* Como muchos otros compatriotas, he descubierto una dominicanidad desterritorializada y transnacional. La afiliación étnico-nacional que me hace dominicano no depende del calor de la geografía quisqueyana ni de la bendición del Estado dominicano. Igual que a mi colega cubana María de los Ángeles Torres, a mí me "consuela saber que, por mucho que traten los gobiernos, éstos no pueden controlar a la nación ni legislar las identidades" (Torres 1994:435). Soy parte de un contingente poblacional que ha cultivado una noción idealizada del suelo patrio. Se trata de una patria que se mira desde lejos pero no se habita, evitando así "las sofocantes imposiciones de la obligación ciudadana, el control fronterizo y la política pública que los súbditos del Estado-nación deben soportar", tal como lo han razonado algunos pensadores de la diáspora judía (Shreiber 1998: 275; Finkelstein 1992: 102). Daniel y Jonathan Boyarín, como buenos judíos, señalan que "los pueblos y las tierras no están natural ni orgánicamente conectados" (Behar 1995: 8).

De ninguna manera afirmaría yo que todos los dominicanos de los Estados Unidos han experimentado similar evolución. Lo justo es admitir que no hay homogeneidad en esa población. Iniciado masivamente a principios de los sesenta, el éxodo dominicano no se ha detenido aún, ni hay razón en el 1998 para pensar que se detendrá en el futuro inmediato. La llegada ininterrumpida de nuevos contingentes de inmigrantes dominicanos dificulta la conformación de un perfil acabado sobre la comunidad. El cuadro demográfico de nuestra gente tendrá que seguir dando cabida al recién llegado, azorado, que no sabe una palabra de inglés ni ha resuelto su estado legal, igual que al inmigrante adaptado que ve a Norteamérica como su hogar permanente o al individuo que nació en territorio norteamericano y sólo conoce la tierra de sus padres por referencia o por un par de visitas veraniegas. Pero no hay duda de que el número de los adaptados ha crecido hasta el punto en que ya podemos justificadamente afirmar que una buena parte de la población dominicana por estos lares ha rebasado la condición de "ave de paso". Una gran porción de nuestra gente ya cortó el cordón umbilical que la ataba materialmente a la tierra natal. Ese contingente nuestro en el exterior ya desborda la designación de migrante y conviene entenderlo, más bien, como componente de una diáspora.

Hablando como miembro consciente de una diáspora, puedo hacer constar que mantengo una relación compleja con la nación dominicana que me sirve de referencia cultural y étnica. La escritora jamaiquina Michelle Cliff dice de su país lo que puedo decir del mío: que vivo simultáneamente conectado con y desconectado de él. Me aferro a él en la misma medida en que huyo despavoridamente de él. No importa cuán lejos me lleven mis viajes ni con cuánta ambivalencia sienta la posibilidad del regreso, lo cierto es que llevo a mi tierra conmigo igual que ella me lleva consigo (Cliff 1994: 370). No puedo sacudirme de este país por más que lo intente. Estoy unido a él por un incómodo, doloroso afecto, como el hablante en el portentoso poema de Mir que dice: "Es cierto que lo beso y que me besa/y que su beso no sabe más que a sangre" (Mir 1993: 20).

Tampoco podrá la República Dominicana sacudirse de mí, ni de mis hijos, ni de la creciente población diaspórica de la cual soy voluntariosamente parte. Es falsa cualquier narrativa de la historia dominicana de la segunda mitad del siglo XX en adelante que no dé lugar de preeminencia al gran éxodo y a la experiencia de los emigrados. Dondequiera que yo, voz de la diáspora, tome la palabra, serviré, quiéralo o no, como un espejo delator cuya imagen refleja la incapacidad de la sociedad dominicana de proveerle en su propio suelo por lo menos un mínimo de garantía social a la población. Mi éxito al igual que mi fracaso en el exterior, remitirá siempre a un orden social que condena a los humildes al más implacable destierro. En ese problemático sentido somos inseparables mi tierra natal y yo.

¿Cómo negar lo lacerantemente que me duele mi país? Me denunciaría la vehemencia de mi ira contra los comerciantes depredadores, los mitrados desvergonzados, los políticos indignos y los intelectuales sin escrúpulos que lo han despilfarrado. No tiene sentido ocultar mi pasión. Aunque haya perdido el hogar que fue mío en la inocencia de la niñez, amo a la tierra que me vio nacer. Mi sentimiento patrio no es menos desgarrado que el del salmista que se pregunta si podrá entonar "un canto de Yahvé en un país extranjero" y exclama: "¡Si me olvido de ti, Jerusalén/ que se me seque la diestra! / ¡Se me pegue la lengua al paladar / si no me acuerdo de ti!" (*Salmo 137, 4-6*). Ese amor, más que ninguna otra razón, como dijera James Baldwin hablando sobre Norteamérica desde París, me autoriza a criticar a la sociedad dominicana hasta la muerte (Baldwin 1964: 6). Y me envalentona el hecho de que ya no tengo nada más que perder en la tierra natal. Por eso ni una pizca de sueño me quita el que algún Fulano detecte un aire amonestador en mis escritos sobre la realidad dominicana contemporánea. Lo sospechoso, a mi parecer, sería escatimar la indignación.

II. La diáspora piensa

He aquí una idea radical: los dominicanos residentes en el exterior todavía conservan la capacidad de pensar y hasta poseen la habilidad de idear soluciones para sus propios aprestos. La proposición resultaría tácita si estuviéramos en otras latitudes. Sin embargo, en la tierra de Tamayo, Sebastián Lemba y Mamá Tingó, la afirmación podría escandalizar por su novedad. Baste echar un vistazo al amplio ideario divulgado por voces de las élites criollas con el fin de instruir al Estado dominicano sobre el futuro de los ausentes. Una tras otra han subido a la palestra pública diversas fórmulas de mejoramiento: un anteproyecto de ley para la protección del dominicano en el exterior, una legislación de retención de la ciudadanía para compatriotas que se naturalicen en otros lares, la discusión de un plan que otorgue a los ausentes el derecho a votar en la elecciones nacionales desde el extranjero y la propuesta de dos comisiones —una en cada lado del mar— a destinadas a lidiar con las necesidades y las aflicciones de los emigrados. La poeta Chiqui Vicioso se ha adherido al discurso estatificador de los asuntos de la diáspora, celebrando el anuncio del gobierno dominicano de "instalar bibliotecas dominicanas básicas" en las escuelas de Nueva York y otros estados "donde predomine un estudiantado dominicano" (*Rumbo,* 1 de septiembre, de 1997: 24). Dichas bibliotecas, de 100 ejemplares cada una, vendrían presumiblemente a impedir o a contener la deformación cultural de los cientos de miles de compatriotas que habitan en las grandes urbes del nordeste de los Estados Unidos.

Sin embargo, las fórmulas paliativas enunciadas hasta ahora pasan por alto un obstáculo de no poca importancia. Se trata sencillamente de la improbabilidad de que la solución a los problemas de la comunidad dominicana en el exterior pueda provenir del Estado dominicano. Una mirada crítica a la historia de las migraciones desaconsejaría cualquier lectura romántica de las relaciones entre las masas que se ven forzadas a dejar su país y el Estado responsable de propiciar su expulsión. En su definición más cruda, una diáspora no es más que una masa humana cuyo Estado original le ha fallado. El gran éxodo dominicano no tiene causa mayor que la incapacidad estatal de proporcionar a los estratos menos privilegiados de la población por lo menos un mínimo de garantía social. Produce extrañeza, por tanto, el que haya quienes se aventuren a suponer que el mismo Estado que causó la salida masiva de nuestra gente esté ahora dispuesto a, y hábil para, zanquear a nuestra diáspora por allende los mares con el fin de ayudarla. De ser así, estaríamos ante un caso atípico entre los movimientos migratorios.

Podría decirse que si el Estado dominicano quisiera realmente hacer algo por la diáspora comenzaría por resolver los problemas básicos de la población dominicana que aún no ha emigrado. Sin el desempleo y el subempleo, los apagones, la precariedad de la educación pública, la calamitosa situación de los servicios médicos y los demás males sociales que amenazan la sobrevivencia de las clases populares en la República Dominicana, se les haría la vida más llevadera a los dominicanos residentes en el exterior. Pues se reduciría el masivo flujo emigratorio, lo cual facilitaría el proceso de adaptación de los dominicanos que ya viven en Norteamérica sin las complicaciones causadas por la llegada diaria de nuevos contingentes. ¿A cambio de qué la diáspora habría de concederle al Estado dominicano la autoridad para regularle su existencia? De hacerlo se estaría exponiendo a sacrificar quizás la más valiosa de sus conquistas: el haberse emancipado de la jurisdicción política de la estructura gubernamental vigente en el país emisor. Cuando una emigración sobrevive al trauma inicial de la expulsión del país de origen y logra sobrellevar la inhospitalidad de la sociedad receptora, comienza a disfrutar de una envidiable independencia con respecto al sistema político del lar nativo. Los hijos y las hijas de la gente que se fue no le debe obediencia alguna al Estado dominicano. Por ironía de la historia, son gente priviligiada en cuanto a que goza de la potestad para negociar su soberanía con respecto a este o aquel Estado. ¿Quién querría perder eso?

A los propulsores de proyectos de auxilio para los "ausentes" les siguen los exégetas de la experiencia de nuestra emigración, concebida primordialmente como narrativa del desasosiego. El periódico *Hoy* lanzó la más ambiciosa de las ofensivas en ese renglón, enviando a la periodista Ángela Peña unas semanas a Nueva York con el encargo de documentar y explicar al vapor la vida de nuestra gente en la ciudad de los rascacielos. La redactora cumplió su misión en una serie de 38 extensos artículos, los que, imaginamos, ya se estarán encuadernando para salir pronto en forma de libro. Aunque no se lo haya propuesto, la periodista concluye como había de esperarse: en la infertilidad intelectual de la caricatura. Al narrar el regreso periódico de los dominicanos de Nueva York a su tierrra natal, Peña se concentra en la apariencia pintoresca de los viajeros: "Visten excesivamente formales o excesivamente casuales, aunque la mayoría viaja ataviada como si asistiera a una gira con destino a Boca Chica" (Peña 1997:12). Obviamente distanciada de los migrantes que pueblan su narrativa, la redactora los retrata a partir de la anormalidad y el exceso: "No parecen viajeros comunes y habituales. Tampoco dan la impresión de ser turistas. Si el viaje no fuera por avión, cualquiera podría pensar que muchos son itinerantes gitanos camino a amueblar furgones" (Peña 1997:12). La narradora se compadece de la tripulación de American Airlines que tiene que lidiar con gente como la nuestra que carga demasiado equipaje de mano, atosigando los compartimientos, y que se para de sus asientos con desconsiderada frecuencia, atiborrando los pasillos del avión. "Casi ninguno lee, a pocos les importa ver la película. Sólo toman, comen, conversan," remata la cronista, sin revelar jamás con quién demonios es que nos está comparando.

El discurso definidor que se afinca en un absoluto no necesita valerse de modelos comparativos. Trasciende el ejercicio analítico y procede como fuente de su propio saber. La autoridad definidora, legitimada por la fuerza del *logos,* se constituye en norma incuestionable. Se convierte en la normalidad personificada y ostenta la autoridad de interpretar al otro, quien es relegado a la condición de objeto de estudio. El esquema remite a la vieja usanza de los eruditos del imperio, mayormente antropólogos y etnólogos, cuando procedían a escudriñar la vida de los nativos en la colonia. Venía, digamos, un Lucien Lévy-Bruhl y fijaba el lente antropológico en tal o cual tribu de ultramar. El examen de ese conglomerado humano, reducido a una lógica textual, estimulaba al hermeneuta imperial a forjar todo un corpus discursivo sobre la estructura del alma primitiva. Era la "civilización", al margen de toda problematización comparativa, explicando a "la barbarie." El patrón se repitió sucesivamente cuando el *logos* occidental se trasladaba a las geografías que terminaron conociéndose colectivamente bajo el nombre de Tercer Mundo. Lo asombroso es ver ahora ese patrón aplicado entre dos ramas de un mismo tronco nacional, los dominicanos de aquí y los dominicanos de allá: la tierra natal *qua* civilización interpretando a la diáspora *qua* barbarie. De ese distanciamiento entre el *aquí* y el *allá* se desprende inevitablemente la conclusión de que las élites dominicanas carecen de los instrumentos cognoscitivos para explicar a la diáspora. Sencillamente, uno no puede explicar lo que no entiende. Ni puede nadie entender aquello que desprecia. Entender implica compenetrarse. Y no hay que pedirles a las élites nacionales compenetración con la misma masa humana que ellas han desechado enviándola al destierro.

El desprecio, engendro del prejuicio, obstruye el entendimiento. El prejuicio garantiza que el intérprete externo de la vida interna de una comunidad no haga más que encontrar sustentación para opiniones que sostuviera antes de acercarse a la misma. Analizados desde otra tesitura afectiva, los mismos signos que se les revelaron a la redactora de *Hoy* llevarían a una lectura alternativa. La sobrecarga en el equipaje de los dominicanos de Nueva York que viajan de regreso a su tierra natal podría verse como el peso social que ha caído en los hombros de los emigrados, quienes se han visto obligados a suplir las insuficiencias de su país. Además del envío en dólares de remesas multimillonarias cada año, la comunidad dominicana residente en el exterior ha debido echarse literalmente a cuestas los enseres, aparatos y productos requeridos por sus familiares y allegados en el país para satisfacer necesidades materiales. Veánse, pues, los excesivos bultos, cajas y maletas como una cruz crística con la que nuestra gente carga para ayudar a redimir de sus precariedades a una sociedad regida por una tradición de gobiernos delincuenciales e intelectuales cómplices.

Si el Estado dominicano elevara la calidad de vida del pueblo, si asegurara el bienestar de la ciudadanía, entonces nuestros ausentes podrían viajar más livianos. No tendrían por qué afear el paisaje aeroportuario con los enormes paquetes que ante los ojos de las élites del país los hacen lucir como "itinerantes gitanos camino a amueblar furgones". A fin de cuentas, la comunidad dominicana residente en el exterior no necesita que la expliquen y mucho menos a partir de la antropología imperial. Sencillamente, hay que aceptarla como lo que es: un conglomerado humano diverso que ha sobrevivido el trauma de la expulsión de la tierra natal y hoy lucha de distintas maneras por labrarse la sobrevivencia. Hay que reconocer su aporte material al mejoramiento de la sociedad emisora. De hecho, para externar el juicio más escandalizante de esta reflexión, hay que reconocerle su derecho a reconceptualizar el pasado y el futuro, así como la fisonomía de la nación dominicana. Es decir, la diáspora puede hablar. Puede opinar con propiedad no sólo sobre sí misma, sino también sobre el marco mayor de la dominicanidad.

III. Sobre emigración e identidad diaspórica

En vista de la perplejidad que pueda suscitar la aplicación del término diáspora a los dominicanos en el exterior, permítaseme un intento de definición con miras a justificar el vocablo. Existe diáspora dominicana debido al gran éxodo que ha marcado a nuestro pueblo. La última emigración masiva que registra la historia dominicana irrumpió a principios de los sesenta y se distingue de las anteriores en que, contrario a aquellas, esta engendró una comunidad diaspórica. También se distingue por la diferente extracción de clase de los emigrados, así como por la antipatía que provocan en la clase media del país de origen. Un rápido bosquejo de las emigraciones que han afectado a la sociedad dominicana debe comenzar por la segunda mitad del siglo XVI, cuando la primera gran corriente emigratoria de la isla de Santo Domingo redujo en gran medida a la población española. La salida de "la gente blanca se aceleró vertiginosamente" en la tercera década del siglo, "debido, sobre todo, a las noticias que llegaban acerca de que en México se habían descubierto nuevas tierras inmensamente pobladas de indios en donde había abundancia de oro" (Moya Pons 1992: 33).

La inminencia de la huida por parte de los colonos se reanudó a mediados del siglo XVII, debido a la plaga del cacao, las viruelas, un terremoto, un ciclón y un estado de pobreza generalizada. Las autoridades coloniales quisieron contener la preocupante emigración mediante ordenanzas que prohibían la salida de Santo Domingo. Luego, el Tratado de Basilea de 1795, mediante el cual España traspasó a Francia el dominio colonial de la parte este de la isla, acrecentó la expatriación de los criollos solventes. El fenómeno se agudizó en 1801 cuando Toussaint Louverture unifica a Santo Domingo y a Saint Domingue bajo un solo orden jurídico. Aumentó, además, a raíz del anuncio del gobernante haitiano Jean-Jacques Dessalines en 1804 de que impondría un tributo económico a los habitantes de la parte hispano-parlante de la isla. En ese momento, tan pronto se les presentó una coyuntura favorable, "algunas familias nobles y con bienes de fortuna" aprovecharon para irse al exterior (Del Monte y Tejada 1953, III: 239). La corriente emigratoria continuó de modo intermitente hasta el 1808, año en que los habitantes de Santo Domingo volvieron a convertirse en súbditos de España (Deive 1989: 138). Luego, la segunda unificación de la isla bajo el mando haitiano entre 1822 y 1844 alimentó de nuevo el flujo emigratorio que había comenzado a principios del siglo XVI.

Lo que revela este rápido sondeo de las emigraciones desde las primeras décadas de la colonia hasta el período republicano es un patrón de fuga fijo por parte de la gente con bienes y alta posición social cada vez que la sociedad padecía sequías, plagas, hambrunas, ciclones, invasiones y otras calamidades. Beneficiarios que eran del orden colonial español, tenían fácilmente la opción de retener su bienestar y su prestigio con sólo mudarse a Cuba, Puerto Rico, Venezuela o cualquier otra localidad del imperio ibérico español donde la blancura traía privilegios. El caso de Gaspar Arredondo y Pichardo, un hacendado de

Santo Domingo que salió hacia Cuba el 28 de abril de 1805, ilustra claramente esa opción. Al verse vejado y disminuido con la transformación social causada por la unificación de la isla bajo Haití, incluyendo la "humillante" abolición de la esclavitud que sacaba a los negros del cautiverio y los elevaba al plano de igualdad con sus anteriores amos en el servicio de las armas y en los eventos públicos, Arredondo y Pichardo se fue adonde podía recuperar su anterior superioridad social (Arredondo y Pichardo 1955:132).

Aparte de los que se iban con el fin de preservar su bienestar, había aquellos que se iban con el fin de aumentar sus posibilidades de enriquecimiento. Pero tanto en un caso como en el otro, la ausencia de aquellos emigrados pasó a historiarse en el discurso cultural dominicano como una dolorosa pérdida para la nación. El historiador puertorriqueño Pedro L. San Miguel, estudioso de la sociedad dominicana, señala a Antonio Sánchez Valverde, a finales del siglo XVIII como el fundador de la tradición que lamenta aquellas emigraciones como una "tragedia histórica" (San Miguel 1997: 73). Desde finales del siglo pasado y durante todo el siglo presente, una buena parte de la más connotada intelectualidad dominicana ha consagrado innúmeras y lacrimosas páginas a sollozar la partida de aquella gente blanca, culta y capaz, poseedora presumiblemente del capital humano que necesitaba el país para desarrollarse. Entendidas como sucesivas ocasiones en que la sociedad dominicana perdió a la gente que la enrumbaría por el camino del progreso, las emigraciones del pasado han suscitado patéticas evocaciones. Pero las emigraciones contemporáneas no han inspirado más que alivio primero y miedo después. A determinados sectores de la sociedad dominicana de hoy les convino que cerca de un millón de sus compatriotas tuviera que abandonar su suelo natal. Y ahora parece aterrarles la idea de que a toda esa gente con su no menos vasta prole se le pueda ocurrir regresar para quedarse. Ciertamente, la sociedad dominicana no tiene espacio económico en el cual albergar a una masiva migración de retorno. Baste recordar la crisis que se le formó al gobierno de Jean-Bertrand Aristide en 1991 cuando el entonces Presidente dominicano repatrió a decenas de miles de inmigrantes haitianos con múltiples necesidades de vivienda, adaptación, empleo, educación y salud. Para algunos analistas, esa crisis creó las bases para el alzamiento golpista que derrocó al hasta entonces carismático Presidente.

Un regreso masivo de cientos de miles de emigrantes dominicanos repercutiría incalculablemente en el equilibrio del sistema social, sobre todo en vista de que el hipotético retorno no involucraría primordialmente a inversionistas y a científicos sino a gente necesitada. La emigración dominicana contemporánea procede de los estratos inferiores de la sociedad emisora y ocupa los predios de la marginalidad en la sociedad receptora. Un perfil socioeconómico reciente retrata a la comunidad dominicana en Nueva York, por ejemplo, como uno de los más desposeídos grupos étnicos de la ciudad (Hernández y Rivera Batiz 1997). Hay razón, pues, para conjeturar que la posibilidad de un regreso masivo de los emigrantes a la tierra natal bien podría, como inquietante *bête noire,* perturbarle el sueño a la clase media dominicana. De hecho, podría decirse que el presidente Leonel Fernández intuyó acertadamente los temores de la clase media cuando, a poco tiempo de iniciar su primer período presidencial en el 1996, se dirigió a la población dominicana residente en los Estados Unidos con un mensaje televisivo en el que la instaba a obtener la ciudadanía norteamericana, asegurándole que con ello no perdería la ciudadanía dominicana ni violaría ningún precepto de amor o deber patrio.

Pero realmente tiene muy poco que temer la clase media criolla. Un regreso masivo de la emigración dominicana es poco probable. Los dominicanos en el exterior han alcanzado su *point de non retour.* El columnista haitiano Jean Marin, refiriéndose a la experiencia de su comunidad, descarta como "engañosos" o cuando menos "penosos" a aquellos discursos "que inclinan a creer en la necesidad del retorno al país de origen" (Marín 1991: 15). El sueño del regreso al país de origen podrá cristalizárseles a personas individuales pero la posibilidad de que se le cumpla a la colectividad es muy remota, no importa cuánto añore la comunidad el lar perdido y aspire a recuperarlo. Ya muchos dominicanos, al igual que otros tantos haitianos, han comprendido y aceptado la irreversibilidad de su emigración. Con frecuencia el discurso del regreso recurre apenas como dejo de nostalgia que permea al imaginario popular en la articulación del futuro de la comunidad. Pero una buena parte de la población dominicana en Norteamérica ha trascendido la transitoriedad mental típica de la etapa inicial en la experiencia migratoria. Ya mucha gente se reconoce como parte de un asentamiento permanente, como una minoría étnica dentro de la población estadounidense. Ya despliega los atributos y los colores de una diáspora.

La raíz griega de la palabra diáspora *(sperein)* significa tanto *sembrar* como *esparcir,* por lo que etimológicamente contiene a la vez el sentido de *afincamiento* y el de *desarraigo.* Antiguamente el vocablo se utilizó para nombrar la dispersión de los judíos fuera de Palestina, especialmente entre los pueblos paganos de Egipto y Asia Menor, a raíz del cautiverio de Babilonia en el siglo VI antes de Cristo. Proveniente de la primera traducción griega del *Antiguo Testamento,* la llamada Versión de los Setenta (Deut. 28.25), el término diáspora originalmente indicó la expulsión padecida por los hijos de Israel, como caso paradigmático, y por extensión pasó a denotar la expatriación forzada de los griegos y los armenios (Tólólyan 1996: 9). Posteriormente, la palabra comenzó a usarse para referirse a cualquier comunidad religiosa que viviera dispersa dentro del dominio de una religión mayoritaria *(Enci. Un. Ilus.* Vol 18). El vocablo se aplicó, además, al esparcimiento de los africanos por las Américas y otras partes del mundo a raíz de la esclavitud negra y del colonialismo occidental tras la conquista del llamado Nuevo Mundo. Hoy la palabra abarca, en su amplio sentido sociológico, "a las colonias sin bandera de cada país en su conjunto," como señala la *Grande Enciclopédia Portuguesa e Brasileira* en su edición del 1960.

Fue a partir de los sesenta, de hecho, que el término adquirió su acepción actual, según apunta el académico Khachig Tólólyan, el catedrático de la Universidad de Wesleyan quien dirige la revista monográfica *Diaspora: A Journal of Transnational Studies.* Debido a una serie de acontecimientos históricos y desarrollos culturales que Tólólyan explica en un extenso ensayo, en las últimas cuatro décadas el concepto de diáspora ha experimentado una expansión significativa, llegando a cubrir a las más recientes comunidades que han sufrido dispersión (Tólólyan 1996:3). Es decir, se extiende a todos los grupos contemporáneos que muestren, en una tierra adoptiva, los recursos materiales, la estructura sociopolítica y los incentivos discursivos para representarse a sí mismos como diásporas. La comunidad dominicana residente en el exterior que ha superado la fase exílica, como habrá de quedar claro en las páginas que siguen, ya llena los requisitos conceptuales implícitos en la acepción moderna del término diáspora. Resulta significativo que el primer estudio extenso sobre la comunidad dominicana en los Estados Unidos, publicado hace cerca de un cuarto de siglo, llevara el título de *The Dominican Diaspora* (Hendricks 1974).

Asimismo, casi un cuarto de siglo después, en el ensayo en que Tólólyan bosqueja la evolución del concepto de diáspora desde sus orígenes bíblicos hasta su expansiva acepción contemporánea, el autor se detiene al final en el caso específico de la diáspora dominicana. Nuestro caso le permite ilustrar el hecho de que: "Cuando el asentamiento concentrado de inmigrantes crea enclaves diaspóricos fuertes, los gobiernos de los países de origen también descubren cómo las comunidades diaspóricas organizadas... pueden influenciar las elecciones locales, congresionales y hasta presidenciales no sólo en la sociedad huésped sino también en la tierra natal gracias a la facilidad de la comunicación y del transporte internacionales" (Tólólyan 1996: 22). El autor cita el ejemplo de la competencia, durante las elecciones de 1996, entre José Francisco Peña Gómez (PRD) y Leonel Fernández (PLD) por granjearse el apoyo económico de los dominicanos residentes en los Estados Unidos. Esa observación apunta a la problemática interacción de la diáspora dominicana con su tierra natal. Pero baste por ahora apuntar que nuestros emigrados caen armoniosamente dentro de la definición avanzada por un enjundioso estudio que entiende por diáspora nacional a un "pueblo con un origen nacional común cuyos integrantes se ven a sí mismos, o son vistos por otros, como miembros reales o potenciales de una comunidad nacional de su tierra natal y que mantienen ese estatus sin importar su ubicación geográfica ni su condición ciudadana fuera del suelo nacional" (Shain 1989: 51).

IV. Pensar la dominicanidad

Si decimos que la diáspora dominicana piensa, debemos agregar que su pensamiento comienza con la reflexión sobre la dominicanidad. La discusión sobre la dominicanidad efectuada en el país hasta ahora se ha circunscrito al ámbito ontológico. En interés de señalar los elementos constitutivos de la nacionalidad, ese énfasis ha encaminado la pesquisa por predios primordialmente metafisicos. Se ha procurado identificar las bases de nuestra unicidad como pueblo y aislar los patrones que nos distinguen de los demás. De esa manera se ha pretendido arribar a la esencia que describe el espíritu de la nación. Debido a ese tipo de formulación, se han erigido parámetros conceptuales que arrastran la conversación inevitablemente a la polaridad de los unos contra los otros. Los unos, abanderados de la teoría trujillista de la historia y la cultura, configuran la nacionalidad a partir de protocolos de exclusión. Los otros, vinculados a una *intelligentsia* de raingambre izquierdista, se afanan por desmitificar las definiciones del sector dominante. Esa pugna de propuestas irreconciliables por lo general ha desatendido la faceta material de la dominicanidad. Normalmente ha quedado fuera del debate el conjunto de atribuciones cívicas que dan concreción a la nacionalidad en el plano constatable y medible de la ciudadanía.

En la diáspora, sin embargo, tendría poco sentido ponderar la dominicanidad sin efectuar una integración de dicha nacionalidad con la ciudadanía. A partir de esa diferencia de énfasis, no resulta descabellado aseverar que la comunidad dominicana en el extranjero conforma una comunidad epistémica alternativa, la cual está llamada a problematizar en la tierra natal la reflexión sobre lo que somos. Pienso que efectivamente se cumple la suposición avanzada de paso por el sociólogo Jesús M. Zaglul al decir que el fenómeno de la emigración le plantea "interrogantes implícitas y explícitas" al estudio de la dominicanidad

(Zaglul 1992:151). La experiencia de más de tres décadas de interacción con realidades sociales distintas ha hecho ver a nuestra emigración que la persona dominicana no se define únicamente por el color de la piel, la textura del pelo, la religión y el lenguaje sino también por una relación determinada con un Estado y una sociedad.

El pueblo dominicano, entidad viviente y por eso cambiante, es lo que es por la manera específica de constituirse como un componente diferenciado de la familia humana. Se entrelaza de cierta manera con la región que le circunda y con el orden internacional dentro del cual se incrusta. Pero también debe verse en el marco de su identidad cívica. Es decir, a la persona dominicana le asiste *a priori* el derecho de satisfacer sus necesidades materiales, alcanzar los peldaños que le permitan sus habilidades y aspirar realísticamente a preservar la dignidad humana. A riesgo de incitar el malestar de aquellos compatriotas en la República Dominicana que descalifican a la diáspora para venir a trazarles las pautas "a los de aquí" (Sánchez 1996), me aventuro a sugerir que la experiencia migratoria de los dominicanos en el exterior los ha equipado notablemente para interrogar el cuerpo de conocimientos que normalmente conforma o define los términos de la discusión sobre lo que somos como pueblo. La diáspora tiene el potencial para ayudar a modificar los parámetros conceptuales vigentes en el discurso sobre la dominicanidad. A esa potencialidad he optado por llamar "el retorno de las yolas".

V. Los beneficios del éxodo

A mediados de los ochenta, Frank Moya Pons tuvo la previsión de valorizar positivamente el impacto de la emigración dominicana en la economía nacional. Notaba el historiador que el país apenas podía emplear 7,000 de los 60,000jóvenes que anualmente entraban en edad de trabajo. Por lo tanto, la salida anual de unos 25,000 compatriotas hacia los Estados Unidos por vías legales e ilegales venía a mitigar la presión que ejercía sobre la economía criolla la insuficiencia en la generación de empleos (Moya Pons 1986: 359). La presencia dominicana en los Estados Unidos data desde finales del siglo pasado (Torres-Saillant and Hernández 1998: 11). Pero indudablemente el éxodo masivo que ha culminado en el surgimiento de vecindarios dominicanos en distintas ciudades norteamericanas irrumpió hace poco más de treinta años. Obviamente, no es este el lugar para detallar las causas de nuestra emigración. La bibliografía sobre el tema ya ha abordado las razones económicas, políticas y sociales de la salida masiva de los dominicanos hacia el exterior (Bray 1987). Aparte de ese saber especializado, existe, sin embargo, un conjunto de interpretaciones, extraídas del sentido común, que sin dudas supera al saber académico en la capacidad de influir en el entendimiento que tiene el grueso de la población sobre las causas del éxodo.

En la prensa se maneja un razonamiento que tiende a dar a los "ausentes" total responsabilidad del movimiento migratorio. Predomina la noción que apela al "prototipo de dominicano ausente o '*dominican-york*" el migrante de retorno que vuelve "al barrio cargado de cadenas exhibiendo un lujoso automóvil último modelo, después de sólo dos años" de vivir fuera, extendiendo "como pólvora en todo el territorio nacional" el deseo de alcanzar "el sueño americano," con el resultado de que hoy "por lo menos uno de cada seis hogares dominicanos tiene un familiar en el exterior, de manera legal o ilegal" (Torres 1997). Esa interpretación que coloca la fuerza motriz del éxodo en la voluntad de los migrantes mismos ha encontrado eco hasta en autoridades esclesiásticas. El obispo de Higüey, monseñor Ramón de la Rosa y Carpio, tuvo a bien admitir que la salida ilegal de tantos dominicanos se debía a la "desesperación" que afligía a los pobres en este país, pero, aun así, insistió en la fórmula que apela a la subjetividad individual de los emigrantes, añadiendo que "si bien el país no es un paraíso, tampoco es un infiemo para que uno tenga que salir corriendo, huyendo" (*El Nacional* 30 agosto, 1995: 5).

Lo desafortunado de esa interpretación de sentido común es que a fin de cuentas convierte el fenónemo migratorio dominicano en el producto de la ambición irreprimida de los pobres, proveyendo conceptualmente una vasija en la que el Estado pueda lavarse las manos con respecto a uno de los grandes problemas nacionales. Por suerte, una parte de la bibliografía académica ha mostrado con creces las variables estructurales que intervienen en la emigración, estableciendo claramente el escaso papel que desempeña la voluntad de los migrantes. La socióloga Ramona Hernández ha señalado lo que podría interpretarse como una alianza macabra entre la clase gobernante dominicana y el gobierno norteamericano para motorizar la salida masiva de nuestra gente (Hernández 1997). Su estudio hace hincapié en el beneficio que la expulsión masiva de un grueso componente de la población redituó a la clase media dominicana. Sostiene Hernández que cualquier respiro que durante los últimos tres decenios haya podido disfrutar la clase media criolla se debe al excedente laboral que la sociedad dominicana logró exportar. El éxodo redujo notablemente una tasa de desempleo, que, aunque sigue siendo escandalosa, contribuyó en gran medida a impedir mayores tensiones sociales y fricciones políticas. Con los ausentes se fue gran parte del potencial de subversión, haciéndole más llevadera al Estado la implantación de la reestructuración económica efectuada por el régimen de "los doce años", con resultados favorables para el crecimiento del producto nacional bruto.

El éxodo no sólo ha creado un respiro benéfico para la clase media y el Estado. También se ha convertido en un sostén económico principal de la economía nacional. El mismo desecho poblacional que fuera extirpado de la tierra natal aporta anualmente al país alrededor de 1,200 millones de dólares por concepto de remesas, lo cual equivale a más de la mitad del presupuesto nacional. El aporte monetario de los dominicanos en el extranjero ha venido a amortiguar la caída de la industria azucarera y el fantasmagórico derroche de recursos causado por la corrupción administrativa. Las remesas superan el aporte que hacen a la economía el turismo y las zonas francas, las otras dos fuentes de ingresos principales. Se podría conjeturar que si los dominicanos residentes en el exterior detuvieran los envíos que hacen regularmente a sus familiares y allegados en la tierra natal, la economía nacional sencillamente se desplomaría. El éxodo ha sido, entonces, un negocio redondo para el país emisor.

Aunque los más grandes enclaves poblacionales de los dominicanos en el exterior se encuentran en los Estados Unidos, la presencia de nuestra emigración también se ha hecho palpable en Europa, Latinoamérica y el Caribe. En España, nuestros compatriotas se ubican en áreas de trabajo que van desde el servicio doméstico hasta la prostitución y desde la jardinería hasta la odontología. El caso de los odontólogos dominicanos que ejercen en España ha sido noticia en más de una ocasión (*El Nacional,* 31 agosto 1995: 27). Según datos revelados por el cónsul dominicano en Madrid, Juan Santamaría, nuestra gente en España remite a su país de origen más de 100 millones de dólares anuales (Lantigua 1996:10). Por otra parte, se ha estimado en unos 30,000 los dominicanos que se han ido a Panamá a procurarse la sobrevivencia (Bretón 1997:17B). Mejor conocida es la presencia de dominicanos en Puerto Rico, la que en el 1995 ascendía a un número estimado de 150,000 personas entre indocumentados y residentes legales (Pascual Morán 1995:10). Entre 1986 y 1996 cerca de 60,000 dominicanos fueron arrestados en infructuosos intentos de llegar a Puerto Rico en yola (Butten 1996: 8-9). Añádase a esa cifra los que jamás figuran en cuadros estadísticos porque pierden la vida en malogradas travesías por la mar inclemente.

El acudir a playas extranjeras en condición de desigualdad con respecto a la población nativa de las sociedades receptoras coloca a nuestra emigración en una grave situación de desventaja. Una cosa es viajar al exterior como cliente deseado de la industria turística o de una que otra universidad y otra es irse a otra tierra a mendigar un empleo en las zonas desprestigiadas del mercado laboral. Esto explica el surgimiento de estereotipos que desfiguran la humanidad de nuestra gente definiéndola como problema. En Puerto Rico se han desatado campañas que responsabilizan a los dominicanos de la ola de crimen que azota al hermano país. En España, Grecia y Holanda a la mujer dominicana inmigrante se le tiene por prostituta hasta que se demuestre lo contrario. Se han hecho típicos los casos como el de una joven compatriota que duró varias horas en manos de inspectores de inmigración griegos que la detuvieron por sospecha de prostitución (*Hoy*, 28 julio 1996). En el exterior nuestra gente padece los achaques comunes del marginado social cuyo escaso poder no le permite siquiera influir en la opinión que sobre el mismo predomine en el discurso público. Tiene que sufrir el hecho de ver su imagen colectiva construida a partir de males y desviaciones. Si en su seno hay prostitutas o narcotraficantes, se les definirá estrictamente a partir de la prostitución o las drogas, dejando fuera los demás elementos que completan el rostro humano de su colectividad. En consecuencia, una gran parte de la lucha de la comunidad dominicana en el exterior va dirigida a combatir la distorsión deshumanizante de su imagen pública.

Vi. El otro criminalizado

No obstante los retos de la marginalidad, la comunidad dominicana en el exterior ha ido paulatinamente penetrando en una gama cada día mayor de áreas productivas. En Nueva York, por ejemplo, se nos encuentra desempeñando diversas funciones laborales. Allí somos zapateros, médicos, vendedores ambulantes, abogados, programadores de computadoras, cocineros, policías, sacerdotes, obreros de factoría, catedráticos y hasta soldados del ejército. Por ejemplo, ya para 1965, cuando ocurrió la invasión norteamericana, figuraba entre los soldados el joven paracaidista César Encarnación, oriundo de la República Dominicana. Encarnación había arribado con su madre en 1958 a Nueva York, adonde recibió su educación secundaria para luego enlistarse en el servicio militar (*Life*, 1965). Hoy, décadas después, el número de dominicanos en las fuerzas armadas norteamericanas ha crecido significativamente. También se comienzan a notar visos de inserción en los deportes nacionales menos asequibles para los hispanos como el baloncesto, el fútbol y hasta en el tenis, a juzgar por el caso del tenista

Juan García, un joven de padres dominicanos criado en el Sur del Bronx (*New York Times,* 9 enero 1996).

Sin embargo, esa variedad ocupacional de nuestra emigración no ha impedido que en la tierra natal, al igual que en la sociedad receptora, predomine una representación esterotipada de la vida dominicana en el exterior. Al retratar la experiencia de la diáspora, los periodistas de la República Dominicana han sucumbido usualmente a la seducción de ver a nuestra comunidad, sobre todo a Nueva York, debatiéndose "entre drogas y esperanza" (González 1994). Apenas han notado el viacrucis de los bodegueros que trabajan horas incontables con el fin de labrarles un porvenir promisorio a sus familias, compensando con la sobreexplotación de sus personas los alquileres prohibitivos que tienen que pagar para albergar sus negocios. Los bodegueros enfrentan el peligro constante de un asalto por parte de atracadores violentos. En el alto número de horas que deben laborar diariamente, su condición se asemeja a la de los taxistas, quienes también arriesgan su seguridad física en la faena de ganarse la vida, estimándose en 60 el número de choferes asesinados por asaltantes en la ciudad de Nueva York entre 1994 y 1995 (Baker y Garcilazo 1995: 7). La mirilla a través de la cual se nos ve privilegia una narrativa marcada por la delincuencia, la precariedad y los demás males implícitos en la marginalidad social. Rara vez dicha mirilla se fija en la lucha denodada de la diáspora por enaltecer su dignidad humana. No enfoca las ingeniosas estrategias de sobrevivencia acuñadas por la comunidad para guarecerse de una lluvia de asedios provenientes de un Estado norteamericano que se ha tornado insensible a los aprestos de las clases desposeídas. Hace caso omiso a la perseverancia y a la creatividad de la comunidad reflejadas en sus productos culturales, sus voces políticas e intelectuales y su afán por presionar a la sociedad receptora. Tampoco pone atención al caudal de conocimientos y experiencia que la diáspora ha acumulado, del cual bien podría aprovecharse la sociedad dominicana.

Así, desprovisto de complejidad, el dominicano residente en los Estados Unidos ha pasado al discurso público de la tierra natal como un ser caracterizado por desviaciones. Esa representación monolítica de nuestra emigración ha generado la imagen del *dominican-york* como un individuo pintoresco y peligroso cuyas fichas de identidad lo ubican al margen de la nacionalidad dominicana. Concebido como un ente externo a la nación, el *dominican-york* aparece confinado al plano de la más insuperable alteridad. Esa alterización conlleva su exclusión del concierto de voces consideradas legítimas para dialogar sobre lo nacional. Ejemplo de esa dinámica lo ha dado el periodista Orlando Gil, escribiendo bajo el divulgado pseudónimo de Eloy Santos Rodríguez, quien le reprochó a un académico dominicano residente en Nueva York el "incursionar en la política dominicana". Su crítica se dio al reseñar el acto de puesta en circulación de la obra de Moya Pons *The Dominican Republic: A National History* (1995), en el que el referido "ausente" dio el discurso de presentación. Aludiendo a los comentarios del presentador sobre la situación política del momento, Gil les restó legitimidad, recriminándole al académico el no "darse cuenta de que estaba hablando a un público de dominicanos residentes en este país. Si su charla hubiera sido en Estados Unidos, otra cosa hubiera sido" (Santos Rodríguez 1995a: 11). Según queda entredicho en las palabras de Gil, los dominicanos de la diáspora no tienen por qué inmiscuirse en los asuntos nacionales. De ahí que, en una ocasión posterior, el periodista volviera a amonestar al mismo académico de la diáspora por atreverse a enjuiciar a la intelectualidad dominicana en unos escritos publicados en el país. Gil intentó invalidar sus consideraciones aplicándole el mote de "escritor *dominican-york*", lo que habría de ubicar al aludido comentarista fuera de la norma, relegarlo a la extranjeridad, dándole categoría de intrusión a sus apreciaciones (Santos Rodríguez 1995b: 11).

En la alterización de una voz de la diáspora, Gil se nutrió del conjunto de percepciones vigentes en la prensa dominicana que desnormaliza a los dominicanos que viven en el extranjero y que han cobrado mayor notoriedad a propósito de la migración de retorno de varios compatriotas, incluyendo casos de deportación por accciones delictivas. Uno de los diarios nacionales, al relatar el año pasado sobre el asalto a una sucursal del Banco Popular en la ciudad de Santo Domingo, informó que, según testigos, los ladrones tenían "apariencia de *dominican-yorks*". La crónica periodística recalcaba varias veces la presunta identidad de los asaltantes, quienes lograron escapar, concluyendo que el crimen "habría sido cometido por *dominican-yorks*, dadas las características de sus vestimentas y el estilo en que fue ejecutado" *(El Siglo,* 6 mayo 1996: 5). Como el periódico no estima necesario proveer descripción de las "vestimentas" de los pillos en cuestión, hemos de suponer que da por sentado una especie de consenso entre sus lectores acerca de la iconografía distintiva del dominicano proveniente de los Estados Unidos. También se deduce la presunción de igual consenso con respecto a la semiología del crimen entre los migrantes de retorno puesto que "el estilo" del crimen remite a malhechores *dominican-york.* Es decir, tanto en la apariencia como en la conducta se constata la otredad de la diáspora con respecto a la norma nacional.

La prensa dominicana ha llegado últimamente a una insistencia militante en el afán de acentuar la condición de otredad de los dominicanos que viven en los Estados Unidos. Se ha mostrado enfática en destacar la condición de *dominican-york* de todo migrante de retorno que se vea involucrado en algún delito. Así, se ha hecho habitual publicar gruesos titulares de primera plana como uno de *Última Hora* que reza "tirotean *dominican-yorks"* (10 junio 1996: 4). El espectro del migrante de retorno como un peligro para la colectividad ha alcanzado tal vigencia que se puede explotar su valor de sensacionalismo para apelar al morbo de los lectores. De ahí que la revista *Sucesos,* una publicación consagrada a explotar la morbidez destacando escenas sangrientas, imágenes grotescas y seres esperpénticos, optara por dar la portada a una noticia cuyo llamativo titular reza: *Dominican-york* estropeó joven con yipeta y luego le dio tres balazos" (Genao 1997). Puesto que el homicidio al que remite el titular carece del grado de monstruosidad típico de las portadas de *Sucesos*, queda sobreentendido que es la participación de un *dominican-york* lo que permite a la noticia superar en espectacularidad a otras más horripilantes que se cubren en el mismo número de la revista. Esta interpretación se confirma con un número reciente de *Sucesos* en que las palabras *dominican-york* y "deportado de

EU" compiten con la imagen pavorosa de una madre apuñalada por su hijo (18 de mayo de 1998).

Indudablemente, la insistencia en destacar la identidad *dominican-york* de las personas que cometen crímenes, a la vez que se omite la mención de dicha identidad cuando se trata de migrantes de retorno destacados por sus logros o aportes positivos, tiende a forjar en la mente del lector una ecuación entre *dominican-york* y crimen. Es decir, no se les ocurre a los periódicos utilizar el apelativo *dominican-york* al hablar del presidente Leonel Fernández, ni del baloncetista Felipe López, ni de la escritora Julia Alvarez, ni del afamado lanzador Juan Marichal. Al omitirse la identidad de "ausente" en toda noticia concerniente a hechos constructivos se condiciona al consumidor de noticias a vincular al migrante de retorno inextricablemente con acciones delictivas. Entonces, se esparce la idea del ausente como ente disociador. Cobra vigencia entre "la generalidad de la gente" la idea de que la creciente ola de violencia se debe a la presencia de *dominican-yorks* deportados (García Archibald 1997: 3). Melvin Mañón encuentra en las "familias y comunidades deshechas por la emigración" y en "la importación masiva de delincuentes regresados de los Estados Unidos" una fuente principal de los criminales a quienes él designa con el nombre de "bárbaros" y quienes, según el exizquierdista, pueblan las "protestas populares" que han hostigado al gobierno de Fernández con huelgas barriales (Mañón 1997: 10). Actualmente, las autoridades policiales del país han diseñado iniciativas especiales destinadas a la vigilancia específica de los *dominican-yorks*. Asimismo, han surgido ciudadanos inquietos interesados en desarrollar medidas preventivas con respecto a los migrantes de retorno, sobre todo los deportados. Tal es el caso del periodista que extrajo del Archivo Central de Investigaciones de la Policía Nacional una lista con los nombres de dominicanos que fueron deportados de los Estados Unidos tras purgar penas por delitos cometidos. El periodista publicó la lista, la cual incluye una descripción de la condena de cada expresidiario con el número de su expediente, como un servicio a la ciudadanía (Pina 1996: 4A).

La atención especial dada a la criminalidad de los *dominican-yorks* empaña la imagen de toda la colectividad de migrantes de retorno, incluyendo a aquellos que rinden invaluables servicios a su tierra natal. Obviamente injusta, la criminalización de los ausentes constituye un acto de agresión contra la diáspora dominicana, una difamación rampante contra una población que ha evitado el colapso funesto de la economía nacional. Pero independientemente de la ingratitud que implica, dicha difamación distorsiona la realidad al dar la impresión de que los crímenes que puedan cometer determinados individuos entre los migrantes de retorno constituyen un mal social diferenciado, distinto a los delitos de personas que nunca han salido de su país. Hasta ahora ninguna tipología del crimen ha demostrado que un malhechor que haya vivido en Nueva York hace mayor daño a la colectividad que uno que haya residido ininterrumpidamente en Higüey o San Juan de la Maguana o la capital.

Además, la compulsión de vigilar a los *dominican-yorks* que llegan deportados al país podría inducir a las autoridades policiales a excederse en el trato a los sospechosos, pasando por alto el hecho de que muchos de los repatriados cometieron faltas menores y tuvieron que salir de los Estados Unidos debido a la severidad que la ley de inmigración ha ido alcanzando en los últimos años. A la sociedad dominicana no le conviene alimentar oficialmente el prejuicio contra personas que han pagado por los crímenes que cometieron. El haber cometido un delito no significa necesariamente que la persona reincida. En un país plagado de irregularidades e impropiedades en el sistema judicial tiene sentido observar ciertas precauciones. Además, vale recordar que la policía de Nueva York vigila a los dominicanos por un prejuicio contrario al que revela la prensa de la República Dominicana sobre los migrantes de retorno. Irónicamente, la policía neoyorquina les atribuye una peligrosidad especial a los dominicanos, por considerar que los mismos vienen dotados de unas astucias criminales particulares traídas desde su país de origen. El periodista del *New York Times* David M. Halbfinger afirma categóricamente que el crecimiento del narcotráfico en Washington Heights se debe a la llegada de "gangas de inmigrantes dominicanos recientes" que han establecido allí "el más grande mercado de drogas al por mayor en toda la nación" (Halbfmger 1998: B6). En un par de artículos de violenta factura difamatoria igual para *los de aquí* que para *los de allá,* los periodistas del *New York Times* Larry Rohter y Clifford Krauss concluyen declarando fatídicamente que en los Estados Unidos "el lavado de dinero está creciendo a la vez que aumenta la inmigración dominicana" (mayo 11, 1998: B8).

VII. Los ausentes como amenaza cultural

Aparte de la campaña de criminalización, el sentido común que alteriza al migrante de retorno también tiende a declararlo desnacionalizado y por tanto peligroso desde el punto de vista cultural. Adherida a la defensa e ilustración de la lengua española que actualmente lleva a cabo la Academia Dominicana de la Lengua, la lingüista Irene Pérez Guerra, coordinadora del Centro de Altos Estudios Humanísticos y del Idioma Español, ha señalado a la diáspora como un agente nocivo para la salud de la lengua. La periodista Luchy Placencia ha recogido el siguiente lamento externado por Pérez Guerra: "Cientos de miles de dominicanos en Estados Unidos asumen el 'spanglish'- una mezcla de inglés y español llena de disparates- como lengua de subsistencia y lo exportan hacia su país de origen" *(Ultima Hora* 22 junio 1997: 35). Sin evaluar la calidad del pensamiento de una lingüista que a estas alturas cometa el exabrupto de descartar por disparatada el habla de una comunidad humana, ese juicio apunta a la existencia de una ideología empeñada en alertar a la ciudadanía sobre el daño que los ausentes pueden hacerle a la lengua nacional. Siete años antes de que Pérez Guerra diera su clarinada, el joven ensayista Manuel Núñez había lamentado que el *dominican-york* asediaba al español dominicano con la "monserga interlingüística" de su *spanglish* tal como lo hacía la comunidad haitiana con su "corrosivo *créole"* (Núñez 1990: 256).

Visto desde la óptica de la pureza cultural, el dominicano de la emigración aparece ante los ojos de los guardianes de la dominicanidad como un ser cultural e intelectualmente deforme. Expresando esa convicción, Juan José Ayuso alega sin tapujos que el emigrado "ha dejado de ser el dominicano primitivo que era cuando se fue, pero tampoco es el ciudadano norteamericano con instrucción y cultura de tal" (Ayuso 1994: 9). Para nuestro periodista y ex-poeta, "la mayoría de la colonia dominicana en Nueva York" no manifiesta "el ser nacional sino sus características folclóricas," ya que carece de la más "mínima noción consciente" de la nacionalidad. Esa gente podrá beber ron y comer sancocho, pero sin el beneficio del "pensamiento y sentimiento de presencia de nacionalidad". Sin "instrucción, ni educación, esa colonia recibe quizás de la peor manera las influencias de las normas legales y sociales, y de las costumbres, de la sociedad en la que vive". Con esa percepción de la comunidad dominicana en Nueva York como una masa amorfa, desculturalizada y embrutecida, no sorprende que Ayuso se afane en desterrar conceptualmente a nuestra emigración en Norteamérica hacia afuera de los contornos de la nacionalidad. Al hacerlo se hace eco, sépalo o no, de los planteamientos categóricos de Núñez acerca de los *dominican-yorks* como una fuerza contraria a la dominicanidad.

Núñez había caracterizado al *dominican-york* y al domínico-haitiano como dos "polos desnacionalizantes y dinámicos, nuevas formas culturales, fruto del desequilibrio, [capaces de] fracturar las prácticas y los comportamientos culturales que nos son propios" (Núñez 1990: 255). Según Núñez, al importar "usos y hábitos norteamericanos como impronta de civilización y de progreso", el *dominican-york* aumenta, con arrogante sentimiento de superioridad, las expectativas de consumo y las necesidades de los dominicanos," destruyendo "los proyectos de vida en Santo Domingo de grandes porciones de la población" (p. 256). El joven ensayista parece nutrirse conceptualmente del primer estudio formal publicado en el país sobre la emigración dominicana hacia Estados Unidos, en el cual, aunque se reconoce el papel fundamental de las remesas "para el sostenimiento de la economía dominicana," no deja de condenarse el que "una parte considerable de la población económicamente activa [sea] parasitaria, dando lugar a un incremento de la ociosidad sostenida y reproducida por los dominicanos ausentes" (Báez Evertz y D'Oleo Ramírez 1985: 44-45). En el referido estudio los ausentes cargan con la culpa de la ociosidad en el país por enviar remesas a sus familias aún cuando la tasa de desempleo para la época alcanzaba niveles alarmantes. Dicho estudio inaugura en el marco académico la tradición que da al emigrante palos si boga y palos si no boga. Más remotamente, Núñez acopia la herencia de la *intelligentsia* hispanoamericana de principios de siglo que se ciñó a la falsa dicotomía de lo nórdico y lo latino, tenidos por los polos que se disputaban el dominio cultural de las naciones iberoamericanas. Palpable en el famoso ensayo *Ariel* (1900) de José Enrique Rodó, esa visión ignoraba totalmente la diversidad racial, lingüística y social de Latinoamérica, diversidad que ninguna de las dos fórmulas podría razonablemente explicar.

Además de las fuentes ideológicas que amparan su discurso, Núñez responde directamente a Moya Pons, autor del texto inmediato que provoca, cual agente catalítico, su virulenta construcción de los ausentes como fuerza disociadora de la dominicanidad. Se trata de los juicios formulados por el historiador, desde principios de la década de los 80, acerca de la migración de retorno como un factor de modernización que "estimula nuestro proceso de democratización cultural" (Moya Pons 1986: 360, 362). Los dominicanos retornados de los Estados Unidos, afirmaba el conocido erudito, habían contribuido al cambio de autopercepción nacional de sectores importantes de la población en cuanto a la cuestión racial, cultural y religiosa (Moya Pons 1986: 244-45). Núñez se niega rotundamente a hacerle similar concesión a la diáspora dominicana. El joven vocero de la Unión Nacionalista, descarta el acervo cultural de los retornados con esta fulminante pregunta retórica: "¿Qué hemos aprendido de las reatas de 'cadenuses' que... constituyen un subproletariado... una población de asistidos sociales, con muy pocas posibilidades de tornarse en capital humano mediante una escolarización exitosa o estudios universitarios?" (Núñez 1990: 177). El ensayista construye la imagen del *dominican-york* como un ser "sin acceso a la cultura," un "subalterno social" que ha vivido sometido a la desnacionalización que implica "la norteamericanización de las costumbres" (p. 177). Núñez sólo le confiere a los migrantes de retorno influencia en el plano de lo negativo, por lo que se aboca a profetizar sobre la "cantidad no desdeñable de lumpenproletarios que nos llegarán a través de la repatriación... y de los acaudalados por malas artes —crimen, drogas, robos—, y unas especies de delincuentes desconocidas en estos lares" (p. 177).

Con Núñez, Ayuso y Pérez Guerra asistimos a una representación vigente en el discurso público desde hace más de quince años que expulsa a los dominicanos residentes en los Estados Unidos del predio legítimo de la nacionalidad. Dicha representación ha causado inquietud en el seno de la comunidad dominicana en Norteamérica, la que ha buscado la manera de hacer sentir su indignación. La edición de diciembre de 1989 del periódico "sociocultural, turístico y comercial" *Intercambio Domínico Boricua* (Año 1, No. 6) recoge quejas de John Márquez, un comerciante que para la fecha disfrutaba de visibilidad en la comunidad dominicana de la gran urbe, y del respetado galeno Hugo Morales, acerca de la actitud de los gobernantes dominicanos hacia los emigrados. Haciéndose eco de las quejas de los ausentes, el rotativo *Listín Diario,* en su editorial del 8 de enero de 1986 tuvo a bien alertar a la ciudadanía y a las autoridades sobre el error de pensar "que si un dominicano regresó a su país...y establece un negocio legítimo, que es un narcotrafícante, solamente porque trajo dinero". El agravio que padece la comunidad dominicana en Nueva York al ver su imagen públicamente bestializada por publicistas en la tierra natal se retrata en unos versos publicados tiempo atrás en un periódico hispano marginal de la gran urbe. En una de sus estrofas, el texto, significativamente titulado "Lamentos de un Dominican York", dice: "No saben con el dolor/ y con tantos sinsabores, / los fríos y los sudores/ que se pasan en Nueva York/ para que allá un señor/ lo vea indiferente/ y trate los residentes/ como malos ciudadanos,/ como si fueran extraños,/ y vulgares delincuentes" (Gutiérrez 1989: 8).

Trascendiendo la plegaria, los emigrantes dominicanos ya han conformado varios esfuerzos organizativos con miras a luchar por el respeto a la comunidad no sólo en la sociedad receptora sino también en la emisora. Por ejemplo, la Fundación por la Defensa de los Dominicanos Residentes en el Exterior, presidida por el empresario Agustín Martínez, se ha hecho sentir sostenidamente en la prensa de la tierra natal. Similarmente, en Nueva Jersey ha estado activa la Federación de Asociaciones Dominicanas (FADO), fundada en 1985, abogando por el fortalecimiento político de la comunidad. En Nueva York varias organizaciones tales como el Comité del Dominicano en el Exterior, dirigido por el dinámico activista Máximo Padilla, se dedican a avanzar agendas orientadas a mejorar la representación de nuestra emigración en el país de origen tanto en el plano de la imagen pública como en la esfera legislativa. Como resultado de ese esfuerzo colectivo en la República Dominicana hay ya quienes han ido reconociendo la necesidad de dialogar con voces de la emigración. Así, el Presidente Fernández, a sólo tres semanas de asumir el mando, envió públicamente un mensaje a la comunidad dominicana en Nueva York. Contenido en una alocución transmitida el 4 de septiembre de 1996 por una de las principales televisoras hispanas de la ciudad, el mensaje del Presidente anunciaba su ratificación de la reforma constitucional mediante la cual los compatriotas naturalizados en Norteamérica u otros países retenían la ciudadanía dominicana. Posteriormente se han escuchado algunas voces solidarias que piden desagravio en el suelo patrio para "los dominicanos ausentes" (Méndez Capellán 1997: 8A).

VIII. De diáspora y modernidad

Lo anterior sugiere que, a la vez que predomina en el discurso público un sentido común que descarta a los emigrantes de retorno como un agente nocivo, también comienza a adquirir alguna presencia, así sea mínima, la noción que rectifica el papel de nuestra diáspora en la sociedad dominicana. Así, contrario a la tesis que declara al ausente enemigo de lo nacional, el poeta Pedro Mir ha concluido, después de visitar varios vecindarios dominicanos en Norteamérica, que los valores patrios sólo podrán preservarse gracias a la avidez dominicanista de nuestra emigración. De igual modo, el académico Diógenes Céspedes, después de convivir con la diáspora durante su estadía como profesor visitante por un año lectivo en una universidad neoyorquina, arribó a una opinión parecida a los juicios de Moya Pons lustros antes. De acuerdo a Céspedes, "la diáspora dominicana en los Estados Unidos puede jugar un papel importante como migración de retorno" al traer a la tierra natal "su saber y su práctica" adquiridas en "un Estado capitalista moderno y funcional" (Céspedes 1997a: 11). Se deduce de las palabras del crítico literario la misma creencia del historiador con respecto a la emigración de retorno como elemento modernizador.

La modernización a la que la diáspora puede contribuir no se circunscribe al marco de la tecnología: sea la meta de que cada niño dominicano en edad escolar pueda acceder a una computadora o la de convertir a la República Dominicana en el principal usuario de telecomunicaciones en toda la región latinoamericana y caribeña. Vista desde la diáspora, la modernización deberá significar la puesta en práctica de normas sociales y procedimientos legales modernos que fomenten la igualdad y la justicia en todos los renglones: actividades comerciales, acceso al empleo, servicios sociales, cumplimiento de la ley y respeto a la dignidad humana. La diáspora puede asistir en la impostergable tarea de reeducar a la sociedad, prepararla para el necesario rompimiento con fuerzas del pasado cuya sobrevivencia depende de la perpetuación del atraso. La diáspora ha aprendido a vivir en sociedades organizadas donde la eficiencia importa más que el apellido y donde se puede prescindir de un padrino que garantice el empleo. Se ha adiestrado negociando el anonimato y obedeciendo las reglas del juego, lo que la hace apta para enfrentar la responsibilidad y la incertidumbre de la democracia.

Céspedes ha abogado por "una revolución burguesa que desplace la tradicional dominación oligárquica fundada en la propiedad hatera" (Céspedes 1997b: 13). Esa revolución ayudaría a "democratizar la vida económica" del país de modo tal que cada individuo adquiera valor así sea por su condición de consumidor ligado al mercado (Céspedes

1997c: 12). Se trata de que arribemos a una suerte de capitalismo inclusivo. En el contexto del cuasi-feudalismo criollo eso equivale a una aspiración revolucionaria. De hecho, se puede especular que la oligarquía tumbó a Juan Bosch en el 1963 realmente por capitalista, aunque hiciera circular una campaña que lo tildaba de comunista. Pues esa clase, como la mayoría de los grandes empresarios criollos, debe su éxito económico a la "ausencia total de competividad capitalista" y se nutre de "las viejas prácticas precapitalistas del clientelismo, el patrimonialismo, los privilegios" (Céspedes 1997b: 13; 1997a: 11). Como el advenimiento de una burguesía desarrollada exigiría un Estado capitalista funcional, perdería su señorío lo que Céspedes llama el "entramado oligárquico" y podríamos acercarnos a la modernización (Céspedes 1997d: 13). La diáspora puede ayudar en ese proceso, puesto que ya se ha entrenado para desenvolverse en un orden capitalista funcional. Ya se las ha jugado en una economía abierta, competitiva, donde los inversionistas, por lo menos los que operan al margen de las corporaciones, aceptan la inexorabilidad del riesgo en sus transacciones y donde el mercado se acoteja en torno a la satisfacción del cliente.

IX. La prensa, el Estado y la iglesia

Una economía menos feudalista que la nuestra fomentaría industrias capaces de generar empleos y elevar el nivel de vida de los trabajadores. El Estado dejaría de ser el padrino del capital privado, lo cual también redundaría en un apreciable grado de independencia para el sector empresarial. Una relativa emancipación política de parte del capital privado tendría un efecto transformador en la sociedad dominicana. En industrias como los medios de prensa, por ejemplo, la transformación calaría en la médula misma de la población. Un periódico que pueda acumular riqueza sin contar con el favor oficial en la asignación de los contratos publicitarios del Estado cambiaría radicalmente la relación entre la prensa y el gobierno. Un diario que atrae anunciantes debido a su alta circulación, como en las sociedades de mercado abierto, no tiene que sucumbir a la adulación de los acaudalados. Asimismo, si el medio de prensa deja dinero como negocio capitalista, entonces podría pagarles a los periodistas sueldos decentes y reduciría la necesidad que muestran los comunicadores sociales del país de venderles sus plumas al mejor postor. A fin de cuentas, la prensa podría convertirse en un medio de difusión de la verdad en vez de un instrumento de complicidad y ocultamiento. Daríamos un gran paso hacia la democracia. También, al prevalecer el interés de retener a los consumidores, saldría beneficiado el lector, puesto que los periódicos se verían compelidos a reclutar plumas competentes, que atraigan clientes por lo mucho que enseñan, provocan o divierten. Muchas de las plumas infames vigentes en los diarios nacionales pasarían instantáneamente a la caducidad.

Ya se ha dicho que el uso político de la publicidad estatal constituye "una forma de corrupción muy peligrosa por cuanto atenta contra el pluralismo y criticidad de la prensa y su control como mecanismo de control del Estado" (Castro 1984: 29). El favoritismo en las asignaciones publicitarias genera una representación halagüeña del Estado, lo cual, dicho en palabras de Aníbal de Castro, "adquiere fisonomía de represión, sólo diferente en su forma a otros tipos ya experimentados en el país" (Castro 30). La dependencia del favor del Estado, junto a los irrisorios sueldos que perciben los trabajadores de la prensa, explica el lúgubre drama actual: periodistas mediatizados y domesticados por exoneraciones, atribución de apartamentos y cheques palaciegos (Céspedes 1997e: 5; 1997f: 5). Fuera de la República Dominicana por más de tres décadas la diáspora dominicana ha visto otro comportamiento en la prensa. En los Estados Unidos ha visto a los gobernantes afanados por ganarse a la prensa, contrario a lo que acontece en la tierra natal donde los medios se desviven por ganarse al gobierno y a los poderosos.

La prensa dominicana es fundamentalmente gobiernista. Responde a los influjos del poder. El 24 de julio de 1996 el rotativo *El Siglo* festejó en primera plana la puesta en circulación del libro *Yo y mis condiscípulos* (1996) del nonagenario Presidente Balaguer. A propósito del natalicio del anciano caudillo, nacido en 1 de septiembre del 1906, el mismo diario expresaría su extremada admiración por el Presidente saliente. Posteriormente, el vespertino *El Nacional* (18 septiembre 1996:6), al cubrir la primera destitución efectuada por el Presidente Fernández, tomó partido con el mandatario en un titular que representaba al funcionario despedido como el equivocado: "Leonel destituye funcionario que armó lío". La noticia se trataba del Subsecretario Técnico de la Presidencia Miguel Solano, quien había denunciado públicamente al Secretario Administrativo Diandino Peña por pretender perpetuar la práctica del grado a grado en la asignación de las obras del Estado, práctica típica de la anterior corrupción balagueriana. El Presidente Fernández procedió a cancelar al funcionario sin dar mayor explicación a la opinión pública. Para una prensa interesada en velar por la transparencia administrativa —así fuera por la razón económica de aumentar sus ventas— tanto la queja de Solano como la represalia de Fernández abrirían el apetito investigativo. Pero la prensa del país prefiere representar al denunciante como un lioso y aplaudir la acción del jefe del Estado que supo "poner en su puesto" a un subalterno.

Inseparable de la siempre halagüeña representación del Estado en la prensa nacional es la prominencia que dan los medios a los jerarcas eclesiásticos. La prensa le da trato de estadista al Arzobispo Metropolitano de Santo Domingo, su Eminencia Reverendísima Nicolás de Jesús Cardenal López Rodríguez, cuyas homilías y declaraciones son elevadas a la categoría de noticia nacional. Se deduce que cada uno de los principales periódicos nacionales tiene personal asignado a la tarea de recoger diariamente cualquier parecer que Su Eminencia Reverendísima sienta el apetito de externar. Tanto la relación del gobierno con la cúpula católica, que se ilustra con el hecho de que los prelados dirigen muchas de las instituciones del Estado, como la obsecuencia de la prensa con respecto a la jerarquía eclesiástica, concuerda con el marco precapitalista articulado por Céspedes para explicar la sociedad dominicana. El crítico sostiene que "el apego a la ideología religiosa como forma de legitimación de la dominación de las clases subalternas" figura como un "rasgo fundamental" entre las características que denotan la premodemidad de nuestra clase empresarial (Céspedes 1997g: 11).

Entiéndase que a los empresarios de los medios de comunicación no les interesa necesariamente satisfacer las necesidades espirituales de la ciudadanía, lo cual requeriría una previa inquietud por la satisfacción de sus urgencias materiales. La prensa no se muestra comprometida con la prédica de un credo profundamente cristiano. Tal credo plantearía, por ejemplo, que todos los miembros de la población, hijos igualmente legítimos del gran creador, tenemos derecho a vivir sin las carencias e injusticias que martirizan al pueblo dominicano. Los medios de comunicación más bien le huyen, cual diablo a la cruz, a ese aspecto subversivo de la doctrina cristiana, que pone al hijo de Machepa en un mismo plano con el ilustre potentado. La prensa se circunscribe estrictamente a la promoción de la imagen y las palabras de los prelados que ejercen mayor influencia económica y política en la sociedad, haciendo caso omiso a los curas que atienden a los humildes en los más recónditos parajes del territorio nacional y a las múltiples y anónimas monjitas que se han arrugado y encanecido en el servicio a los pobres del país. Es decir, los medios de comunicación manejan una idea de la iglesia que sólo da cabida a los mitrados del poder.

De igual manera, la prensa jamás se haría eco de, ni iniciaría una crítica a, los prelados del poder no obstante exista justificación abundante para ello. Bajo la firma de David Viñuales, apareció hace más de dos años un extenso reportaje sobre el horror de las cárceles dominicanas, pobladas por un escandaloso 95% de presos preventivos confinados a espacios dantescos. Los detenidos pueden pasar años sin conocer formalmente sus cargos ni comparecer ante un tribunal, dramatizando sencillamente "una vergüenza nacional que debería haber quedado superada hace cinco siglos" (Viñuales 1995: 6-7; 1996: 6-8). Posteriormente, Miguel Angel Ordóñez, retomando el tema, describiría el sistema penitenciario dominicano como un "misérrimo mundo" compuesto por mazmorras medievales para encerrar indistintamente a culpables e inocentes, adultos y menores (Ordoñez 1996). Dicho trabajo le ganó al autor el Premio de Periodismo Ortega y Gasset de 1997, mereciéndole múltiples reconocimientos en el país, incluyendo un pergamino otorgado por la Universidad Católica de Santo Domingo, cuyo gran canciller no es otro que el Cardenal López Rodríguez. Una foto de esa ceremonia muestra al Cardenal mismo haciéndole entrega del galardón al periodista.

La referida foto alcanza la cúspide de la ironía puesto que el sistema penitenciario evocado tan pavorosamente por Ordóñez cae bajo la supervisión del mismo prelado que aparece galardonándolo. De hecho, a raíz del primer reportaje de Viñuales la Comisión Nacional de los Derechos Humanos retó públicamente al cardenal López Rodríguez a que, como Presidente de la Comisión Nacional Carcelaria, diera algún testimonio ante la ciudadanía y la humanidad sobre el tétrico drama de las cárceles dominicanas *(Listín Diario* 20 julio 1996: 5). El Cardenal, claro está, no respondió ni ante el primer reportaje ni ante el segundo que su universidad tuvo el cinismo de premiar. Estaba consciente el prelado de que la prensa tampoco insistiría en pedir que una persona de su rango rindiera cuentas. Cuando el mitrado se ha animado a responder públicamente no ha sido para dar explicaciones sino para apoyar a sus aliados políticos, como cuando defiende a Balaguer del cargo de fraude electoral. Veánse sus filípicas a raíz de un editorial del *New York Times* (12 junio 1996) que reprobaba la formación del Frente Patriótico Nacional por verlo como otro mecanismo mediante el cual Balaguer promovía su ideología racista y una vez más se salía con las suyas. Las páginas de los periódicos nacionales se mostraron solícitas en la reproducción generosa de las altisonantes diatribas del enfurecido mitrado contra el periódico norteamericano.

Se estima lógico que *Vanguardia del Pueblo* (19 junio 1996: 2), órgano del partido beneficiado por la formación del Frente, redactara mensajes de elogio a "la dignidad y la templanza de los hombres que engrandecen la República" tales como "el Cardenal Nicolás de Jesús López Rodríguez, monseñor Juan Antonio Flores Estrella y otros sectores [que defienden] los más supremos valores de la nación dominicana". Pero no resulta tan lógico encontrar alabanzas similares en diarios que se deben en teoría a un público plural. Sin embargo, en ellos abundan columnas como aquella que se coronó con el título "El Cardenal López Rodríguez me llena de orgullo", escrita para exaltar al prelado, "varón que enorgullece al país", elevándolo a la proceridad e igualándolo con los fundadores de la nación en la defensa de la patria (Castillo de Aza 1996:7). López Rodríguez compareció al programa de televisión "El tiempo pasa" producido por Yaqui Núñez del Risco y se pronunció enérgicamente en contra del uso de los medios de comunicación para hacer daño. Pero ni el entrevistador, ni el matutino que al día siguiente elevaría esa opinión a la primera plana *(Hoy* 7 octubre 1996: 1), hizo nada por hacerle ver al glorificado clérigo la inconsistencia de su pronunciamiento y su alianza con Marino Vinicio Castillo Rodríguez, alias Vincho, quien consagra su programa de televisión *La Respuesta* casi exclusivamente a fabricar expedientes difamatorios y enlodar reputaciones. Tal cuestionamiento, que en un medio de prensa norteamericano surgiría de manera automática, se tomaría en la prensa dominicana como una imprudencia frente al incuestionable Arzobispo Metropolitano de Santo Domingo.

La norma inviolable en la prensa consiste en exaltar superlativamente al jerarca eclesiástico. De ahí que *El Siglo* dedicara un editorial a festejar "el centenario del nacimiento del señor Ramón Perfecto López Salcedo, el padre de nuestro arzobispo Nicolás de Jesús Cardenal López Rodríguez" y convidara al regocijo colectivo por parte de "toda la sociedad que recibe el impacto de la influencia constructiva y bienhechora del liderazgo, por demás viril, de nuestro Cardenal" *(El Siglo* 18 abril 1995). A menos que se trate de una exitosa estrategia de autopromoción estimulada por el mitrado mismo para avanzar sus aspiraciones papales, la excesiva cobertura elogiosa que aquí se ilustra deberá explicarse como el resultado de la relación de interdependencia entre una clase empresarial pre-capitalista, necesitada del favor oficial, y una cúpula eclesiástica enquistada en los recovecos del poder. En esa innoble alianza se las arreglan para aupar la preservación de los esquemas sociales, políticos y económicos culpables del atraso y para obstaculizar la democratización de la sociedad.

X. Los exonerados de la ley

La comunidad dominicana de la diáspora desarrolla un sentido de aversión con respecto al descaro de la prensa y los prelados que abdican la conducta dictada por su propio credo. La raíz de esa actitud hay que buscarla en el efecto de desalienación —algo parecido al *Verfremdungs-Effekt* de Bertold Brecht— que trae consigo la experiencia migratoria. La distancia nos libera al permitimos mirar críticamente lo que antes nos parecía normal. Esa experiencia nos desaliena también con respecto a la violación abierta de la ley por parte de los potentados. Deja de resultarnos normal el tipo de manejo que recibió, por ejemplo, la querella contra Balaguer presentada por el exfuncionario Rafael Flores Estrella. Avalado por una gruesa documentación, Flores Estrella acusó al expresidente de desfalcar al Estado por la suma de 750 millones de dólares durante los últimos 10 años de su mandato. El Procurador General de la República, Abel Rodríguez del Orbe, recibió el expediente con la salvedad de que no esperaba poder estudiarlo en el futuro inmediato por falta de tiempo. Pero aún sin leerlo, dio a conocer su actitud hacia el caso en esta reveladora pregunta retórica: "¿Creen ustedes que procede enjuiciar a un señor de 90 años?" (Citado por Claudia Fernández, *El Siglo* 24 octubre 1996). El Procurador obviamente no desconoce el hecho de que la ancianidad no le impidió al caudillo reformista tramar y ejecutar el fraude electoral de 1994, ni le quitó la habilidad de comenzar a orquestar su regreso al poder tan pronto salió del palacio presidencial *(El Nacional* 4 junio 1996). Posteriormente, sin seña alguna de haber rejuvenecido, Balaguer ha pretendido mantenerse vigente en el diálogo político del país dando estratégicas declaraciones que van desde sugerir la creación de un llamado "frente por la paz" (cf. *El Nacional* 1 julio 1996) hasta una espinosa propuesta de adopción de ternas en la Ley Electoral (cf. *El Siglo* 17 julio 1997). El procurador no le ha pedido a Balaguer que abandone la arena política, por lo que hay que asumir que lo considera apto para el laboreo partidario. ¿Qué descalifica entonces al continuador de Trujillo de responder ante la justicia por cargos criminales? ¿Acaso Rodríguez del Orbe le reconoce el don de colocarse por encima de la ley?

Más que la edad del acusado, quizás en la reticencia de Rodríguez del Orbe haya operado la lealtad a quien fuera su empleador años antes cuando Balaguer lo usó como abogado del Estado contra el ex-Presidente Salvador Jorge Blanco, cuyo juicio culminó en una orden de prisión dictada el 29 de abril de 1987 (Moya Pons 1992: 571). La lealtad hacia el caudillo se siente además en muchos de los diarios, sobre todo en aquellos a los que les fue bien económicamente durante la larga estadía en el poder de Balaguer. El rotativo *Hoy*, en su editorial del día 3 de octubre de 1996, le reconoció a Flores Estrella su derecho a presentar la querella en cuestión. Pero procedió a matizar su posición aclarando que el querellante no cuestiona la "honradez personal" del ex-gobernante sino "su gestión administrativa del Estado". El editorialista asegura que nadie puede dudar de la honradez de Balaguer, hombre "de vida austera, a quien nunca le ha interesado el dinero". Aparte de que el periódico, en pretendido tono de neutralidad, absuelve al acusado antes de que se realice el juicio, se aferra a la falacia de que realmente se puede trazar una línea divisoria clara entre lo personal y lo público en un gobierno personalista como el de Balaguer, en el que el Presidente individualmente disponía del presupuesto nacional.

Además, incluyendo a sus seguidores más fieles, no se puede decir que hay muchas personas que se aventuren a asegurar que Balaguer gobernó con absoluto apego a la ley o que administró los fondos públicos inmaculadamente. Por ejemplo, el uso de los recursos del Estado en las campañas reeleccionistas del exmandatario se hizo tan común durante su régimen que cuando decidió pasarle la antorcha presidencial a Leonel Fernández, tuvo que dar órdenes específicas a la dirigencia de su partido para que *esta vez* no se emplearan los fondos del Estado en esa campaña. El editorialista de *El Nacional* (10 junio 1996) interpretó correctamente esa orden como una admisión del líder reformista de que en las elecciones anteriores sí se había hecho uso de los fondos públicos. Pero ni esa revelación ni las tantas otras que han llegado a la opinión pública acerca de las veleidades del nonagenario político le han socavado el aprecio que le prodigan los de arriba. Ejemplo de la perseverancia de sus aliados lo brinda la ex-subsecretaria administrativa de la Presidencia Sonia Guzmán, la hija del extinto Presidente Antonio Guzmán, quien agobiado por las crecientes acusaciones de corrupción que se hacían a diario contra los más altos funcionarios de su gobierno, se quitó la vida el 3 de julio de 1982 (Moya Pons 1992: 558).

Sacando la cara por Balaguer, a propósito de la acusación presentada por Flores Estrella, la ex-funcionaria alegó que si el querellante quisiera realmente llevar a la justicia a individuos responsables de hechos delictivos, "probablemente habría tenido que hacerlo con ciudadanos a otros niveles" (citada por Luis Céspedes Peña, *El Siglo* 22 octubre 1996: 3). Es decir, según la hija del fenecido mandatario, la aplicación de la ley no puede llegar tan alto. El que la ley no se les aplica a los potentados es cosa harto conocida entre la gente de abajo, pero no deja de parecer indiscreta esa afirmación de boca de una representante de los exonerados de la ley. Da la impresión de que ya ni siquiera hace falta disimular la desigualdad jurídica que reina en la sociedad. Quizás eso explique el raciocinio del redactor de la sección "Polibroma" en *El Nacional* a raíz de la destitución del antiguo Secretario de Estado de las Fuerzas Armadas, Juan Bautista Rojas Tabar, cuando circulaba el rumor de que el prominente jefe militar tendría que ir al tribunal a testificar con relación a la muerte del desaparecido educador Narciso González. El polibromero desaconsejó la acción judicial rumorada preguntándose retóricamente si la República Dominicana realmente podía "darse el lujo de enviar al banco a un hombre de las condiciones de Rojas Tabar" (*El Nacional* 3 noviembre 1996: 2).

Del consenso que se imagina el polibromero entre sus lectores se desprende una respuesta negativa a su tendenciosa pregunta. Sin embargo, igual consenso no podría asumirse entre los dominicanos de los Estados Unidos. En Norteamérica nuestra comunidad ha visto lo suficiente como para desacostumbrarse de la invariable impunidad de los poderosos. Ha sido testigo de la caída frecuente de políticos, legisladores y empresarios por casos de corrupción. El caso de *Watergate* ha diseminado en el imaginario popular la idea de que, contrario al sentir de Sonia Guzmán y el polibromero, nadie está por encima de la ley. En Nueva York, durante los años 80 se desmanteló un entramado de malversación de fondos que involucraba a varios legisladores del Partido Demócrata, yendo a la cárcel, entre otros, el congresista Bob García y el entonces Presidente del Condado de El Bronx. El Presidente del Condado de Queens, cómplice del mismo chanchullo, terminó suicidándose. La condición de multimillonaria de Leona Hemsley no la exoneró del presidio cuando se le encontró culpable de un caso de evasión mayúscula de impuestos. Los contribuyentes norteamericanos saben indignarse no sólo frente a casos de hurto al erario sino también frente al tráfico de influencias y el abuso del poder. Debido a la existencia de ese celo en la opinión pública, los administradores del Estado no gozan del privilegio de sencillamente ignorar las denuncias que se hagan contra ellos. El que, por ejemplo, el vicepresidente Al Gore y su esposa Tipper se vistieran en 1995 con disfraces de la compañía Walt Disney para una fiesta de *Halloween,* sin que la firma les pasara una factura por la mercancía consumida, bastó para dar pie a serios cuestionamientos acerca de las relaciones entre Gore y Walt Disney, Co. Para neutralizar la sospecha, el vicepresidente acto seguido hizo pagar el costo de los disfraces a la compañía y canceló la fiesta de *Halloween* para el año siguiente *(New York Post, 22* octubre 1996: 4).

Los dominicanos que viven en Puerto Rico presenciaron en 1995 el juicio en contra de Pedro Roselló, gobernador de la vecina isla y líder del oficialista Partido Nuevo Progresista. Suscitado por una demanda llevada a los tribunales por el Partido Popular Democrático, el juicio estableció que el mandatario puertorriqueño había usado indebidamente los recursos del Estado al incluir en una campaña publicitaria de las agencias del gobierno símbolos partidistas y slogans de autopromoción de perceptible corte reeleccionista. El juez mandó al Gobernador Roselló a cancelar los anuncios en cuestión *(San Juan Star, 1* diciembre 1995: 4). Después de algún tiempo de ver acciones judiciales como esas, a la población dominicana residente en el exterior comienza a parecerle grotescamente abusivo el que cada inauguración de las construcciones del Estado dominicano se convierta en tribuna de promoción para el Presidente y su partido. Recuérdense las páginas enteras pagadas por el gobierno con mensajes tales como "El Presidente Joaquín Balaguer continúa respaldando la Reforma Agraria Línea Noroeste" *(El Siglo* 13 junio 1996: 3) o el convencional "Sólo Balaguer puede hacerlo". En la diáspora uno se percata de la ilegalidad de esa práctica y comienza a lamentar el que los perpetradores no paguen por las faltas cometidas. Uno comienza a resentir a los exonerados de la ley.

XI. La moral de la diáspora

La experiencia migratoria ha acentuado en la población dominicana de los Estados Unidos el imperativo moral. Puesto que sabe o de alguna manera intuye que hay una relación de causalidad entre su destierro permanente y la manera desafortunada como se ha conducido la vida pública en la tierra natal, la diáspora invierte un alto grado de pasión en la reflexión sobre la historia contemporánea. En gran medida, hay diáspora debido a la incapacidad de la clase gobernante dominicana de responderle a su gente. En vista de su condición de desecho poblacional, no debe sorprender que la diáspora ostente un mayor grado de indignación que la población nacional que no ha emigrado. Esa indignación se trasluce en textos como el artículo de Viriato Sención que caracteriza al nonagenario líder reformista como "un ser corroído en lo más hondo", que "odia visceralmente al pueblo dominicano" (Sención 1996: 16). De hecho, un sondeo de los escritos que actualmente produce la *intelligentsia* dominicana en los Estados Unidos —la ficción de Junot Díaz y Julia Alvarez, la obra crítica de Daisy Cocco de Filippis, la historiografía de Francisco Rodríguez de León, la sociología de Ramona Hernández y el trabajo teatral de Josefina Báez— hace pensar que la diáspora guarda un ardor social y un anhelo correctivo que encuentran muy poco paralelo en la intelectualidad de la tierra natal. El acrecentado imperativo moral se refleja también en un elevado grado de impaciencia con respecto a las ideas políticas, culturales o raciales tenidas como dañinas para la convivencia pacífica entre los seres humanos. En ese sentido resulta ilustrativa la actitud de la joven Julissa Reynoso Pantaleón, una dominicana criada en el sur del Bronx, recién egresada de la Universidad de Harvard. Durante el último semestre de la licenciatura, en la primavera de 1997, a la joven le tocó asistir a una charla dictada por el diputado reformista Pelegrín Castillo, a quien alguien en la Kennedy School of Government del recinto se le había ocurrido invitar. Al narrar retrospectivamente la experiencia, Julissa ha descrito el encuentro con el legislador dominicano como una experiencia desagradable al tener que tolerar su discurso "fascista sobre las relaciones domínico-haitianas", y no poder pararle el coche por mera diplomacia ya que se trataba de un orador dominicano.

No pretendo con lo antes dicho aplicar a la comunidad dominicana en los Estados Unidos un molde moral monolítico. De nuestra población puede decirse lo que ha dicho Jean Marin de la haitiana: que siendo la prolongación al exterior de la nación dominicana tiene "todas sus virtudes, pero también todas sus taras" (1991: 15). Nuestra emigración no puede jactarse de haber logrado una nítida coherencia política. No hay por qué idealizar. Ejemplos de sobra tenemos de gente comprometida únicamente con su bienestar personal, así como gente que, no obstante haber residido por décadas en Norteamérica, se ha mantenido mentalmente ligada a la política de la tierra natal, en la que sigue cifrando sus esperanzas para la satisfacción de sus aspiraciones económicas. Los tumbos de Roberto Victoria, por ejemplo, también ocurren entre nosotros. Admirador y siervo de Balaguer, Victoria padeció un período de exclusión de la corte del caudillo cuando éste se reinstaló en el poder en el 1986. El ex-servidor balaguerista esperó pacientemente en Nueva York el llamado del líder a reincorporarse al régimen. La invitación se dilató demasiado, colmando a Victoria de resentimiento. De ahí *Los diez mandamientos de Joaquín Balaguer* (1995), un libro en el cual se distancia del caudillo, considerando como una indignidad que nos enaniza como nación el que "un anciano enfermo y ciego" permaneciera en el poder (Victoria 1995a: 224). Entonces, acto seguido, Victoria procuró adherirse al Acuerdo de Santo Domingo. Cuando quedó claro que Balaguer apoyaría al PLD en las elecciones de 1996, Victoria arremetió contra ese partido en un artículo titulado "Los zánganos del PLD" (Victoria 1995b: 18).

Esa ira duró hasta el momento en que, en los últimos tres meses del mandato de Balaguer, gracias a la mediación del Cónsul General de la

República Dominicana en Nueva York, el líder acogió a Victoria de nuevo en su seno. Nombrándolo jefe de la Misión Dominicana ante las Naciones Unidas, el caudillo le restañó instantáneamente todas las heridas. Victoria recuperó de inmediato el cariño que albergaba para su líder y se enlistó enérgicamente en la defensa de la "figura histórica" de Balaguer, el "arquitecto de la democracia" dominicana. El hijo pródigo llegó a repudiar las críticas del *New York Times* al nonagenario mandatario alegando que se debían al "odio patológico" que el periódico norteamericano sentía por el político criollo (*Noticias del Mundo,* 18 junio 1996: 4A). Posteriormente, al pasar la batuta presidencial de Balaguer a Fernández, Victoria permaneció solícito en el servicio al gobierno cuyo liderazgo político había descartado como "zánganos". Después de servir por varios meses en la ONU, pasó a representar la administración de Fernández como embajador dominicano en Guatemala.

Como bien indica el caso Victoria, el vivir en los Estados Unidos no dota a los dominicanos necesariamente de superioridad moral con respecto a sus compatriotas en la tierra natal ni a ninguna otra población humana. Pero sí se podría conjeturar que la experiencia migratoria en una sociedad que hace culto público al credo de la decencia, la justicia y la igualdad ha armado a la diáspora de un imperativo moral aún cuando dicha sociedad esté lejos de lograr consistencia en la práctica del credo que predica. De todas maneras se puede decir que la experiencia fuera del país exacerba en nuestra gente el sentido de criticidad con respecto a la conducta de los actores que dominan la vida pública nacional. Testigos del ordenamiento cívico efectivo del que parecen disfrutar las sociedades en las que hemos ido a parar, adoptamos una visión comparativa que nos hace juzgar la sociedad dominicana a la luz de la organización social que han alcanzado los países que nos reciben. Desde esa óptica comparativa a veces nos parece que el pillaje perpetrado por nuestra clase dirigente tiene escaso equivalente en los países del hemisferio. Quizás porque nos cala de manera más directa, se nos ocurre que los miembros de la clase dominante del país superan a sus iguales en las repúblicas hermanas en el grado de desprecio hacia la población y el territorio nacionales. Sentimos que hasta en el campo espiritual nos ha ido peor. No nos tocó como líder religioso un pastor de almas como el arzobispo salvadoreño Oscar Arnulfo Romero, quien consagró su vida a la lucha por la justicia social y a la protección de los humildes, lo cual lo llevó a emplazar al gobierno terrorista y caer asesinado por la crueldad del régimen el 24 de marzo de 1980. Tampoco nos tocó la Madre Teresa de Calcuta, quien hizo historia con la dedicación personal al servicio de los desheredados, dándole concreción al ejercicio de la piedad. Nos tocaron prelados empresariales y estadistas, mitrados arrogantes, Richelieus tropicales que desdeñan a los de abajo, tildándolos, por ejemplo, de "abusadores" por buscar refugio en los templos eclesiásticos a falta de viviendas en las cuales guarecerse (cf. *El Siglo* 29 junio 1995: 7).

XII. El vals de la vergüenza y el asombro

El imperativo moral que estimula la comparación negativa de nuestra patria con otras naciones aporta una vertiente contrastiva con respecto a la idea, repetida por más de un comentarista, que culpa a la diáspora de afear la "imagen" internacional de la nación debido a la arrabalización de la vida en algunos enclaves de migrantes dominicanos en el exterior. Pablo Mckinney ha hablado de "la mala imagen de los dominicanos" como "una mancha que se extiende, un brazo de mar que se reparte desde Puerto Rico a Nueva York. De ahí a las bandas de Boston para embarcarse a Europa... [En España... le esperamos para contar avergonzados sus desmanes, sus arrebatos" (Mckinney 1993:6). Esa moneda tiene otra cara, aquella que daría pie para pensar en la diáspora como un reducto de la vergüenza dominicana, un depósito de dignidad empeñado en hacer valer las reglas elementales de la decencia. Hay quien diría que en la sociedad dominicana se ha pretendido relegar la vergüenza al plano de la caducidad, lo cual denota la pérdida de un importante instinto de resistencia revolucionaria. Pues la vergüenza, como llegó a afirmar Karl Marx, en tanto forma de ira revertida hacia adentro, guarda su aspecto liberador (citado por Liebknecht 1975: 18).

Desde adentro, la ira no tiene otro camino que volcarse hacia afuera. En Los Angeles, California, se volcó cuando la vergüenza explotó frente al descaro de un gran jurado que pudo absolver a unos oficiales blancos de la policía estatal del cargo de brutalidad policial no obstante la grabación videográfica que los muestra en pleno acto de crueldad golpeando salvajemente al afroamericano Rodney King. La comunidad afroamericana, ofendida por la insensiblidad del tribunal ante una clara agresión racista, se tiró a la calle en un real levantamiento social. Similar situación se dio pocos meses después en julio de 1992, en Washington Heights, cuando circuló en el vecindario el rumor de que un policía blanco había penetrado en un edificio habitado principalmente por dominicanos y baleado de muerte al joven dominicano "Kiko" García en presencia de su madre y sus hermanas. La gente, herida en su amor propio, se tiró a la calle. Siguieron tres días de movilizaciones y protestas, escenificándose enfrentamientos directos con los oficiales del orden de la ciudad de Nueva York. Se requirió el tacto y la intervención pacífica del alcalde de la ciudad David Dinkins y otras autoridades municipales para que la gente poco a poco se aquietara.

En la República Dominicana parece estar prevaleciendo una temperatura moral distinta a la que movió a los alzados de Los Angeles y Washington Heights. En el país se han registrado incidentes que constituyen casos de franca provocación a la paciencia y a la tolerancia de la población sin que la gente se inmute de manera socialmente perceptible. Se sabe que en más de una ocasión, como en mayo de 1994, la mayoría de la población dominicana ha votado por un candidato para luego ver a otro ascendiendo fraudulentamente a la silla presidencial sin que haya conmoción social en el país. Piénsese en la sesión de entrenamiento en el Partido Reformista Social Cristiano (PRSC), previo a unas elecciones presidenciales en que los entrenados recibían instrucciones específicas de cómo realizar el fraude para alterar el resultado de los comicios a favor del partido de gobierno. La lección quedó grabada en una cinta videográfica, la cual llegó a manos de la oposición y se hizo de conocimiento público. Sin embargo, ver al PRSC por televisión con las manos en la masa, en flagrante conspiración para desconocer la voluntad popular, no escandalizó a la sociedad dominicana. Atónito ante la aparente pasividad con que la gente vio pasar aquella burla contra el más elemental principio de autodeterminación ciudadana, un observador extranjero articuló su entendimiento del fenómeno diciéndole al prominente periodista dominicano Juan Bolívar Díaz: "Tu país ha perdido la capacidad del asombro".

Luego la población vería por televisión la transmisión de una manifestación de campaña proselitista en la que miembros del partido morado (PLD) hieren de bala, disparándole a sangre fría, a un transeúnte cuyo vehículo lucía los símbolos del partido blanco (PRD). La acción criminal, capturada en la pantalla televisiva con una voz que aupa al victimario gritándole, "¡Mátalo, coño!", no mermó notablemente la popularidad del partido agresor, el cual terminó ganando en la contienda electoral. De la misma manera, la charlatana escena de un anciano presidente Balaguer extendiendo sus arrugadas y temblorosas manos para repartir sobrecitos con dinero sacado del erario en la compra vulgar de votos, desvirtuando el proceso eleccionario, no produjo consternación. Sin embargo, se podría argüir que en la diáspora se conserva la capacidad del asombro y la gente se muestra vulnerable al influjo de la vergüenza. Pues venimos de tres décadas de experiencia en sociedades que, aunque sin consistencia, refuerzan a menudo el discurso ético con la caída periódica de funcionarios y legisladores marrulleros a quienes se les descubre una conducta reñida con el credo oficial. En Norteamérica asombra lo que en la tierra natal abunda: el que un personero del poder robe, viole y hasta mate impunemente, sin siquiera perder el aura de respetabilidad ni la autoridad para moralizar en los medios masivos de comunicación.

Asimismo, puesto que la experiencia migratoria activa la preocupación por el sentido de la ciudadanía, la diáspora apenas puede tolerar los excesos del caudillismo criollo. Desde el exterior se sintió como una bofetada el que previo a la segunda vuelta durante las elecciones de 1996 el saliente mandatario Balaguer acudiera a la fórmula del terror, reviviendo de su retiro al mayor general Enrique Pérez y Pérez, ángel de la muerte que durante "la guerra sucia", o régimen de "los doce años", silenció con la violencia a los enemigos del régimen. Y no sorprendió el que, afín con su funesta fama, Pérez y Pérez protagonizara una irracional campaña de apresamientos contra toda persona de color oscuro que fuera encontrada sin la cédula personal de identificación con el pretendido fin de impedir la venta de dicho documento *(Listín Diario* 4 junio 1994: 13). Asimismo, desagradó sobremanera el acuerdo entre el PRSC y el PLD, ratificado el 2 de junio de 1996 en la inauguración pública del llamado Frente Patriótico Nacional. La formación del Frente en un multitudinario evento realizado en el Palacio de los Deportes de la Ciudad de Santo Domingo suscitó el laudo de teóricos de la sagacidad y la conveniencia. El literato capitalino Enriquillo Sánchez decretó que a partir de ese 2 de junio sería "difícil proponernos nuevos maniqueísmos. Los maniqueísmos empobrecen la realidad y entorpecen la apremiante empresa de ser" *(El Siglo* 5 junio 1996: 6). Pero en la diáspora predominó la apreciación que consideraba la alianza como "una vergüenza nacional", tal como rezó el título de un artículo publicado en Nueva York por Isabel Butten (1996: 15).

Para la diáspora no estaba en juego ningún maniqueísmo. Se trataba de la vergüenza. Era el bochorno de ver a los enemigos de la decencia sobreponerse a los que habían cultivado fama de serios. El pragmatismo del mercado electoral puso a cónyugues y proles de mártires a fraternizar con los asesinos que causaron su viudez y su orfandad. La sangre llegó a pesar menos que el agua. Balaguer y Bosch, tenidos anteriormente como polos morales opuestos, se igualaron en un mismo abrazo y un mismo discurso de campaña. Quedó rehabilitada la imagen de los enemigos del pueblo y quedó perdonado el trujillato. Se inauguró un ambiente en el cual se hizo factible desacreditar burlonamente a las hasta entonces incuestionables "viudas de los doce años". De la misma manera, una decisión del Presidente de la Argentina de decretar el olvido y el perdón para con la anterior dictadura militar que había masacrado a una generación creó las condiciones para que se pudiese acusar a las Madres de la Plaza de Mayo de querer, con su insistencia en el recuerdo, remover "las brasas del horror" (Azcárate 1997: 7). En el país quisqueyano se anuló la distancia entre el bien y el mal, legislando el olvido para las ignominias de los 66 años de desvergüenza trujillista que había padecido la sociedad. Ello hizo posible que Pérez y Pérez, a raíz de la reapertura de la investigación del asesinato de Orlando Martínez, negara haber tenido nada que ver con ese o ningún otro crimen *(El Siglo,* 4 noviembre 1996: 12). Similarmente, en espacio pagado por el Partido Reformista Social Cristiano, apareció en la prensa una aclaración "para la historia" que exculpaba a Balaguer de haber cometido "fraude alguno" en las elecciones de 1994 (*Listín Diario* 5 junio 1996: 10-11). Meses después, los legisladores de la patria, agavillados en el Senado de la República, se confabularon para limpiarle el récord político y moral al funesto Balaguer, condecorándolo con el título de "Gran Propulsor de la Democracia Dominicana" (Moya Pons 1997:22). En una sociedad en la que la clase gobernante impone el olvido, los gobernados se sublevan con sólo recordar. Para la comunidad dominicana en el exterior los dispositivos del recuerdo adquieren grado de inexorabilidad. Pues la distancia agudiza la memoria. Un memorable poema de Brecht presenta al emigrante "ansiosamente inquiriendo/De cada visitante, sin olvidar nada ni ceder nada/Y también sin olvidar nada de lo que pasó, ni perdonar nada" (Brecht 1976: 301). Aferrada por su escabrosa historia al imperativo del recuerdo, la diáspora preserva intacta la capacidad del asombro toda vez que le pesa el ruedo de la vergüenza.

XIII. De indignación y ciudadanía

Combínese, entonces, la agudización de la memoria, que alimenta el sentido de la indignación, con la adquisición de una conciencia de derechos civiles, para dar una idea de la tesitura mental de la diáspora como una comunidad epistémica distinta a sus compatriotas en la sociedad emisora. Podría argüirse que la diáspora se torna más exigente que sus compatriotas en el país al juzgar el funcionamiento de las instituciones pilares de la sociedad. Visto desde el exterior, el caso, por ejemplo, de Marcos A. González Hernández, juez de la Tercera

Circunscripción de Santiago, no escandaliza solamente debido al salvajismo desplegado por el letrado contra una mujer, como bien detalla Sara Pérez en *Rumbo* (7 de julio 1997:42-51). Horroriza, además, que en el país un hombre con la patología de González, exhibida en un documentado historial troglodítico, pueda llegar a ser juez. Tampoco consterna menos caer en la cuenta de que el revólver usado por el juez para golpear a sus víctimas era su arma reglamentaria. Es decir, los jueces, los guardianes de la fe en la ley, los responsables de inculcar en la población confianza en la estructura jurídica para resolver diferencias y protegerse de injusticias, andan armados hasta los dientes. ¿Fomentará respeto por la letra de la ley un centinela judicial que se valga del aditamento de un arma de fuego para su seguridad personal? ¿Acaso no revela desconfianza en el influjo real de su investidura? ¿Acaso no legitima la práctica generalizada en el ciudadano promedio de optar cada quien por su cañón para asegurarse personalmente la protección y, de ser necesario, tomar la ley en sus propias manos?

El vivir en sociedades donde tiene vigencia la idea de la justicia y la igualdad en cuanto credo público milita contra la actitud de tolerancia por la condición infrahumana que padecen las clases desposeídas. Norteamérica, con todo y sus rampantes inequidades sociales, su nefasta historia racial y sus anchas brechas de clase, se las ha arreglado para articular la pobreza y el desempleo como problemas a solucionar y no como condición intrínseca a la sociedad. Independientemente de la inexactitud de esa visión, no hay duda de que —llámesele dinámica dialéctica o no— le impide a los de abajo aceptar humildemente su desamparo. Puesto que el credo público otorga a todo el mundo el derecho a albergar el "sueño americano", los desvalidos o preservan la esperanza de mejorar o resienten el tener que vivir menesterosamente. Eso los hace clase peligrosa y el Estado tiene que urdir explicaciones y prometer tiempos mejores. El Alcalde de la Ciudad de Nueva York, Rudolph Giuliani, se ha visto con frecuencia obligado a responder por la poca sensibilidad mostrada por las agencias municipales que tienen bajo su supervisión refugios para deshauciados. Es decir, se entiende que les toca a los gobernantes aliviar el dolor de la pobreza. La ciudadanía, en su sentido más básico, implica el derecho por lo menos a un grado mínimo de garantía social.

La condición de las cárceles, los hospitales públicos y las escuelas estatales en la República Dominicana arrojan graves dudas acerca de si a los usuarios de dichos servicios se les considera ciudadanos. Los frecuentes desalojos de personas sin vivienda vienen al caso por los matices de crueldad que suelen alcanzar. El periodista Arsenio Ramírez narró un caso típico en *El Siglo* (18 mayo 1996: 5). El diario ilustró la crónica con una fotografía en la que aparece una madre flanqueada por sus cuatro niñitos, sentados todos en una cama que había quedado a la intemperie. Las cuatro paredes de lo que fuera su hogar yacían despedazadas en el suelo, luego de que efectivos militares las derribaran para expulsar a la familia del lugar. Como parte de la misma embestida, otras 18 familias quedaban sin hogar —setos, muebles y enseres domésticos tirados en el árido suelo— en el sector Quita Sueño de Haina. Según datos recogidos por el periodista, los predios que ocupaban las familias desalojadas pertenecían al Consejo Estatal del Azúcar (CEA), pero el reclamo de desocupación provino de un individuo privado llamado Polanco, quien se valió del aval de la fuerza militar para liberar los terrenos.

Los soldados llegaron a tumbar viviendas con personas y ajuares adentro, dijeron los desamparados. Uno de ellos, Mariano Ramírez, se quejó de que los trataran "como si no fuéramos ciudadanos que tenemos derecho... a vivir en esta tierra", dando conceptualmente una interpretación correcta a la acción que allí se escenificaba. Sencillamente, se trata de que una sociedad que reduce a los pobres a la total indefensión no hace literalmente otra cosa que desproveerlos de la condición de ciudadanos. También se puede decir, viendo el asunto desde afuera, que se les niega la nacionalidad. Pues sencillamente no se puede definir lo que somos sin considerar el trato que nos extienden el Estado y la sociedad donde lo somos. Sin un sentido básico de respeto a los derechos humanos, tal y como los mismos fueron promulgados en la Asamblea General de las Naciones Unidas el día 10 de diciembre de 1948, no puede hablarse de ciudadanía ni de nacionalidad.

El artículo 25 de aquella Declaración Universal de los Derechos Humanos no tiene nada de ambiguo: "Toda persona tiene el derecho a un modo de vida adecuado para la salud y el bienestar suyo y de su familia, incluyendo lo concerniente a comida, ropa, vivienda y cuidado médico, así como los necesarios servicios sociales y la seguridad en caso de [desempleo, enfermedad, incapacidad física y otras] circunstancias extenuantes" (USDS 1983: 4). Tampoco puede haber democracia ni libertad en una sociedad donde la mayoría de la gente sufre la tiranía de la pobreza. Los menesterosos no son libres. Para los dominicanos de la diáspora, esto queda super claro.

XIV. Diáspora y conciencia racial

La diáspora también reacciona exigentemente con respecto a una forma menos concreta de maltrato a la población, aquella que se manifesta en la negación oficial de la fisonomía empíricamente constatable de la mayoría del pueblo dominicano. Después de haber vivido durante un largo tiempo en Norteamérica, la persona dominicana que regresa a la tierra natal se encuentra escandalizada por cosas que previamente a la emigración le parecían normales en la representación pública de los rasgos raciales de la población. En los Estados Unidos, la representación racial es una zona de contingencia social, política y cultural. Del enfrentamiento entre distintos sectores de interés se ha llegado a un consenso que pone fe en la educación multicultural como la opción preferible para dar a los escolares una visión completa de la imagen de la nación, con la esperanza de que la misma fomente una convivencia marcada por el respeto mutuo y la igualdad. Los grupos minoritarios —los negros, los indígenas norteamericanos, los hispanos y los asiáticos— han presionado al grupo étnico dominante para que se les inserte en la narrativa de la experiencia nacional. Su inclusión ha resultado de una lucha por la representación que todavía continúa.

Sin embargo, en la República Dominicana la parte negra y mulata que constituye la abrumadora mayoría de la población brilla por su ausencia en la representación oficial de la nación. El grado de negrofobia que arropa a la sociedad dominicana se ilustra en la manera como las firmas publicitarias se imaginan las facciones de nuestra gente. Baste decir que puede uno pasarse una noche entera ante un televisor sin que asome a la pantalla una sola cara con facciones negroides a no ser por los negros que pueblan los *shows* y las películas importadas desde los Estados Unidos. Pero en los anuncios y en los programas producidos en el país invariablemente predominan los rostros caucásicos. Las páginas sociales de los principales periódicos nacionales o el contenido completo de suplementos semanales tales como *Ritmo Social, En Sociedad* y *Viu,* dan la impresión de que tenemos una población fenotípicamente escandinava.

La abismal incongruencia entre el fenotipo real de la población y el rostro de la nación que se privilegia en los medios de comunicación ocurre en el país con tal naturalidad que parece dictado por un insconsciente colectivo. Hay hasta quienes niegan que haya antipatía negrofóbica. El ministro Danilo Medina descarta de hecho la idea del "racismo dominicano" como una invención de la prensa norteamericana (*Noticias del Mundo* 15 junio 1996: 8A). Los arquitectos de la exclusión de lo negro no se creen negrófobos y pueden hasta adherirse a la afirmación de la herencia africana cuando se trata de espacios externos a la nación. De ahí la solidaridad que expresó la prensa dominicana con la elección de la inmigrante afrodominicana Denny Méndez al rango de "Miss Italia 1996". Algunos periodistas celebraron en sus columnas el triunfo de la beldad negra de origen dominicano, llegando a catalogar el acontecimiento como una conquista de Occidente por parte del Caribe. El vespertino *El Nacional* en su editorial del 9 de septiembre de 1996 saludó con albricias la madurez histórica que ya reflejaba Europa al comenzar a aceptarse como sociedad "multirracial". Para esos días, la mulata dominicana Selinée Méndez también obtuvo el galardón de "Supermodelo del Mundo" en un certamen celebrado en la ciudad alemana de Koblentz según reseñó Petra Rondón (*Listín Diario,* 13 septiembre 1996: 15A). La afirmación de la negrura criolla que ganaba laureles en concursos de belleza europeos no parecía llamar la atención de la prensa sobre el hecho irónico de que en su propia tierra las facciones negroides de las jóvenes en cuestión les impedirían llegar a finalistas. Chiqui Vicioso y Hugo Giuliani Cury figuraron entre las escasas voces que señalaron la ironía. El último evocó perspicazmente la escena alucinante del encuentro en Miami, sede del concurso "Miss Universo 1997", de la célebre negra dominicana en representación de Italia y una compatriota suya de aspecto caucásico representando a la República Dominicana (Guiliani Cury 1997: 11 A).

La centralidad de lo negro en la población y en la cultura dominicanas se ha documentado más allá de toda duda en la producción académica contestataria surgida en las últimas tres décadas. Baste enfatizar aquí el análisis propuesto por Céspedes sobre los orígenes históricos de lo que él llama el "frente oligárquico", la minoría pretendidamente blanca y adinerada que ha ejercido un influyo decisivo sobre la vida nacional. Céspedes ubica el nacimiento de la oligarquía criolla, primero, en la copulación ilícita del cura Antonio Sánchez Valverde con la esposa de un amigo, de la cual nació Pablo Altagracia Báez y, luego, en la unión extramarital de Pablo Altagracia Báez y Teresa Méndez, alias Camateta, una sirvienta negra hija de una de sus esclavas (Céspedes 1997h: 16). Se colige de la genealogía avanzada por el conocido crítico literario que hasta la porción de la población considerada tradicionalmente como el reducto de la blancura en el país quedó permeada desde sus comienzos por la negrura.

Fuera de la tierra natal a nuestra gente se le activa la conciencia racial. Desde el principio de los ochenta Frank Moya Pons ha explicado el proceso mediante el cual el dominicano en Norteamérica descubre "que es negro, después de haber pasado gran parte de su existencia creyendo, pensando y pretendiendo exactamente lo contrario" (Moya Pons 1986:248). Aún cuando no siempre asuma la negritud como ficha de identidad primaria, la diáspora reconoce la necesidad de separarse de discursos y prácticas negrofóbicas. Seguramente haya que buscar la razón en las rígidas demarcaciones raciales que nuestra gente encuentra en Europa y los Estados Unidos donde, querrámoslo o no, se nos percibe mayormente como negros. En esas sociedades el alinearse étnicamente con el grupo que a uno le toca por afinidad fenotípica tiene implicaciones sociales y políticas que repercuten sobre la sobrevivencia misma. La negrofobia que el dominicano trae de la sociedad emisora puede hacerlo objeto de burla ante los demás grupos étnicos con los que le toca compartir la experiencia migratoria, aparte de crearle problemas de adaptación a los códigos sociales establecidos en la sociedad receptora. A la comunidad, por lo tanto, se le hace urgente ponderar el asunto de la identidad racial. Eso se palpa, por ejemplo, en la recurrencia de la raza entre los temas de investigación de que se ocupan los estudiantes de origen dominicano en los programas de postgrado en universidades norteamericanas. E. Carmen Ramos, en la Universidad de Chicago; Eduardo Paulino, en la Universidad Estatal de Michigan; Randol Contreras y Ginetta Candelario de la Graduate School and University Center, CUNY; Jocelyn Santana, en New York University; Carolina González, en la Universidad de California en Berkeley; y Elena Pellegrini, en Barnard College, entre otros, investigan actualmente aspectos determinados de la identidad étnica y racial del pueblo dominicano. Asimismo, el tema de la raza figura de manera principal entre los tópicos de investigación más socorridos por los usuarios del fondo bibliotecario del Instituto de Estudios Dominicanos, en City College, de la Universidad Municipal de Nueva York.

XV. Adiós a Peña Batlle

Concebida desde la diáspora, entonces, una teoría de la dominicanidad deberá partir de un rompimiento inmediato con todo discurso negrofóbico. Por lo tanto, las ideas del pensador trujillista Manuel Arturo Peña Battle sencillamente no podrían venir al caso en una conversación sobre lo que somos, sostenida a partir de la experiencia de los dominicanos residentes en el exterior. En la sociedad emisora, los juicios del funcionario de la dictadura continúan ejerciendo un especial encanto sobre los partícipes del discurso público en lo que respecta a la identidad étnica y cultural. El literato capitalino Enriquillo

Sánchez lo proclama entre los "autores básicos de la dominicanidad" (*El Siglo* 3 julio 1996: 3) y el dirigente reformista Ángel Lockward lo eleva a tal grado de sacralidad patricia que llega a trazar ecuación entre faltarle a la patria y remover los "huesos" de Peña Batlle "en su tumba" (Lockward 1997:9A). Esa permanencia del legado ideológico del conocido funcionario se debe a la vigencia de los principales escribas del régimen trujillista en la vida pública dominicana después de la muerte del dictador. A eso hay que añadirle el surgimiento en los últimos años de la Fundación Peña Battle, una entidad financiada por los familiares del funcionario con el fin de promover sus escritos y sus enseñanzas. En el 1989, con la puesta en circulación del primer tomo de las *Obras* de Peña Batlle, la Fundación inició una campaña de diseminación del pensamiento peñabatllista. La presencia en dicho lanzamiento del entonces presidente Balaguer, el general de brigada cardenal López Rodríguez y el fenecido arzobispo Hugo Eduardo Polanco Brito da la idea de los sectores sociales y políticos que avalan el proyecto de la Fundación. De hecho, Federico Henríquez y Grateraux, quien hizo la presentación de la publicación, se las arregló en su discurso para conectar la salida del libro con el auge que entonces disfrutaba el Partido Reformista Social Cristiano y con el protagonismo político que habían alcanzado los prelados que dirigen el Episcopado Dominicano (Henríquez y Grateraux 1996: 234).

Henríquez y Grateraux, miembro de la fogosa Unión Nacionalista y actual director del rotativo *El Siglo,* es una figura clave entre los promotores de la visión peñabatllista de la dominicanidad. En su discurso, el heredero del prestigio intelectual de la familia Henríquez Ureña alaba el apego del fenecido funcionario al catolicismo por su utilidad como factor diferenciador de la nación con respecto al Haití voduista (1996:230). Según el publicista, Peña Batlle constituye una "gran piedra intelectual" imprescindible para entender la experiencia nacional. Declarándolo "maestro de dominicanidades," es decir la expresión nativa de las humanidades, el reputado admirador aboga por la lectura de los escritos del fenecido funcionario como un medio de enriquecer "la dominicanidad" (Henríquez y Gratereaux 1996: 226,

223, 227, 237). Sin embargo, una lectura crítica de los textos del pensador trujillista pone en tela de juicio cuánta utilidad tendría su legado para una visión de la dominicanidad que haya asimilado la enseñanza reformadora implícita en la experiencia de la diáspora.

La idea racial y de clase que sostenía Peña Batlle quedó claramente esbozada en su *Orígenes del Estado haitiano*, obra inconclusa debido a la muerte del autor en 1952. Allí el funcionario se proponía establecer la precariedad de la nación haitiana como una condición inherente al bajo calibre humano de la población que sirvió de base a su fundación. Haití comenzó con una masa de negros esclavos "impermeable a toda influencia de la cultura," supuestamente por su condición social pero también debido a causas congénitas puesto que "la clase intermedia de los mulatos libertos" también resultó "impermeable al bien de la cultura" (Peña Battle 1989:158). Sin "un idioma civilizado", sin "sentimientos religiosos" basados en "un culto civilizado", Haití "es una sociedad sin historia propiamente dicha" puesto que su evolución no siguió "ninguna directiva histórica" (1989:160). Dicho más demoledoramente, la fundación de Haití se debió a gente "sin tradición histórica, sin formación cultural ninguna, sin estructura espiritual, sin formación jurídica, pública ni privada, sin régimen de familia establecido, sin organización de la propiedad; sin hábitos colectivos" (164).

Peña Batlle describió a los negros de Saint Domingue adhiriéndose a una tradición europea que excluía al negro de la narrativa de la experiencia humana. Esa escuela de pensamiento, representada por plumas importantes de la Europa decimonónica tales como el filósofo alemán G.W.F. Hegel, el novelista inglés Anthony Trollope y el afamado explorador Sir Richard Burton, veía la emancipación de los negros como un obstáculo para su propio desarrollo, puesto que ellos pertenecían a una raza subhumana que sólo podría ascender al plano legítimo de la humanidad mediante el proceso domesticador y correctivo de la esclavitud bajo una nación civilizada (Hegel 1956: 96; Trollope 1985: 46; Burton, citado por Davidson 1984: 415). Dicha ideología alcanzó su expresión más virulenta con los pronunciamientos del conde Joseph-Arthur de Gobineau, quien declaró a los negros carentes de facultades mentales, condenándolos a permanecer incurablemente en el fondo de la escala humana (Gobineau 1967: 205, 210). Nótese, sin embargo, que todo ese discurso negrofóbico producido por Occidente en el siglo XIX, salido de las plumas de pensadores blancos, se dirigía a lectores blancos a quienes se pretendía convencer de la necesidad y la propiedad de apoyar la colonización de los pueblos africanos o su sometimiento al cautiverio en las colonias de las Américas.

El racismo negrofóbico de Peña Batlle se produjo, sin embargo, en un país de negros, en la misma mitad del siglo XX, cuando ya Occidente había comenzado a renegar de toda fórmula de supremacía racial en el discurso público. Con el advenimiento del régimen Nazi y el saldo horripilante de más de seis millones de cadáveres depositados en fosas comunes o incinerados en los hornos gigantescos del Tercer Reich, ya Europa había aprendido cómo el racismo zambullía a la civilización en la más espantosa barbarie. En el 1945, al final de la Segunda Guerra Mundial, aparecía ya una segunda edición del libro de Ruth Benedict *Raza: ciencia y política* (1945), el que no sólo demostraba la idiotez de apelar a esquemas sanguíneos para establecer la "superioridad" de un grupo humano, sino que incluía una extensa sección titulada "Resoluciones y Manifiestos de Científicos" en la que se reproducía los planteamientos de los más autorizados portavoces de las ciencias naturales y las ciencias sociales en repudio del racismo (Benedict 1945: 95, 195-199). De igual manera, el reputado erudito francés René Etiemble declararía categóricamente que "todo humanismo se torna ridículo si no persigue como meta principal la eliminación del racismo". Es decir, Peña Batlle se aferró obstinadamente a un discurso negrofóbico occidental cuando ya Occidente estaba pagando un muy alto precio por esa ideología y procuraba alejarse de ella a toda costa. El funcionario trujillista blandía una enseñanza caduca, una aberración explicable sólo por la necesidad de satisfacer las urgencias ideológicas del régimen al que servía como vulgar escriba.

Al restarle valor humano a la etnia y a la cultura de los negros de Saint Domingue en el siglo XIX, Peña Battle deshumanizaba también a los ancestros de la gran mayoría del pueblo dominicano que también desciende de africanos que vivieron el drama de la esclavitud. Pero él no veía esa conexión. No la podía ver. Partía de la visión puesta en boga por la historiografía del régimen cuya narrativa blanqueaba e hispanizaba el rostro de la nación. Peña Batlle tenía el propósito, adelantado ya en su artículo de 1942 "El sentido de una política," cuyo contenido es rumiado por Balaguer en el libro *La realidad dominicana* (1947), de presentar al pueblo haitiano como una especie subhumana con tal de articular una justificación del genocidio perpetrado por la dictadura contra muchos miles de inmigrantes haitianos y de domínico-haitianos en la frontera durante el otoño de 1937. De ahí la urgencia de proclamar la superioridad moral y cultural de los dominicanos sobre los haitianos, hijos de lo que consideraba una raza corroída medularmente por el atraso de la bestialidad. Y puesto que la base de nuestra diferencia de la población del país vecino residía en el origen ancestral, se construyó una definición que ocultaba el componente africano de la fisonomía nacional. En el país ya la academia post-trujillista ha estudiado de modo exhaustivo esa distorsión de nuestra herencia. Pero en la diáspora el asunto no se circunscribe a propuestas académicas. Se trata de una contradicción intolerable que repercute en la lucha por la sobrevivencia del dominicano común. Pues en el exterior se nos clasifica como negros. Entonces caemos inmediatamente en la cuenta de que la negrofobia, aunque venga motivada por un sentimiento antihaitiano, deviene irremediablemente antidominicana. Por eso Peña Batlle, al igual que su epígono Balaguer, negrófobo por excelencia, no tiene absolutamente nada que aportar en un diálogo serio sobre la dominicanidad concebido desde la diáspora.

XVI. La dominicanidad como enemistad

Durante la dictadura prevaleció en el discurso público un concepto de la nación informado por la negrofobia, el odio antihaitiano y la exclusión de lo realmente criollo. Reinaba un concepto de la dominicanidad caracterizado por la enemistad contra una raza, una cultura, una lengua y una clase determinadas. Se hizo oficial una definición que privilegiaba el odio y el desprecio. Los alabarderos intelectuales del régimen predicaron lo que Roberto Cassá ha llamado un "nacionalismo fraudulento", engendro de una ideología que se valía de "la mentira institucional" para forjar una idea del origen y destino de la nación dominicana consubstancial con el advenimiento y la permanencia de Trujillo (Cassá 1982: 760). Esa prédica sobrevivió a la caída formal de la dictadura debido a que, salvo un par de hiatos democráticos, el gobierno siguió en manos de los secuaces del dictador. Balaguer, quien había divulgado una teoría de la dominicanidad basada en el odio antihaitiano y la negrofobia en el repudiable volumen titulado *La realidad dominicana* (1947), se ciñó al poder entre 1966 y 1978 con la ayuda de los Estados Unidos, la cúpula eclesiástica, los militares de Trujillo y el sector empresarial. Le sucedió por los ocho años siguiente el dominio político del Partido Revolucionario Dominicano, del que se esperaba una agenda social, política y cultural reñida con el conservadurismo anterior. Pero ese gobierno, corroído por la corrupción, no demostró haber estado hecho de una pasta distinta a la de los regímenes anteriores. Tampoco se preocupó lo suficiente por encauzar una campaña efectiva de destrujillización del discurso público. De ahí que, con el regreso al poder de Balaguer en el 1986, volvieran fácilmente a enseñorearse los propulsores del antihaitianismo y la negrofobia en los medios de comunicación.

El discurso cultural trujillista, remitiéndose al penoso libro *La isla al revés* (1983), que Balaguer había publicado durante su *interregnum,* se manifestó con especial fogosidad en las campañas electorales de 1994 y de 1996 debido a la participación en ambas de José Francisco Peña Gómez como principal líder de la oposición. Respondiendo a la marcada negrura y la descendencia haitiana de Peña Gómez, los voceros de la vieja guardia dieron prueba fehaciente de su compromiso con una visión de la dominicanidad caracterizada por sus enemistades. Un tal Dantes-Castillo llegó hasta el colmo de hurgar en la historia de nuestros himnos nacionales para extrapolar de ellos el sentimiento anti-haitiano como una condición intrínseca del patriotismo dominicano. Su exhortación concluye invitando a los lectores a ir a las urnas a votar "por la dominicanidad contra la nefasta haitianidad que tanto perjudicó y humilló a los nacionales" (Dantes-Castillo 1995: 8). De igual manera Balaguer propuso una alianza entre el partido de gobierno que él comandaba y el Partido de la Liberación Dominicana contra Peña Gómez con el fin de impedir "que el país caiga en manos que no sean verdaderamente dominicanas" *(Hoy* 3 junio 1996:1). De esa propuesta emergió el llamado Frente Patriótico Nacional abocado a "salvar" la patria de la amenaza haitiana. Sobre el país, según voceros trujillistas como Pedro Manuel Casals Victoria, se cernía un grave peligro en vista de que "potencias extranjeras y grupos de traidores locales intentan haitianizar nuestra nación por la vía simple y cómoda de cedular como dominicanos a los haitianos y los hijos de haitianos ilegales" *(Hoy* 3 junio 1996: 17).

Las fabulaciones de los portavoces mencionados que presentan a la comunidad haitiana cual peligroso enemigo de la dominicanidad importarían poco si se pudiesen descartar como mero producto del mercadeo electoral. Si se hubiese tratado solamente de amedrentar a los votantes nacionales para disuadirlos de elegir a Peña Gómez, se podría explicar la práctica como una simple suciedad de campaña que no difiere significativamente de los demás engaños y excesos que entran en el menú político cada cuatro años. Sin embargo, se sabe que la cosa no se queda ahí. Ejemplo de eso lo daba el vespertino *Última Hora,* cuya portada del 30 de abril de 1997, fecha lejana de proceso electoral alguno, desplegaba en letras gigantescas el inquietante titular: "4 haitianos violan mujer". El titular remite a un artículo colocado en la página 4 sobre las violaciones registradas por la policía en el país durante el primer trimestre del año. Al leer la noticia se constata que de 133 crímenes sexuales cometidos en el país uno fue efectuado por cuatro violadores de origen haitiano. Los 132 restantes fueron cometidos por "hombres", es decir, por varones compatriotas. Al basar su editorial estrictamente en el único caso que involucraba una participación haitiana así tuviese que distorsionar la noticia, amplificando un detalle carente de significación numérica, la dirigencia de *Última*

Hora demostró su convencimiento de que una sola violación cometida por haitianos supera en el grado de ofensa a las 132 perpetradas por dominicanos. Así, una noticia que podría servir para alertar sobre la proliferación de la violencia sexual en la población dominicana pierde su potencial de orientación debido a la necesidad, impuesta por el mercado periodístico, de explotar el sensacionalismo del terror haitiano. Según la tradición haitianofóbica, los vecinos del otro lado de Quisqueya no sólo buscan ocupar el territorio dominicano para unificar la isla políticamente y africanizarnos. Pretenden también comerse a nuestros niños y poseer a nuestras mujeres. La gente de *Última Hora* sabía muy bien a qué folclore estaba apelando y qué ideología dañina estaba perpetuando.

XVII. La dominicanidad genocida

En la medida en que la prensa nacional se empecina en alimentar la tradición del terror haitiano, ha de esperarse un crecimiento del desprecio de la población dominicana hacia la nación hermana. La antipatía antihaitiana engendrada por los medios forjadores de opinión —la prensa y las instituciones del Estado— constituye una peligrosa reserva de odio étnico con potencial de traducirse en estallido de violencia de darse una coyuntura catalizadora. Tampoco han faltado, entre los escribas del poder, voces dispuestas a justificar hechos de sangre bajo pretexto de preservar la pureza de la nacionalidad. Viene al caso la prédica en ese sentido de Ramón Alberto Font Bernard, actual director del Archivo Nacional. Font Bernard, un negro que ocupó puestos de menor escala durante la dictadura y luego alcanzó alguna visibilidad como obediente funcionario de Balaguer a partir del régimen de "los doce años", se ha pronunciado perniciosamente sobre el tema del terror haitiano. En un artículo de 1994 el funcionario evoca nostálgico un presunto encuentro para el año 1956 de él y otros jóvenes con el tirano en la Casa de Caoba en San Cristóbal. Dirigiéndose a ellos, el sátrapa extendió las manos "como pruebas testimoniales" para decirles "están manchadas de sangre, para salvar a la generación de ustedes de la haitianización del país" (Font Bernard 1994: 17). La mancha de sangre obviamente alude al asesinato de muchos miles de indefensos haitianos y domínico-haitianos perpetrado por el trujillato en la frontera durante el otoño de 1937.

Según el nostálgico funcionario, el Jefe en su honda sabiduría vaticinó la "invasión" que hoy aqueja a la población dominicana. He aquí las palabras que pone en boca de su añorado amo: "Dentro de cincuenta años la ocupación pacífica del territorio nacional por Haití, significará para ustedes, que los haitianos podrán elegir autoridades dominicanas. Cuiden su país, luego de mi desaparición del escenario político nacional, traten de preservar los programas de dominicanización fronteriza" (Font Bernard 1994: 17). Apelando a la autoridad de Trujillo como guía espiritual de la nación cuyos consejos pueden todavía hoy edificar a los dominicanos, Font Bernard pretendía demostrar que, con la vigencia política del domínico-haitiano Peña Gómez, se cumplía la predicción iluminada del Jefe. Para la fecha del obsceno artículo Peña Gómez había ganado las elecciones del 16 de mayo de 1994 y Balaguer tenía que recurrir una vez más al usual recurso del fraude para quedarse en el poder. En ese momento, con la popularidad masiva de Peña Gómez como líder principal de la oposición, se materializaba la supuesta amenaza de Haití "con la pureza de su raza diferente, con la diferencia de sus costumbres", tal como, según la remembranza del pequeño funcionario del pequeño funcionario Font Bernard, "nos lo dijo el dictador, locuaz y comunicador" (p. 17).

Conocedores autorizados de la dinámica de la dictadura pondrían en duda la veracidad del encuentro en la Casa de Caoba entre Trujillo y Font Bernard, quien carecía de importancia tanto social como intelectual para la dictadura. Para la fecha Font Bernard apenas se había enlistado en el régimen en la humilde función de mecanógrafo de Luis Rodríguez, un chofer que luego pasaría a fungir como proxeneta del dictador. Pero aunque se trate de una fabulación mediante la cual el funcionario procure forjarse una estirpe política en el maléfico entorno palaciego que la realidad no le confirió, no deja de preocupar el llamado que se encierra en su emotiva evocación. Pues en su llamado a la preservación del programa "nacionalista" efectuado por Trujillo, Font Bernard parece estar convidando a una nueva masacre genocida puesto que no hay manera pacífica ni legal de garantizar la exclusión total de actores domínico-haitianos de la vida política nacional. Aunque deslumbre al proteico literato capitalino Enriquillo Sánchez, Font Bernard es un funcionario de aptitudes intelectuales minúsculas que goza de acceso a una columna en el periódico *Hoy* para redactar torpezas conceptuales. Baste como ejemplo el citado artículo en el que el autor impunemente hace una invitación al asesinato colectivo.

Font Bernard predica una dominicanidad criminal en la que defender la patria equivale a perpetrar el genocidio contra la "raza diferente" de los haitianos. En vista de su propia negrura, su prédica bordea el instinto suicida. Pues nadie podrá garantizarle que, de desatarse una campaña de deshaitianización sangrienta como la del 1937, los ejecutores del nuevo "corte" reconocerían fácilmente en él los distintivos de la dominicanidad. En un brote de violencia étnica orientado por una doctrina que extranjeriza la negrura, cualquier dominicano de origen africano —léase la gran mayoría de la población— correría peligro, sobre todo si uno exhibe un apellido de sonoridad cuasi-francófona como Font Bernard, cuyo portador ostenta una pinta que indica a leguas que sus ancestros no vinieron de Escandinavia. Quizás en la diáspora haya más elementos de juicio para detectar de inmediato el elemento suicida en la visión negrofóbica y genocida de la dominicanidad. De ahí, pues, la ruptura epistemológica de los dominicanos en el exterior con respecto al discurso definitorio de la nación generada por el trujillismo. Casos como la muerte de Lucrecia Pérez en manos de ultranacionalistas en España bastan para darnos un cursillo acelerado sobre la fuerza letal del odio étnico. En Los Ángeles, California, durante los 90 se vio cómo el racismo arrastraba a los oficiales de la ley a la crueldad delincuencial en el difundido maltrato al afroamericano Rodney King. En Nueva York durante los 80 la negrofobia dejó muertos en casos que horrorizaron a la población, primero en Howard Beach y luego en Bensonhurst. Puesto que, en cada caso, por sus rasgos fenotípicos, la víctima podría haber venido de la comunidad dominicana, la toma de posición de la diáspora en repudio de la negrofobia se basa en un imperativo de defensa propia. La indiferencia ante el odio racista constituye un peligro para la propia sobrevivencia.

XVIII. Repudiar una masacre para ahuyentar otras

Debido precisamente a que hemos tenido ocasión de ver que el genocidio negrofóbico puede revertirse sobre nosotros mismos, para la diáspora adquiere una dimensión especial el capítulo de la matanza del 1937. Allá se hace imperiosa la necesidad de separamos del crimen, haciendo constar nuestra desaprobación del mismo. Contrario a nuestros compatriotas en la tierra natal que han hecho poco por exorcizar aquella atrocidad cometida hace sesenta años, a nosotros en el exterior se nos impone como inexorabilidad oponernos retrospectivamente al hecho ante la comunidad haitiana y ante el resto de la humanidad. Entendemos que solo en la medida en que reconozcamos como *nuestro* dicho crimen y nos arrepintamos de haberlo cometido, podremos dar garantía de que no lo haremos de nuevo. Se trata de una precaución necesaria. Los incidentes del 1937 no pueden descartarse como el producto de una aberración salida de la mente de un tirano desquiciado. El hecho fue el engendro de la sociedad dominicana, la que produjo al tirano y se aferró a la ideología trujillista por más de tres décadas después de la caída formal de la dictadura. No hay nada que demuestre que los dominicanos del 1998 pertenecen a una escala moral superior que los dominicanos de 1937. Una masacre genocida en la que pierden la vida muchos miles de seres humanos no puede ocurrir exclusivamente como un crimen de Estado sin que haya por lo menos alguna complicidad de parte de lo que hoy llamamos la sociedad civil. Además, la estridente campaña de justificación detonada por el régimen a raíz del episodio indican que el gobierno no le ocultó la masacre a la población.

Daniel Jonah Goldhagen, en su afamada obra *Hitler's Willing Executioners* (1996), le atribuye una participación activa a la persona promedio de la sociedad alemana en el asesinato masivo del Holocausto. Los alemanes que se entregaron en cuerpo y alma a la brutalidad nazi eran gentes "animadas por creencias acerca de los judíos que las predisponían para tomarse voluntariamente en verdugos colectivos", personas ordinarias capaces de perpetrar una matanza barbárica "con tal de salvar a Alemania y al pueblo alemán del más temible de los peligros: el judío" (Goldhagen 1996: 455, 461). Es decir, fue la existencia de un sentido común acerca del "peligro judío" como amenaza que vulneraba la nación lo que llevó a los alemanes a practicar el asesinato colectivo a través del Estado nazi. Más que la aberración de un tirano fuerte y desquiciado, el Holocausto surgió de la existencia de un consenso en torno a una comunidad considerada enemiga de la patria. La sociedad dominicana está aún a tiempo de contener la proliferación en el imaginario colectivo del pernicioso concepto del "peligro haitiano". Necesitamos evitar a como dé lugar la repetición de los incidentes del 1937. En la diáspora esa inquietud se siente sobre todo entre los jóvenes. Eduardo Paulino, candidato doctoral en historia, aspira a que los dominicanos erijan en la frontera un monumento a los caídos en un lugar señero de la zona fronteriza ensangrentada por aquel capítulo horripilante de nuestra historia. El joven escritor Junot Díaz propone que nuestro pueblo acepte sencillamente su responsabilidad en la masacre, que diga "Sí, lo hicimos y fue un crimen horrendo", para luego poder decir, cual muchacho que reconoce su anterior malacrianza, "Lo sentimos y no lo volveremos a hacer".

Sobretodo en estos tiempos en que distintas naciones han invocado los principios esbozados por la Convención de las Naciones Unidas contra el Genocidio, quizás el Estado dominicano pueda atreverse a extender alguna expresión de disculpa a la población haitiana y domínico-haitiana. No estaría de más, como reparación simbólica, una acción congresional encaminada a instituir anualmente un día de paliación nacional que nos sirva como recordatorio del dolor infligido por nuestra sociedad a los haitianos y domínico-haitianos como gesto desaprobador de toda práctica genocida. Actualmente se discute en Australia una medida similar después de una exhaustiva investigación que llevó a la Comisión de los Derechos Humanos e Igualdad de Oportunidades a declarar como acción genocida la práctica de separar de sus padres a unos 100,000 niños aborígenes desde 1910 hasta la década de los 70 (Famsworth 1997). La nueva Suráfrica ha instituido un programa que busca la manera de compensar a las familias negras que perdieron sus inmuebles cuando el gobierno supremacista blanco les quitó el derecho a poseer tierras a partir de la década de los 60 (Daley 1996).

En los Estados Unidos ya se han tomado algunas medidas en torno a la paliación de las indignidades del pasado. Durante su gobierno, el expresidente George Bush pidió disculpas a los ciudadanos norteamericanos de origen japonés por el vejamen perpetrado contra su comunidad durante la Segunda Guerra Mundial cuando, después del ataque a Pearl Harbor por la fuerza aérea del Imperio de Japón, se dudó de su lealtad y se le recluyó a campos de concentración por razón de seguridad nacional. Durante la administración de Bill Clinton, algunos legisladores en el Congreso evalúan un proyecto de ley que busca extraer del gobierno norteamericano una disculpa formal a la comunidad afroamericana por las atrocidades padecidas durante el largo período de la esclavitud (Sontag 1997:3). Naturalmente, hay que contar con la resistencia de ciertos gobiernos a reconocer las fechorías del pasado. El historiador Peter Balakian le achaca al gobierno turco el empecinarse en negar la matanza de millón y medio de armenios por parte del imperio otomano en el 1915. Balakian entiende que esa "negación" es, de hecho, "la última fase del genocidio. Denuncia a las víctimas y rehabilita a los perpetradores. También le resta todo orden moral a la cultura de los caídos" (Fisk 1997:11). Ojalá que cuando le toque al Estado dominicano tomar posición frente a los hechos de 1937 en la frontera se imponga la cordura. Ocultar o distorsionar la matanza de los haitianos y los domínico-haitianos equivaldría a entrar en obscena complicidad con el asesinato colectivo. El olvido también es una forma de complicidad. Hay que aceptar con dignidad el peso de la verdad y humildemente albergar la cuota que nos toque de sentimiento de culpa por el dolor que nuestra sociedad infligió cuando se enlistó en la barbarie del asesinato masivo seis décadas atrás.

XIX. El dominicano como sujeto plural

En la medida en que el discurso sobre la nación dominicana se desvincule de idearios genocidas y de nociones fraudulentas sobre la fisonomía de nuestro pueblo podría entrar en vigencia un esquema de pensamiento que no repela la diversidad cultural y fenotípica de la población. Afín con la transformación epistemológica de la diáspora, sería cuestión de abandonar los protocolos de exclusión que han predominado en la discusión sobre la dominicanidad, canjeándolos por la modalidad contraria, los protocolos de inclusión. Primero se resolvería el problema de la contradicción moral del discurso tradicional que niega la cosmovisión humanística al inculcarnos el amor a la patria mediante un credo de odio al otro. Sencillamente, la prédica del odio étnico para apelar al amor patrio apunta a un aborto conceptual imposible de negociar, puesto que quiebra la relación inexorable entre aprecio por la nación y aprecio por la humanidad. Superada esa tensión entre lo dominicano y lo humano, se puede acceder a una teoría de la dominicanidad que integra en un cuerpo holístico el devenir histórico, las aspiraciones, los límites y las posiblidades de una rica amalgama de grupos sociales, culturales y étnicos. Entre otras cosas, se practicaría una reconciliación del *otro* y el *nosotros*, para aludir al lenguage del Equipo Oné-RESPE en su informe titulado *El otro del nosotros* (1994) sobre una investigación acerca del prejuicio antihaitiano realizada en Santiago.

Un discurso sobre la nación orientado por la cosmovisión aquí propuesta procuraría abrazar los aportes materiales y espirituales de la inmigración haitiana desde el 1916, cuando la economía azucarera desató la movilidad laboral del occidente al oriente de la isla, hasta Jacques Viau Renaud, hasta los pintores al vapor de la Pequeña Haití. Dicha visión reinvindicaría a los rayanos y a los hijos de inmigrantes haitianos no como excepción sino como elemento perfectamente integrable a una imagen verídica de la dominicanidad. En la diáspora, así como nos interesa hacer acopio del lado dominicano de la poeta niuyorican Sandra María Esteves o del fenecido pensador boricua José Luis González, también se nos antoja apropiar la parte que nos toca, por tratarse de un hijo de madre dominicana, de Patrick-Jean Pierre, un activista de la comunidad haitiana de Brooklyn, New York, que dirige las noticias para la emisora *Radio Soleil (El Daily News* 27 junio 1995: 9). Habría que preguntarse cómo se rearticula la nacionalidad en el momento mismo en que se tome en cuenta la presencia indeleble de una masa humana surgida del cruce de dominicanos con boricuas y con haitianos. Mucho se sabe de la inmigración afrocaribeña de expresión inglesa o cocola como unidad étnica diferenciada en el país, pero no se le ha ponderado como variable capaz de provocar el reordenamiento total de los elementos que conforman lo dominicano. Piénsese en la presencia china, japonesa, árabe y judía en la población dominicana. Aparte de la visibilidad de que hayan gozado individuos con apellidos tales como Sang Ben, Majluta o Paiewonski, la sociedad apenas se ha preocupado por entender la medida en que tener en nuestro seno a esas comunidades exige una reconfiguración conceptual de lo que el mencionado Manuel Núñez ha llamado "el rostro de lo que somos" (Núñez 1990: 238, 311).

De ahí la importancia que, visto desde la diáspora, tiene el trabajo del fotógrafo y periodista norteamericano Kenneth Greene Vélez, quien se ha dedicado a documentar, a través de un proyecto de fotografía e historia oral, la vida de samanenses descendientes de los negros libertos venidos de Norteamérica en el 1824. Nacido en los Estados Unidos, descendiente de ancestros que llegaron a Norteamérica en 1900 provenientes del Caribe, Greene Vélez, miembro de nuestra proto-diáspora, se empeña en rastrear el fascinante vaivén migratorio que por más de 100 años ha unido a nuestra tierra con el vasto Norte. La reflexión sobre la dominicanidad deberá nutrirse de búsquedas como esa para trascender la imaginación hegemónica que hasta ahora ha desvalorizado a la población, no sólo a los domínico-haitianos y los *dominican-yorks,* sino a la mayoría del pueblo compuesta por negros y mulatos criollos, así como a las comunidades descendientes de otros grupos étnicos de origen no europeo y a las masas desposeídas que producen la riqueza de la que vive el país. Al construir su imagen de la nación a partir de una élite blanca de estirpe española, el discurso oficialista ignora aberrantemente a la mayoría de los componentes de nuestro rostro colectivo y se empecina en elevar al rango de representación de la nacionalidad al menor de nuestros elementos. Corregir esa versión no sólo nos habrá de liberar de una representación nacional ficticia, sino que a final de cuentas humanizará el concepto mismo de dominicanidad.

XX. Hacia una dominicanidad democrática

Aparte de conducir a una teoría de la identidad nacional y cultural menos reñida con la verdad histórica y con la realidad objetivamente observable, el nuevo concepto de la dominicanidad también dará al traste con uno de los principales defectos del discurso público vigente: el prejuicio de clase. La sociedad dominicana vive seducida por una mentalidad clasista incapaz de concebir agendas nacionales —ni en el pasado ni en el presente ni en el futuro— que no otorguen el mayor papel protagónico a las élites políticas y económicas del país. Ni puede imaginarse virtudes en la población dominicana a menos que éstas se hallen en los de arriba. Los de abajo normalmente entran en esa imaginación de clase principalmente como causantes de los problemas nacionales. Así, las drogas, la insalubridad, el irrespeto a los mayores, el exceso de ruido en los centros urbanos, la degeneración de las costumbres, el deterioro de la unidad familiar, la suciedad en las ciudades y la criminalidad se achacan al libertinaje en que supuestamente viven las clases subalternas en el país. Quienes se hacen eco de ese parecer tienden a aludir nostálgicamente a un tiempo cuando presumiblemente había orden y respeto: se dormía con las puertas abiertas; daba gusto observar al estudiante sumiso ante la presencia del maestro; bastaba una mirada del padre para regular la conducta de un muchacho; y ningún *tíguere* de barrio aspiraba a codearse en el espacio público con la gente de primera. Había una autoridad central que garantizaba que cada quien permaneciera en su puesto.

Cuando se descalifica a determinada persona aludiendo a su origen humilde, tildándole con motes tales como Juan de los Palotes, se apela a un consenso social que privilegia a las personas "con apellido". Hasta un pensador de la preclaridad de Juan Bosch llegó a sucumbir al embrujo de la imaginación de clase cuando años atrás, negándose a concebir que José Francisco Peña Gómez pudiera llegar a presidente de la República Dominicana, caracterizó al fenecido dirigente perredeísta como una persona sin valía debido a su condición humilde. Según palabras de Bosch recogidas por Juan Bolívar Díaz en la primavera de 1994, "Peña no es nada, sino un hombre de origen muy humilde, hijo de un haitiano y una dominicana que se fueron del país y lo dejaron junto a su hermano en el país, abandonado" (Díaz 1994: 38). Ello sugiere que la visión que estigmatiza a los pobres y a los desheredados afecta hasta a algunas de nuestras mejores mentes. No sorprende, pues, que innúmeros de nuestros profesionales se apresten a ocultar nerviosamente sus orígenes humildes. Asimismo, encontramos a Juan Taveras Hernández, un periodista reconocido principalmente por sostener opiniones liberales, despotricando contra los pobres en un virulento artículo sobre el resultado de las elecciones de 1996 (Taveras Hernández 1996). Obviamente indignado ante el hecho de que Balaguer volviera a salirse con las suyas al determinar el triunfo electoral del Frente Patriótico Nacional, el periodista arremetió implacablemente contra los más bajos segmentos de la población, a quienes responsabilizó de sostener "la cultura del fraude político" en el país. En la lógica de Taveras Hernández, tienen la culpa de ese desenlace electoral los casi tres millones de dominicanos que según su estimado son analfabetos, por lo que él propone que de aquí en adelante se les quite el derecho al voto. Sencillamente, razona nuestro columnista, en gente que nunca se ha sentado a escuchar una sinfonía de Beethoven no se puede confiar un poder tan grande como el de escoger a los líderes que habrán de regir el destino de la nación. Esa gente ni siquiera sabe lo que le conviene, ya que su ignorancia la hace manipulable hasta el grado de "dejarse conducir fácilmente a su propia muerte".

Resultaría ocioso intentar polemizar con el juicio antipopular externado por Taveras Hernández en el desafortunado artículo. Pues la evidencia contraria salta abundantemente a la vista. Como todo prejuicio, el sentimiento contra los de abajo carece de asidero conceptual válido y se explica sólo como exabrupto analítico. La historia dominicana, desde las devastaciones de Osorio hasta la charlatanería balagueriana, demuestra inconstestablemente que los grandes males nacionales corresponden a las acciones y las actitudes de las élites gobernantes y las clases dominantes. Desde la corrupción administrativa, el autoritarismo asesino y la trampería electoral, hasta el anexionismo cultural, el deterioro de los servicios públicos y el exilio económico de una gran parte de la población, los problemas principales del país recaen de manera exclusiva sobre los hombros de los de arriba. Achacárselos a los de abajo no hace más que culpar a las víctimas a la vez que se indulta a los perpetradores. El prejuicio de clase, aparte de afiliar a los protagonistas del discurso público a una lógica famélica, conduce a una grave injusticia, de la cual la diáspora tiene razón más que suficiente para querer distanciarse.

La comunidad dominicana en el extranjero desarrolla una nueva valoración de la clase trabajadora. Refleja un aprecio especial por el taxista, el plomero, el bodeguero, el maestro, el carpintero, el electricista, el cocinero y todo el que haya demostrado destreza para ganarse la vida constructivamente. Al tratarse de una migración proveniente primordialmente de la clase trabajadora, les toma poco tiempo a los compatriotas darse cuenta de que la supervivencia de cada persona depende de sí misma, de su inteligencia, energía y demás recursos personales. El apellido pierde importancia y vale poco el prestigio social acumulado por familiares en la sociedad emisora. Saldrá a flote quien posea las destrezas de sobrevivencia que el país receptor le exige a las minorías étnicas y a los inmigrantes del Tercer Mundo. Como resultado de esa realidad, se opera en la sensibilidad de nuestra gente una suerte de emancipación sicológica con respecto a los de arriba. Por una razón puramente material, los poderosos infunden menos pavor e inspiran menos reverencia. Pues, independientemente del poder que ostente determinado dignatario o potentado con quien a mí me toque compartir en una velada comunal o una recepción pública, al día siguiente deberé arreglármelas solo para saldar cuentas con el casero o con la compañía eléctrica y evitar unirme a las filas de los deshauciados. No sorprende, pues, que en la diáspora se rinda menos pleitesía que en la tierra natal a la gente notable.

Desde la diáspora, pues, podemos dar constancia de varios renglones que nos describen como una comunidad epistémica alternativa con respecto al discurso cultural y los esquemas de autopercepción vigentes en la tierra natal. Ocupan un lugar de relieve en esa diferenciación la reconsideración de los términos definidores del rostro de la nación en cuanto al papel consagrado a los valores democráticos. Dentro de ese marco global, la diáspora se caracteriza por el interés en reconciliar el concepto abstracto de nacionalidad con el conjunto de principios que se concretizan en la ciudadanía. De esa manera, se muestra la diáspora capaz de ayudar a reconfigurar una teoría plural de lo que somos, abrazando una representación multicultural y erradicando el lastre deshumanizante de odios étnicos y credos genocidas.

La importancia económica decisiva de la diáspora para la sociedad dominicana, unida al surgimiento de un vigoroso conjunto de voces comprometidas con la idea de reivindicar los aportes de nuestra emigración, deberá traducirse en una inserción efectiva de la experiencia, el saber y los conceptos de los dominicanos residentes en el exterior en toda discusión sobre la dominicanidad. Ya no tiene sentido plantearse ninguna noción definidora de la fisonomía del pueblo dominicano ni del futuro de la nación sin dialogar cándidamente con la sapiencia aportada por la emigración en "el retorno de las yolas." Finalmente, habrá que confiar en la buena voluntad de las élites políticas, empresariales e intelectuales de la República Dominicana para que la integración del saber de la diáspora se realice sin mayores fricciones. Es decir, habrá que contar con que los gestores del discurso público tanto en el Estado como en la sociedad civil podrán superar su propio prejuicio con respecto al calibre humano de los dominicanos residentes en el exterior, concederles por lo menos que si han logrado sobrevivir la expulsión de la tierra natal y convertirse en una comunidad pujante en la sociedad receptora alguna inteligencia tendrán.

La construcción periodística que desnormaliza al emigrante de retorno mediante la imagen criminalizada del *dominican-york* tiene una contrapartida intelectual igualmente perniciosa, la que retrata a la diáspora como una masa ignara, mentalmente deforme, que espera la intervención correctiva del Estado dominicano para resolver sus problemas. No exento de menosprecio por la capacidad de la diáspora para hablar con sus propias voces, dicho retrato insinúa ingenuamente que un gobierno, sin solucionar los males sociales dentro de su propia jurisdicción, puede irse allende los mares a proteger a los emigrados. Valdría la pena tomar *con un grano de sal* ciertas medidas de "protección" externadas por algunos de los participantes en el seminario "La Comunidad Dominicana en los Estados Unidos y su Impacto en la Economía Nacional", organizado por los sociólogos Carlos Despradel y José Oviedo con el fin de orientar al gobierno sobre estrategias a desarrollar para lidiar con los "ausentes" (Vásquez 1997:23). Similar advertencia habría que hacer a Chiqui Vicioso, quien, deponiendo la profundidad que le vendría natural como poeta, ha divulgado su visión estatista para los dominicanos de Nueva York, ciudad que mucho la "entristece". Su "propuesta de acción" le da potestad al gobierno dominicano, específicamente al presidente Fernández, para que nombre dos comisiones, una en la gran urbe y otra en Santo Domingo, con el fin de comenzar "a definir las áreas de intervención y una agenda a corto, mediano y largo plazo para su realización" con el fin de proteger a una comunidad "cuyo destino inmediato parece ser el de los condenados de la tierra" (Vicioso 1997).

Desafiando la apabullante evidencia histórica que ha llevado a los estudiosos del fenómeno a aceptar como hecho axiomático la irreversibilidad de la migración (*you can't go home again*), Vicioso articula su programa social a partir de la esperanza de que la sociedad dominicana pueda prepararse para "bregar con el impacto cultural de esa comunidad y los problemas y dasafíos futuros de una población que sueña y trabaja para retornar, cuando regrese" (Vicioso 1997). Sin embargo, ese raciocinio ya no tiene cabida en la reflexión sobre la diáspora. Ya hemos rebasado el ideal del regreso. Como dijéramos en otra tribuna hace unos años, ahora "se trata de alcanzar una conceptualización del destino nacional en términos que incluyan a gente que vive en otras zonas geográficas y que en muchos casos habla otro idioma" (Torres-Saillant 1993:169). Con su praxis social, económica y política, los dominicanos de los Estados Unidos han demostrado haber comprendido que deben echar su suerte en el exterior. Ya nuestra gente da visos de madurez como minoría étnica en la tierra de los iroqueses. Seguramente nuestra comunidad seguirá vinculada al suelo quisqueyano debido a lo que algunos estudiosos llaman nuestra "identidad transnacional" (Duany 1994:46). Ruth Behar, al hablar del caso cubano, ha dicho que la tierra natal y la diáspora "están inextricablemente enredadas" (Behar 1995: 12). Similarmente, el artista y activista cultural chicano Guillermo Gómez-Peña habla de la inseparabilidad de la experiencia mexicana en ambos lados del Río Grande. La identidad de ese pueblo, dice, "ya no puede explicarse sin la experiencia 'del otro lado' y viceversa. Como fenómeno sociocultural, Los Ángeles no se puede entender sin tomar en cuenta a Ciudad de México" (Gómez-Peña 1998: 137). Pero la transnacionalidad en el caso dominicano es y seguirá siendo difícil. Podrá en un futuro hacerse más o menos armoniosa en la medida en que la clase media en la República Dominicana muestre buena fe y reconozca a sus compatriotas emigrados como iguales. Reconocerlos como iguales implica el que las élites nacionales depongan sus prejuicios raciales, culturales y de clase con respecto a la diáspora y acepten sin resentimiento el papel inexorable de la diáspora como socio legítimo en la tarea de democratizar la nación y definir la dominicanidad.

Referencias

Álvarez-Vega, Bienvenido. "Los dominicanos ausentes recibidos por el Presidente." *Hoy* 9 de enero de 1998. 18.

Álvarez Castellanos, Francisco. "Pensamientos íntimos" *El Nacional 12* October 1997: 11.

Arredondo y Pichardo, Gaspar. "Memoria de mi salida de la Isla de Santo Domingo el 28 de abril de 1805." En *Invasiones haitianas de 1801,1805y 1822.* Ed. Emilio Rodríguez Demorizi. Ciudad Trujillo: Editora del Caribe, 1955. 121-160.

Ayuso, Juan José. "Al día". *El Nacional* 24 marzo 1994: 9.

Azcárate, Gabriela. "La mala memoria". *El Nacional* 21 julio 1997: 6-7.

Báez Evert, Franc y Frank D'Oleo Ramírez. *La emigración de dominicanos a Estados Unidos: Determinantes socioeonómicos y consecuencias.* Santo Domingo: Fundación Friedrich Ebert, 1985.

Baker, Al, y Miguel Garcilazo. "Dangerous Job". *Daily News* 5 July 1995: 7.

Baldwin, James. *Notes of a Native Son.* New York: Bantam Books, 1964.

Behar, Ruth. "Cuba y su diáspora". *Más allá de la Isla: 66 creadores cubanos.* Ed. Jesús J. Barquet. Número especial de *Puente Libre: Revista de Cultura* 2.5-6 (1995): 7-13.

Benedict, Ruth. *Race: Science and Politics.* New Edition. New York: The Viking Press, 1945.

Bray, David. "The Dominican Exodus: Origins, Problems, Solutions." *The Caribbean Exodus.* Ed. B. Levine. New York: Praeger, 1987.

Brecht, Bertolt. *Poems: 1913-1956.* New York: Methuen, 1976.

Bretón, Félix Jacinto. "¡Muchos dominicanos en Panamá!" *Listín Diario* 22 junio 1997: 17B.

Butten, Isabel. "Los viajes en yola desde la República Dominicana". *El Diario II* (Suplemento de *El Diario/La Prensa)* 22 julio 1996a: 8-9.

Butten, Isabel. "Una vergüenza nacional e histórica". *El Diario/La Prensa* 6 junio 1996b: 15

Casal, Lourdes. "Para Ana Veldford". *Palabras juntan revolución.* Ciudad de La Habana: Ediciones Casa de las Américas, 1981. 60-61.

Cassá, Roberto. *Capitalismo y dictadura.* Colección Historia y Sociedad No. 36. Santo Domingo: Editora de la UASD, 1982.

Castillo de Aza, Zenón. "El Cardenal López Rodríguez me llena de orgullo". *El Siglo* 3 julio 1996: 7.

Castro, Aníbal de. "Prensa y Estado". *Forum: Prensa y Política en la República Dominicana.* Santo Domingo: FORUM, 1984: 11-30.

Céspedes, Diógenes. "El papel de los intelectuales en el discurso de la burguesía dominicana". *El Nacional* 16 marzo 1997a: 11.

Céspedes, Diógenes. "El futuro de la oligarquía dominicana: Papel de la mujer, el intelectual y la juventud". *El Nacional* 11 mayo 1997b: 13.

Céspedes, Diógenes. "El futuro de la oligarquía dominicana: Papel de la mujer, el intelectual y la juventud". *El Nacional* 18 mayo 1997c: 12.

Céspedes, Diógenes. "Los sujetos de una revolución burguesa dominicana". *El Nacional* 25 mayo 1997d: 13.

Céspedes, Diogenes. "Etica y sujeto: El periodismo dominicano". *El Nacional* 12 enero 1997e: 5 y 19 enero 1997f: 5.

Céspedes, Diógenes. "El espíritu neoliberal en el discurso burgués". *El Nacional* 23 marzo 1997g: 11.

Céspedes, Diógenes. "El inconsciente freudiano y el origen de nuestra oligarquía". *El Nacional* 20 abril 1997h: 16.

Céspedes, Diógenes. "Mitos, creencias e ideologías en el discurso de la burguesía". *El Nacional* 6 abril 1997: 12.

Cliff, Michelle. "If I Could Write this in Fire, I Would Write this in Fire." *If I Could Write this in Fire.* Ed. Pamela María Smorkaloff. New York: The New Press, 1994: 355-370.

Daley, Suzanne. "Apartheid's Dispossessed Seek Restitution". *The New York Times* 25 junio 1996.

Dantes-Castillo, Porfirio. "Los himnos nacionales contra los haitianos". *Listín Diario* 24 diciembre 1995: 8.

Davidson, Basil. *The Story of Africa.* Londres: Mitchell Beazley Publishers, 1984.

Deive, Carlos Esteban. *Las emigraciones dominicanas a Cuba (1795-1808).* Santo Domingo: Fundación Cultural Dominicana, 1989.

Del Monte y Tejada, Antonio. *Historia de Santo Domingo.* Tomo III. Ciudad Trujillo [Santo Domingo]: Biblioteca Dominicana, 1953.

"Diáspora." *Gran Enciclopedia Rialp.* Madrid, 1972.

"Diáspora." *Grande Enciclopedia Portuguesa e Brasileira.* Lisboa y Rio de Janeiro: Editorial Enciclopedia, 1960.

Díaz, Juan Bolívar. "Peña Gómez en el mayor combate de su vida". *Rumbo* Año 1 No. 15 al 11, mayo 1994. 38-39.

Duany, Jorge. *Quisqueya on the Hudson: The Transnational Identity of Dominicans in Washington Heights.* Dominican Research Monographs. New York: CUNY Dominican Studies Institute, 1994.

[Enci. Un. Ilus.] *Enciclopedia Universal Ilustrada.* Primera Parte. Tomo 18. Madrid: Espasa-alpe, 1958.

Equipo ONE-RESPE. *El otro del nosotros.* Santo Domingo: Centro de Estudios Sociales Padre Juan Montalvo, 1994.

Facundo, Marcia. "Una pintora y la convergencia de varias corrientes". *El Nuevo Herald,* Domingo, 25 de mayo de 1997. Sección E. 1-2.

Farnsworth, Clyde H. "Australians Resist Facing Up to Legacy of Parting Aborígenes from Families". *The New York Times* 8 junio 1997.

Finkelstein, Norman. *The Ritual of New Creation: Jewish Tradition and Contemporary Literature.* Albany: State University of New York Press, 1992.

Fisk, Robert. "US Academics Join Rush to Deny Turskish Massacre of Armenians". *The Independent* 2 junio 1997: 11.

Font Bernard, R.A. "'Ellos' y nosotros". *Hoy* 13 agosto 1994: 17.

García, Cristina. *Dreaming in Cuban.* New York: Knopf, 1992.

García Archibald, Daniel. "EU nos manda 40 criminales". *Ultima Hora* 25 mayo 1997: 3.

Genao, Belkis. "'*Dominican-york*' estropea joven con yipeta y luego lo asesina de tres balazos". *Sucesos* 28 julio 1997: 12.

Germosén, Pedro. "Para proteger a los dominicanos". *Hoy* 18 de septiembre de 1997.

Gobineau, Joseph-Arthur, Conde de. *The Inequality of Human Races.* Trans. Adrián Collins. 1915. NewYork: Howard Ferting, 1967.

Goldhagen, Daniel Jonah. *Hitler's Willing Executioners: Ordinary Germans and the Holocaust.* New York: Vintage Books, 1996.

Gómez-Peña, Guillermo. "1995: Terreno peligroso/Danger Zone: Cultural Relations Between Chicanos and Mexicans at the End of the Century." *Borderless Borders: U.S. Latinos, Latin Americans, and the Paradox of Interdependence.* Ed. Frank Bonilla, et. al. Philadelphia: Temple University Press, 1998.

González, Rudy L. "Nueva York: Los dominicanos que viven en NY entre drogas y esperanza". *Ultima Hora* 17 julio 1997: 25-28.

Guiliani Cury, Hugo. "Desde un país muy especial". *Listín Diario* 8 junio 1997: 11A.

Gutiérrez, Felipe. "Lamentos de un Dominican York." *Opinión Hispana.* 15 al 30 noviembre, 1989: 8.

Halbfínger, David M. "A Neighborhood Gives Peace a Wary Look." *New York Times* 18 de mayo de 1998: Al, B6.

Harvey, Philip. "Employment as a Human Right." *Sociology and the Public Agenda.* Ed. William Julius Wilson. Newbury Park: Sage, 1993.351-374.

Hegel, Georg Wilhelm Friedrich. *The Philosophy of History.* Trans. J. Sibree. New York: Dover Publications, 1956.

Hendricks, Glenn. *The Dominican Diaspora: From the Dominican Republic to New York City-Villagers in Transition.* New York: Teachers College Press, 1974.

Henríquez y Gratereaux, Federico. "Peña Battle y la dominicanidad". *Un ciclón en una botella: Notas para una teoría de la sociedad dominicana.* Santo Domingo: Editora Alfa y Omega, 1996: 217-237.

Hernández, Ramona. *The Mobility of Labor Under Advanced Capitalism: Dominican Migration to the United States.* New York: Columbia University Press, 2002.

Hernández, Ramona y Francisco Rivera Batiz. *Dominican New Yorkers: A Socioeconomic Profile, 1997.* Dominican Research Monographs. New York: CUNY Dominican Studies Institute, 1997.

Hernández, Ramona, Francisco Rivera Batiz y Roberto Agodini. *Dominican New Yorkers: A Socioeconomic Profile, 1990.* Dominican Research Monographs. New York: CUNY Dominican Studies Institute, 1995.

Jackall, Robert. *Wild Cowboys: Urban Marauders and the Forces of Order.* Cambridge, Massachusetts: Harvard University Press, 1997.

Lantigua, Juleyka. "Dominicanos en Madrid". *Diálogo* No. 0 noviembre 1996: 10.

Liebknecht, Wilhem. *Karl Marx: Critical Memoirs.* 1901. London: The Journeyman Press, 1975.

[Life] "Iron Sights and Family Reunión". *Life Magazine* 58. 20 (1965).

Lockward, Angel. "España infinita en guerra." *Listín Diario.* Oct. 14, 1997a: 9A.

Lockward, Angel. "El voto en el exterior con prudencia." *El Listín Diario* 26 septiembre 1997b: 9A.

Lockward, Angel. "Haití en las calles dominicanas". *Listín Diario* 20 julio 1997c: 11A

Mañón, Melvin. "Radiografía del proceso huelguístico: actores y convocantes". *Rumbo* 11 agosto, 1997: 8-12.

Marin, Jean. "Diaspora et diasporisme." *Haiti-Observateur.* 21 -28 de agosto de 1991. p. 15.

Martí, José. *Poesía completa.* Tomo 1. Edición crítica. La Habana: Editorial Letras Cubanas, 1985.

McKinney, Pablo. "La diáspora gris de un país mulato". *El Siglo* 12 agosto 1993: 6.

Méndez Capellán, Victor. "Honremos a los dominicanos ausentes." *Listín Diario* 21 junio 1997: 8A.

Mir, Pedro. *Countersong to Walt Whitman and Other Poems.* Trans. Jonathan Cohén and Donald D. Walsh. Edición bilingüe. Washington, D.C.: Azul Editions, 1993.

Moya Pons, Frank. "Advertencia". *Rumbo* 10 septiembre, 1997: 22.

Moya Pons, Frank. *Manual de historia dominicana,* 9a ed. Santo Domingo: Caribbean Publishers, 1992.

Moya Pons, Frank. "Modernización y cambios en la República Dominicana". *Ensayos sobre cultura dominicana.* 3da ed. Por Bernardo Vega, et. al. Santo Domingo: Fundación Cultural Dominicana/ Museo del Hombre Dominicano, 1990. 211-245.

Moya Pons, Frank. *El pasado dominicano.* Santo Domingo: Fundación J. A. Caro Alvarez, 1986. 347-63.

Núñez, Manuel. *El ocaso de la nación dominicana.* Santo Domingo: Alfa y Omega, 1990.

Ojito, Mirta. "Dominicans, Scrabbling for Hope; As Poverty Rises, More Women Head the Households." *The New York Times.* December 16, 1997. Section Bl, 7.

Ordóñez, Miguel Angel. "Las cárceles: centros de muerte en R.D." *Rumbo.* 29 julio 1996: 42-51.

Pascual Morán, Vanessa. "La migración indocumentada a Puerto Rico: algunas respuestas a la crisis." *Presencia* 2-5 marzo 1995:10-11.

Peña, Ángela. "Dominicanos en Nueva York: El regreso". *Hoy* 21 agosto 1997: 12.

Peña Batlle, Manuel Arturo. *Ensayos históricos.* Ed. Juan Daniel Balcácer. Tomo 1 de *Obras.* Santo Domingo: Fundación Peña Batlle, 1989.

Pina, Tony. "Autoridades vigilan *dominican-yorks* deportados." *El Siglo* 25 de mayo 1996: 4A.

Rohter, Larry y Clifford Krauss. "Dominican Drug Traffickers Tighten Grip on the Northeast." *New York Times* 11 de mayo de 1998: Al, B8.

Rohter, Larry. "Dominicans Allow Drugs Easy Sail." *New York Times.* 10 de mayo de 1998: Al, A6.

Roosevelt, Franklin D. "Message to Congress" (11 de enero de 1944) *The Public Papers and Addresses of Franklin Delano Roosevelt.* Vol. 13. Ed. Samuel I. Rosenman. New York: Harper & Brothers, 1950. 32-44.

Salmos. "Lamento de los cautivos de Babilonia". Libro V. No. 137. *La Biblia.* Versión Reina-Valera. Edición revisada. Nueva York: Sociedad Bíblica Americana, 1960.

San Miguel, Pedro L. *La isla imaginada: Historia, identidad y utopía en La Española.* San Juan y Santo Domingo: Isla Negra y La Trinitaria, 1997.

Sánchez, Enriquillo. "Respuestas a Alexis Gómez Rosa". *El Siglo.* 1 de agosto, 1996.

Segal, Aaron. "The Political Economy of Contemporary Migration". *Globalization and Neoliberalism: The Caribbean Context.* Ed. Thomas Klak. Lanham: Rowman & Littlefield Publishers, 1998. 211-226.

Sención, Viriato. "El morbo de Joaquín Balaguer." *El Diario-La Prensa* 27 junio 1996: 16.

Shain, Yossi. *The Frontier of Loyalty: Political Exile in the Age of the Nation-State.* Middletown, Connecticut: Wesleyan University Press, 1989.

Shreiber, Maeera Y. "The End of Exile: Jewish Identity and Its Diasporic Poetics". *PMLA* (Publications of the Modem Language Association of America) 113.2 (1998): 273-287.

Sontag, Deborah. "Too Busy Apologizing to Be Sorry." *The New York Times* 29 June 1997: 3.

Sontag, Deborah, and Larry Rohter. "Dominicans May Allow Voting Abroad." *The New York Times* 15 de noviembre de 1997: B1.

Stevens-Acevedo, Anthony. "Más sobre los dominicanos emigrados y el 'voto en el exterior'." *Hoy* 30 de septiembre de 1997.

Taveras Hernández, Juan. "Los analfabetos no deben votar." *El Nacional* 16 julio 1996.

Tólólyan, Khachig. "Rethinking *Diaspora(s):* Stateless Power in the Transnational Moment." *Diaspora: A Journal ofTransnational Studies* 5.1 (1996): 3-36.

Torres, José Antonio. "El espejismo de la inmigración". *El Nacional* 2 marzo, 1997.

Torres, María de los Angeles. "Encuentros y encontronazos: Homeland in the Politics and Identity of the Cuban Diaspora." *Diaspora: A Journal of Transnational Studies. 4.2 (1995): 211-238.*

Torres-Saillant, Silvio, and Ramona Hernández. *The Dominican Americans.* Wesport, C.T.: Greenwood Press, 1998.

Torres-Saillant, Silvio. "El concepto de dominicanidad y la emigración". *Punto y Coma* 4. 1 y 2 (1993): 161-69.

Trollope, Anthony. *The West Indies and the Spanish Main.* 1860. Gloucester: Alan Sulton Publishing Ltd., 1985.

[USDS] United States Department of State. *Human Rights and Foreign Policy: Commemoration of the Universal Declaration of Human Rights.* Selected Documents No. 22. Washington, D.C.: Bureau of Public Affairs. December 1983: 3-4.

Vásquez, Olmedo. "Gobierno anuncia creación del Instituto del Dominicano Residente en el Exterior". *New York y los dominicanos.* Revista Especial con motivo de la Restauración y la Celebración del Desfile y Carnaval Dominicanos en NY. *El Siglo* 9 agosto 1997: 23.

Vega, Bernardo. "El papel político de los dominicanos residentes en los Estados Unidos." Charla pronunciada durante el seminario La Comunidad Dominicana en los Estados Unidos y su Impacto en la Economía Nacional, organizado por Despradel & Asociados y el Centro de Estudios Internacionales, Hotel Lina, Santo Domingo, 7-8 agosto de 1997.

Vicioso, Chiqui. "Nueva York: Una propuesta para los condenados de la tierra". *Hoy* 5 agosto 1997.

Victoria, Roberto B. *Los diez mandamientos de Joaquín Balaguer.* Nueva York: edición del autor, 1995a.

Victoria, Roberto B. "Los zánganos del PLD". *The Dominican Times.* Septiembre-Octubre 1995b: 18.

Viñuales, David. "Como perros encerrados". *Ventana* (Suplemento de *Listín Diario)* 5 noviembre 1995: 6-7; 7 enero 1996: 6-8.

Zaglul, Jesús M., S. J. "Para seguir releyendo, haciendo y recontando la identidad cultural y nacional dominicana". *Estudios Sociales* 25. 89-90(1992): 133-156.

Similitudes y un ancho mar de diferencia: La experiencia literaria de *aquí* y de *allá*[2]

I

Van ya más de tres décadas desde que el Estado dominicano, abdicando su deber de proporcionar a la mayoría del pueblo al menos un mínimo de bienestar social, propulsó la salida de una gruesa porción de la ciudadanía hacia el extranjero. Sobrepasa ya el millón el número de dominicanos que, desechado como excedente laboral, ha debido trillar los caminos del destierro. Desgajado del suelo patrio, ese sobrante poblacional de alguna manera ha sobrevivido e irónicamente se ha tornado favorable en lo económico para el mismo orden social que lo expulsó. Se me ocurre, entonces, que entre los factores definidores de la diáspora dominicana debe ocupar un lugar de relieve el carácter contradictorio de su relación con la tierra natal.

[2] Publicado en la revista *Rumbo*, Año IV, No. 171 (12 de mayo de 1997): 52-55. El texto se había presentado originalmente en el coloquio "La diáspora literaria dominicana en los Estados Unidos", XXIV Feria Nacional del Libro, Santo Domingo, 25 de abril, 1997.

Una mezcla de odio y amor hace tensa la interacción de los dominicanos que vivimos en los Estados Unidos con el cálido terruño que nos vio nacer, primero, para desampararnos, luego. El tenor de esa relación nos crea una situación de incómoda inseparabilidad con respecto al lar nativo. Por eso, aunque a veces a regañadientes, nos mantenemos vinculados espiritual y políticamente al acontecer nacional. De alguna manera también estamos condenados a reproducir en nuestro espacio diaspórico esquemas y conductas del suelo patrio que son reconociblemente dañinas. Tomando como contexto la experiencia literaria, señalaré a continuación algunos de los renglones que asemejan a los de *aquí* con los de *allá* no obstante el ancho mar de la diferencia que nos haya separado por más de treinta años.

II

Tanto aquí como allá la producción literaria está presa por la Guardia de Mon. Carece de los recursos de mercado que la proyecten más allá del cenáculo de origen y ocurre en un espacio social tolerante de la mediocridad. Aparte de nuestras contadísimas luminarias, cuyas obras han podido transcender gracias a una combinación prodigiosa de talento y buena suerte, la literatura dominicana en los Estados Unidos se da prácticamente en el vacío. Sobre todo si se expresa en español, esa literatura no cuenta con un mercado que la acoja ni con firmas editoriales empeñadas en mercadearla. Ni siquiera en los medios y en las instituciones consagradas a servir específicamente a los escritores hispanos, podemos jactarnos de haber alcanzado una inserción satisfactoria.

En la República Dominicana el drama no es distinto. Aquí no existe una industria editorial propiamente dicha. Las que aquí fungen como editoras porque incluyen la publicación de obras literarias dentro de su multifacética agenda de trabajo, tales como Taller o Alfa y Omega, no son más que imprentas glorificadas. Sus propietarios son realmente imprenteros cuya fuente de ingresos principal son los jugosos contratos con los que habitualmente los privilegia el gobierno. Es decir, no necesitan que prospere el mercado literario para ellos vivir bien. Al tener su problema económico resuelto por la vía oficial, no tienen incentivo para esforzarse en aprender los mecanismos de difusión con los que habría que contar para que una obra criolla pueda lograr incrustarse en el comercio del libro por lo menos en la región iberoamericana. He aquí un caso paradigmático. Con la novela *Los que falsificaron la firma de Dios* (1992), Viriato Sención puso en manos del empresario José Israel Cuello el más impresionante acontecimiento editorial de nuestros tiempos. Sin embargo, la probada rentabilidad del texto no bastó para motivar al célebre empresario ni siquiera a empujar la obra hacia el otro lado del Canal de la Mona. Lo poco que se conoce de la obra en Puerto Rico y la repercusión que ha tenido en Norteamérica se deben a la diligencia de individuos ajenos a la industria editorial.

La ausencia de una industria del libro funcional que pueda fomentar, apoyar y cedacear la creación literaria deja a los escritores como los chivos sin ley. Cuando todo el mundo, con o sin duende, tiene igualmente que costear la impresión de sus libros, caemos en el libertinaje literario e intelectual. Surge una situación en la que quien publica no es necesariamente el que debe, sino el que puede. Es decir, uno da su manuscrito a la estampa si posee el dinero para pagarle al impresor o si goza de las relaciones necesarias para agenciarse el financiamiento de personas o instituciones públicas o privadas. Ese panorama da cabida a la pobreza literaria puesto que los más diligentes en la autogestión adquieren inevitablemente visibilidad, con la que pueden opacar a los menos diligentes aun cuando muestren mayor talento y más esmerada formación.

III

Naturalmente, lograr la impresión de un libro no resuelve el problema de la difusión. La escena de mil copias de un poemario o una novela acotejadas en el aposento de un escritor agobia. ¿Quién de nosotros cuenta con mil amigos interesados en literatura que puedan comprar o hasta aceptar en regalo los ejemplares de la tirada? Además, hace falta una crítica que realmente se respete para que la obra, si lo merece, sea ponderada con seriedad y se inserte en lo que pueda ser el canon nacional. Exceptuando a un par de honrosas plumas, aquí acontece que si lo escribió Manuel Rueda, así se trate del lamentable *Bienvenida y la noche*, o si lo firmó Federico Henríquez y Grateraux, aún cuando desatine su prosa, el libro no puede considerarse menos que genial. Con demasiada frecuencia prima entre nuestros críticos el imperativo del respeto por aquellas personas que, debido a un prestigio familiar o a un largo historial de enlace con el poder, ocupan un lugar señero en el ámbito literario o intelectual del país. Dicha crítica se hará poco digna del nombre. Pues un conjunto de criterios dominados por la obsecuencia no puede engendrar más que vacuidades y fanfarronerías.

La falta de una dinámica mediante la cual el texto literario pueda verdaderamente entrar en contacto con su público natural desquicia a los escritores. En muchos casos, a ellos se les hace sumamente difícil captar la dureza de su drama desde una perspectiva social. Quizás debido a su propia sensibilidad artística, les resulta más natural aferrarse a una visión que individualiza la situación que los aqueja. Hacen poco caso a las bases estructurales que impiden la proyección de su obra más allá del cenáculo de origen. De ahí que a veces se les sienta inflado el ego por un minúsculo estrellato conferido por amigos en la Cafetera de la Calle del Conde o en un club comunitario de Washington Heights. Sostener ese ensimismamiento requiere, claro está, que uno evite preguntarse si en Tenares alguien alguna vez verá un texto suyo, si uno está aquí. Si uno está allá, tratará de no pensar en si acaso en Long Island vive algún compatriota a quien le importe la literatura que uno hace en el Norte de Manhattan.

Ocasionalmente la dura realidad de su acorralamiento les da en la cara a nuestros escritores. Sin embargo, cuando eso sucede no siempre se levantan en guerra contra las fuerzas sociales adversas que limitan su posibilidad de auge. Más bien se empecinan en achacar el callejón sin salida que los arrincona al bienestar relativo de tal o cual colega a quien le ha ido menos mal que a ellos. Se ve con frecuencia que el peor enemigo de un escritor es otro escritor. El oprimido no suele atribuir su desgracia a estructuras impuestas desde arriba sino a la mejoría del vecino de al lado. También se da la conocida dinámica de que uno jamás envidia a quienes uno reconoce como superiores. Se envidia a un igual cuyo éxito uno resiente por considerar, en la lógica de la mezquindad, que el éxito de aquel aleja al propio. Una indagación sobre el papel de la envidia en la literatura dominicana de aquí y de allá podría aportar valiosa luz al asunto que nos ocupa.

IV

Hasta aquí las zonas de convergencia entre los practicantes de la escritura literaria en la tierra natal y en la diáspora. Hablemos ahora de espacios de divergencia. La producción literaria dominicana en el extranjero se distingue de la que ocurre en el país principalmente en la mayor o menor vulnerabilidad de cada una frente a las presiones políticas, económicas y sociales que intentan restringirla. Aquí a los intelectuales —y en gran medida a los escritores— se les hace imposible servir de conciencia crítica frente al Estado y al poder debido a que en la mayoría de los casos ellos mismos se perfilan como futuros funcionarios o diplomáticos del Estado. Para muchos de nuestros colegas aquí la escritura es un vehículo mediante el cual uno se aposiciona en la palestra pública y se hace digno de un nombramiento por este o aquel gobernante. En la diáspora no existe la opción del nombramiento para los escritores. Se pueden dar casos de individuos que se las han arreglado para mantener desde allá su vigencia frente a los políticos de aquí, no obstante residir permanentemente en el extranjero. Pero por lo general, el escritor en la diáspora vive circunstancias históricas que lo liberan de la esperanza de formar parte del poder en el suelo ancestral.

De ahí se desprende una diferencia digna de ponderación. Pues una persona que no se percibe como futuro ministro, embajador o asesor del Estado, tendrá sencillamente menos trabas en la lengua y en la pluma. No tendrá que andar pianito con tal de salvaguardar su futura carrera ni hacer lo indecible por hacérsele digerible al poder. El miedo a cerrarse puertas le impide al escritor criollo incursionar genuinamente en el plano de la criticidad. No hay otra salida. Toda crítica genuina es de alguna manera tóxica para algún sector social. El escritor con aspiraciones gubernamentales difícilmente pueda evitar someterse a los rigores de la censura. Mucho menos podrá eludir la más perniciosa modalidad de la censura, aquella que, al decir de mi admirada Ana Lydia Vega refiriéndose a Puerto Rico, "tiene auto". El resistirse a sucumbir a la autocensura tiene un precio que muy poca gente está dispuesta a pagar. El escritor Diógenes Céspedes pagó con el cierre de su columna en *El Nacional* durante la tercera semana de abril de 1997 el atreverse a escribir críticamente sobre algunos aspectos de la oligarquía dominicana. Un colega aclimatado a la autocensura diría: "él se lo buscó; aquí todo el mundo sabe que esa tecla no se toca".

V

De *aquel lado*, como se le llama se le llama a los destinos migratorios de nuestra gente en el argot popular, un escritor nuestro goza del privilegio de incorporar en su obra una representación poco halagüeña de la jerarquía de la Iglesia Católica dominicana. Así lo hace Viriato Sención en su novela *Los que falsificaron la firma de Dios*, en la que aparecen nuestros prelados como lo que son, harpías impías sin otro credo que el de la preservación de su opulenta vida terrenal —a pesar de la distorsionadora defensa que de ellos hicieran los tutumpotes de Santiago y de la Capital a raíz de un certero reportaje de Sara Pérez—. Contrario a lo que vemos aquí, allá la trama de nuestros relatos puede darles entrada a curas borrachones y obispos incélibes entre los personajes. Hacer lo mismo aquí implicaría despertar la iracundia de un peligroso machómetro llamado Nicolás de Jesús López Rodríguez, un aliado de Joaquín Balaguer que, ostentando el rango de Cardenal, nunca ha dado visos de piedad cristiana. Se conoce, más bien, lo poco que le ha temblado el pulso para hacerle perder el empleo en los medios de comunicación a padres de familia que expresen verdades desagradables para el henchido pecho de su reverendísima eminencia.

Asimismo, nuestra temática allá puede hurgar en las patrañas de Balaguer, un anciano presidente que nunca reconoció a ninguno de los numerosos hijos que procreó ni jamás hizo familia con ninguna de las mujeres que utilizó desde el poder para saciar sus urgencias carnales. Para hacer lo mismo aquí habría que metaforizar el asunto hasta el grado de lo irreconocible con tal de evadir la censura. Otro temor sería que se le niegue valor a la obra debido a su naturaleza "política", lo cual, según el credo que legisla la estética oficial, se acepta en el patio como sinónimo de pobreza artística. En la diáspora aterran menos las malquerencias de políticos e imprecaciones de prelados. Allá no se cierne tan estrepitosamente sobre la conciencia de los escritores el peso aplastante de la larga tradición autoritaria dominicana. Allá vemos a periodistas e intelectuales que cuestionan a los de arriba sin que les venga como castigo el más fulminante ostracismo. Allá observamos lo natural que le resulta a un comunicador social ser agresivo al entrevistar a un cacique político, religioso o empresarial sin que se le acuse de irrespetuoso ni de conspirador contra la tranquilidad pastoril que supuestamente vive el país. Allá, como lo ilustra el caso Nixon, los trabajadores de la prensa han ganado premios por denunciar la corrupción presidencial, mientras que aquí han perdido la vida. Allá el modelo de conducta vigente no privilegia la postración incondicional ante el poder ni tampoco recompensa el mero caer de hinojos ante la fuerza fálica del líder con un lucrativo puesto público.

VI

Finalmente, hay un decisivo renglón de diferencia en la forma de definirnos desde el punto de vista de la cultura, la raza y la ubicación de clase. Allá vivimos condiciones sociohistóricas que de alguna manera exigen que nos empeñemos en alcanzar al menos un mínimo de sobriedad en la representación de lo que somos. Allá aprendemos al instante cúan poco nos luce la negrofobia. Si negreamos, con la piel que Dios nos dio, hacemos el ridículo. Aquí no. Aquí puede uno, siendo un negro pobre y sin apellido, fungir de portavoz ideológico de una minoría cuasi-blanca, rica y atildada como la que pulula en la aberrante Unión Nacionalista. También se dan casos de escritores que se empeñan en compenetrarse con la sensibilidad burguesa de sus amos, aunque ellos mismos sean unos muertos de hambre.

A nosotros en la diáspora se nos hace fácil identificarnos con los de abajo porque nuestra dura realidad en el margen social que habitamos nos recuerda constantemente que somos de abajo. De ahí que nosotros allá no seamos tan antihaitianos como ustedes aquí, pues allá de alguna manera nosotros *somos* los haitianos. Aunque la comparación sea inexacta, por ser tan difícil de igualar el suplicio de los haitianos en suelo dominicano, la evocación no es descabellada. Cada inmigrante haitiano deportado por la moderna democracia dominicana es para nosotros un espejo en el que se refleja el sufrimiento de cada uno de nuestros propios deportados de Puerto Rico, de los Estados Unidos y de Europa. Su dolor nos cala hondamente, además, porque cada vez que esta República Dominicana, tan hospitalaria para los blancos que nos vienen de Europa o de Suramérica, maltrata a un inmigrante haitiano o a un compatriota domínico-haitiano nos resta a nosotros en la diáspora la ascendencia moral que precisamos en nuestro propio afán por combatir los maltratos de que son objeto los dominicanos en Europa, Puerto Rico y Norteamérica. Esa identificación nuestra con los de abajo importa para la literatura puesto que, de una imaginación literaria enajenada en cuanto a identidad etno-racial, cultural y de clase, difícilmente saldrán textos convincentes.

En fin, la experiencia de la diáspora nos hace percibir y sentir la realidad de una manera diferente a como la percibíamos y sentíamos antes del destierro que perpetró contra nosotros el Estado dominicano más de tres décadas atrás. Esa diferencia se manifiesta en la confección de nuestros textos, en la textura misma del verso y de la prosa que escriben los autores de nuestra comunidad, cuando son genuinos y cuando han logrado salvar los obstáculos derivados de la falta de mercado y el asedio de la mediocridad. Esos obstáculos, repito, tienen tanta vigencia en la literatura dominicana de aquí como en la de allá.

El concepto de dominicanidad y la emigración[3]

I. El malestar y la gloria

La República Dominicana ha llegado a la decrepitud económica, política y social. Para muchos el país está a punto de derrumbarse cual castillo de arena asediado por las olas. No conocemos precedente moderno de ningún país que simplemente haya perecido, sin haberle acaecido la incursión militar de hordas invasoras, la anexión a un territorio imperial vecino, o el azote arrollador de un cataclismo. Pero en nuestra tierra se ha hablado de ocaso y recurren palabras que anuncian el fin. Alienta, sin embargo, que, aunque con menos frecuencia, también se oye decir cosas como «hay que hacer algo» o «esto no puede seguir así». Se alude de esa manera a la necesidad de reconstruir y recomenzar y se confirma la idea de que todo anuncio del fin contiene una referencia inevitable al inicio de un nuevo ciclo. Además, el que ama a su patria no puede darse el lujo del pesimismo en lo que respecta al destino de su pueblo.

[3] Publicado originalmente en *Punto y Coma* 4.1 -2 (1993): 161-169. Escrito a partir de una ponencia presentada en un encuentro organizado en Nueva York por el Bloque Socialista, Casa Julio de Peña Valdez, junio 23, 1991.

Durante su visita a Nueva York en este año (1991), en ocasión de conferírsele un doctorado *Honoris Causa* en Hunter College, Universidad Municipal de la Ciudad de Nueva York (CUNY), don Pedro Mir compartió con nosotros lo esperanzador que había resultado para él su contacto con dominicanos en la gran urbe. En un emotivo y ameno conversatorio con los estudiantes de Hostos Community College, CUNY, el homenajeado hizo alarde de aquella devoción al evangelio de la esperanza que hiciera indiscutible su designación como poeta nacional de la República Dominicana. Sin esconder el pesar que desata en sus adentros el tener que reconocer la actual vigencia del hambre en la vida cotidiana del país, el vate se las arregló para pintar el futuro de nuestro pueblo con colores irónicamente positivos. Matando el cinismo con el amor y la sapiencia, don Pedro se sacudió del análisis luctuoso y puso el humor a trabajar en favor nuestro. Estimó inconcebible e inimaginable que en el país las cosas pudiesen empeorar ya que, según él, habían alcanzado el máximo grado de deterioro. Y añadió que precisamente por eso se debía concluir en que «de aquí en adelante es la gloria».

Desde la perspectiva de nuestra emigración entendemos, quizás con privilegiada preclaridad, el apego de Mir a la esperanza. Tal vez porque percibimos nuestra supervivencia como minoría étnica y nacional en Norteamérica vinculada a la preservación del país de origen, la comunidad dominicana en Nueva York vive predispuesta a la visión optimista del destino de nuestro pueblo. De ahí el gran entusiasmo, afecto y respeto de que fuera objeto don Pedro, cantor de la esperanza, en su encuentro con los dominicanos de Nueva York. Pues aquí la distancia del lar nativo nos hace aferrarnos a los tesoros nacionales. Cuidamos con sagrada convicción los patrimonios legítimos. Evitamos el riesgo de perder ciertos legados, en los que presentimos la clave de nuestra estabilidad síquica.

Si vamos a sobrevivir como pueblo habrá que contar con la reciprocidad de estos sentimientos en la tierra natal. Ahora que se impone la necesidad de articular algún programa para rescatar el país del fatal marasmo que tan visiblemente padece, ojalá que en el futuro los arquitectos de la reconstrucción sepan aprovechar el caudal de experiencia acumulado por nuestra emigración. En este sentido, vimos con beneplácito la convocatoria que hizo recientemente en Nueva York un partido dominicano de izquierda con el propósito de discutir las opciones de supervivencia y superación que todavía posee la nación dominicana (Bloque Socialista, junio 23, 1991). Los organizadores se empeñaron en recoger los puntos de vista de un número significativo de voceros de la comunidad dominicana en Nueva York. En esa convocatoria nos pareció ver romperse una nefasta tradición y establecerse un precedente constructivo.

II. Para hablar del futuro

Tradicionalmente, los partidos dominicanos de izquierda y de derecha que abordaban temas relativos al devenir del pueblo dominicano, operaban como si sólo quienes aún residen dentro de los confines geográficos de la República Dominicana merecieran pronunciarse en torno al futuro nacional. No se solía dar cabida en tan importante diálogo a voces de la emigración. Parecía como si se nos hubiese relegado a una ciudadanía secundaria, como si se nos atribuyera sólo una importancia política indirecta.

Aún cuando se nos veía como factor deseable, se pensaba en nosotros, sobre todo, como entes capaces de aportar al desarrollo del país desde lejos, mediante remesas e inversiones. Rara vez se nos percibía como sujetos políticos, ligados inextricablemente al destino del país, es decir, como entes intelectualmente capaces de articular ese destino. Por eso celebramos la referida convocatoria, la que hizo honor al hecho de que nosotros, no sólo podemos ayudar a la patria desde aquí, sino que, aquí también somos la patria. Para explicar esto, permítaseme separar el concepto de la dominicanidad de consideraciones jurídicas y geográficas. De antemano anuncio que no me aferro a las definiciones clásicas de lo que constituye una nación.

Al hablar de dominicanidad, de identidad dominicana, nos referimos, presumiblemente, a una condición especial que caracteriza y define a los dominicanos como grupo social. Esa condición facilita algunos criterios de discriminación que nos habilitan para distinguir entre el que es y el que no es dominicano. A un dominicano con frecuencia le resulta fácil identificar a distancia a sus compatriotas. La «mancha de plátano» es una metáfora que, aunque no se le pueda atribuir precisión científica alguna, implica un conjunto de símbolos que brindan a nuestra gente la facilidad de reconocerse entre sí. Jurídicamente una persona es dominicana por proceder de un país llamado la República Dominicana. Sin embargo, la dominicanidad, supuestamente, se remonta a antes del 27 de febrero de 1844, fecha en que se fundó la República Dominicana y cuando oficialmente se inauguró el gentilicio. De hecho, el consenso historiográfico parece ser que la historia de lo que es hoy el pueblo tiene sus orígines en el siglo XVII. También existe la presunción de que la dominicanidad sobrevive la separación separación del suelo ancestral hasta por generaciones. De ahí que nos atrevamos a afirmar que una criatura nacida en una familia dominicana en la ciudad de Nueva York, por ejemplo, no pierde el justo reclamo a la dominicanidad por solo haber nacido fuera de los contornos del mapa nacional. Por lo menos, hasta ahora nadie ha hecho la rigurosa y convincente demostración de lo contrario.

Reflexionar sobre lo que entendemos por la nacionalidad, no obstante la naturaleza escurridiza del concepto, resulta urgente para quienes les preocupe el futuro dominicano. Cualquier programa de acción encaminado a rescatar la nación dominicana deberá plantearse las complejidades de lo nacional. Pero deberá hacerlo con los ojos fijos en el patio y en los fenómenos que el devenir de ese patio ha suscitado. No bastará con consultar a los clásicos de la izquierda ni de la derecha para definir los elementos constitutivos de nuestra nacionalidad. Más bien, será necesario escudriñar en lo más hondo de nuestra propia experiencia. Se nos tendrá que definir a partir de nosotros mismos. Someternos a esquemas analíticos forjados a partir de la reflexión sobre realidades ajenas correría el peligro de desvirtuar cuánto tenemos de específico.

Hemos de cerciorarnos de que el discurso teórico a que se apele para explicarnos, se ajuste fielmente al tipo de vida que nos ha tocado vivir. Y muy pocos acontecimientos han marcado tanto nuestra existencia colectiva como el continuo movimiento migratorio de los últimos años. Cabe decir, por lo tanto, que sin contar con los emigrantes no se puede hablar con propiedad del destino dominicano. Sencillamente, el pueblo dominicano ya no está ubicado exclusivamente en suelo quisqueyano.

III. La nacionalidad afuera

Se ha hablado de Nueva York como una de las más pobladas de las ciudades dominicanas y no sólo por exquisiteces retóricas. Quien visite a Washington Heights verá cuán gráficamente se despliegan en esta zona las manifestaciones de la vida dominicana. Durante las pasadas elecciones presidenciales (1990) en la República Dominicana, vimos transcurrir a lo largo de la avenida neoyorquina Saint Nicholas, dos gigantescas caravanas exaltando vistosamente los colores de los principales opositores en la contienda electoral: el morado del Partido de la Liberación Dominicana y el rojo del Partido Reformista Social Cristiano. Ocasiones como ésta nos permiten percatamos de cuán literalmente se puede decir: el país está también aquí. Cuando un pueblo emigra no se lleva consigo solamente su carne y sus huesos. Se lleva también sus experiencias, su memoria histórica, sus ansias, su forma de ser, su patria y su nacionalidad. Los dominicanos, al salir de su país, expulsados por fuerzas mayores —las fuerzas de la estrangulación económica y social— se llevaron consigo también su dominicanidad.

Lo que define los contornos de la identidad nacional de un pueblo es lo vivido; es decir, la experiencia histórica compartida. El haber vivido un conjunto de circunstancias como grupo humano es lo que trae como resultado que se forje un espíritu nacional. No es una lengua ni una raza ni una misión divina, como podrían suponer ciertos herederos de alguna tradición del idealismo alemán. En nuestro caso, circunstancias geopolíticas y sociales han causado la separación geográfica de cerca de una cuarta parte de la población nacional. Y no hay razón inteligente para suponer que la parte que ha sido tristemente expulsada a playas extranjeras posea los elementos constitutivos de la nacionalidad en menor grado que la parte que permanece en el suelo natal. Nuestra nacionalidad no es un asunto de mera geografía. Si lo fuera, habría desaparecido cuantas veces ha dejado de ser jurídicamente dominicana la geografía del país. Despues del nacimiento de la república, nuestra geografía perteneció jurídicamente a España durante los años de la anexión y nuestra gente no dejó de ser dominicana. En el presente siglo nuestra geografía ha sido jurídicamente estadounidense más de una vez, en una ocasión por ocho años consecutivos, y no por eso se hizo "gringa" la conciencia ni la memoria nacional, aunque sí se agringaran los hábitos de consumo de la población. Si no ha cesado nuestra dominicanidad las veces que el territorio patrio ha cambiado de dueño, se puede admitir lógicamente, entonces, que ésta permanezca con nosotros, los emigrantes que hemos cambiado de suelo. La patria no está en el suelo, sino en la experiencia vivida de nuestro pueblo. Nuestra dominicanidad se ha hecho más compleja que antes de la migración, sin duda alguna, porque nuestro trasplante ha implicado nuevas variables sociohistóricas. Esto no significa en modo alguno que se haya disipado nuestra nacionalidad, la cual sería útil comenzar a entender como una *etnicidad*.

Nos atreveríamos a conjeturar que, lejos de debilitarse, la dominicanidad de la emigración se ha fortalecido y se ha actualizado. El separarnos del suelo natal ha brindado a muchos la oportunidad de ponderar activamente la dominicanidad y concebirla como estructura ideológica, como actitud política, como táctica de supervivencia síquica y moral en un medio social en que todo parece reducirse en importancia al valor de cambio. (Cuando gruesos titulares en la portada del *New York Post* el mes pasado [mayo de 1991] anunciaban los cinco millones que recibiría el General Norman Schwarzkopf, aplaudido "héroe" de la reciente guerra en el Golfo Pérsico, por publicar un libro bajo la firma Bantam, pudimos constatar que hasta la heroicidad se legitima aquí monetariamente). Hasta el dominicano menos políticamente alerta se hace sensible a su condición nacional —entiéndase, étnica— al emigrar a Nueva York. Por insignificante que pueda esto resultar para pensadores super actualizados, cuando uno se para en el estanquillo ubicado en la esquina de la calle 181 y la Avenida Saint Nicholas a comprar *El Siglo* o *El Listín Diario,* o cuando un par de esquinas más arriba consume un par de empanadas o de arepitas, o se va al Restaurante Caridad y pide un Morir Soñando, lo hace movido por una fuerza que lo conmina a buscar lo suyo. Lo busca para celebrarlo, para afirmarlo, para criticarlo y así procurar no perderlo. Para unos, como es de esperarse, esto se hará de forma más consciente que para otros.

IV. La dominicanidad adentro

Ser dominicano en la isla es automático. No requiere una teoría —así sea inconsciente— de la dominicanidad. Se es dominicano como se es católico: porque sí. En mi caso particular, debo confesar que soy católico porque nací dentro de la esfera de influencia de esa religión, pero nunca me he propuesto explorar las implicaciones de mi catolicismo ni en el plano político, ni moral, ni existencial. Tampoco me había propuesto pensar conscientemente en la dominicanidad hasta que lo que la socióloga Ramona Hernández llama «el pesado proceso emigratorio» me expulsó a un lugar donde se me ha hecho preciso plantearme mi condición nacional. En Nueva York —en la medida en que, como miembro de una comunidad específica, me he ido adentrando en la lucha por granjearme un espacio en la fauna social— se me ha hecho cada vez más urgente articular para mí mismo una definición de la dominicanidad. Al pertenecer aquí a un grupo étnico marginal, con respecto el sector dominante en la sociedad, he tenido que asumir la nacionalidad como conciencia y como estandarte, lo que no creo habría ocurrido de haberme quedado en el suelo natal. Aquí lo dominicano es algo que estudio, que defiendo, que enarbolo y que intento preservar porque pienso que en eso reside una fuente imprescindible de fortaleza espiritual para librar mi batalla por la vida por estos lares. En ese sentido, la experiencia emigratoria que me ha alejado espacialmente del suelo natal, me ha acercado espiritualmente a la dominicanidad como principio de identidad. Me ha hecho más dominicano. Y no hay por qué pensar en que la mía sea una experiencia aislada. Es la experiencia de muchos.

No vamos, claro está, a romantizar, a idealizar los efectos de la emigración. La emigración, como mutación irreversible, acarrea cambios indelebles en las comunidades afectadas. Muchos de esos cambios son traumáticos y dolorosos. Son cambios que trastornan el desarrollo normal de un pueblo. Uno de ellos es la amarga división entre seres humanos de un mismo origen étnico o nacional. Al despegarse toda una masa humana de su suelo natal en busca de una vida más productiva en otras latitudes, muchos son los elementos que intervienen para agudizar la distancia entre el individuo saliente y el que permanece en su morada natural. Se experimentan tales cambios tanto en el uno como en el otro que se hace notablemente difícil el reencuentro. Llega un momento en que la distancia que los separa deja de ser sólo espacial para tomarse profundamente existencial. Podemos percibir tal cosa en la experiencia de muchos de los grupos étnicos y nacionales que comparten con nosotros, los dominicanos, el "pesado proceso emigratorio" que nos ha traído a los Estados Unidos de Norteamérica.

V. Emigración y división

Los dominicanos han estado inmigrando masivamente a este país por lo menos desde hace un cuarto de siglo. Agrupándose la mayoría de estos en la ciudad de Nueva York, ya se puede hablar de una comunidad dominicana con una presencia notoria en la vida de esta gran ciudad. Al mismo tiempo se puede hablar ya de ciertas actitudes en torno a esta comunidad de parte de aquellos dominicanos que por suerte o por desdicha no han participado en el proceso emigratorio. Nosotros, por nuestra parte, empleamos con frecuencia calificativos tales como "dominicano de allá" para señalar a un compatriota que está en nuestra adoptada morada neoyorquina de pasada y no, como "los de aquí", con el fin de procurarse la supervivencia. El visitante, distinto de nosotros, no tiene por qué saber "cómo se bate el cobre" en este suelo norteamericano.

Evidencia de que nuestro caso no es en modo alguno aislado nos lo da la experiencia de los puertorriqueños nacidos o criados en Nueva York con respecto a los compatriotas que no han dejado su hogar borinqueño. Estos se reconocen mutuamente como grupos sociales que, no obstante proceder de un tronco étnico y cultural común, poseen características que diferencian marcadamente al uno del otro. La denominación "niuyorican," con todo lo peyorativo que el término haya podido implicar en determinado momento, alude a una serie de características que aparentemente identifican al puertorriqueño de aquí, distinguiéndolo del de la isla. A los dominicanos de aquí ya se nos comienza a aplicar el apelativo de *Dominicanyork,* lo que refleja, como en el caso puertorriqueño, una forma de colocarnos en una ubicación identitaria aparte, no importa cuál sea la connotación que se insinúe en el uso del término.

Lo que percibimos es una implacable marcha hacia la potencial división de nuestro pueblo en dos segmentos, el de aquí y el de allá. Esa división es natural; es decir, inherente al proceso migratorio que experimenta de forma ininterrumpida nuestro pueblo. Son muchos los dominicanos que han crecido, se han criado fuera de su lar nativo. Hay toda una generación que ha nacido fuera de la tierra de sus padres. Estos dominicanos, nacidos, criados, crecidos fuera de las fronteras de la República Dominicana, han tenido que aprender a prescindir, por lo menos parcialmente, del calor tropical de Quisqueya. Otras realidades los han acompañado de forma más inmediata en su desarrollo. De igual manera, los quisqueyanos a quienes no les ha tocado desprenderse de su suelo natal se han desenvuelto sin la presencia de estos conciudadanos emigrantes. Los dos grupos han tenido que desarrollarse cada uno en su realidad, transitando un camino distinto al del otro. En la aventura de vivir han tenido que desvincularse. Y no debe sorprender que al cabo del tiempo se perciban mutuamente como distintos.

La percepción, en muchos casos, del emigrante dominicano que visita la República Dominicana tras muchos años de ausencia es que allí se le trata como a un extranjero. Hay siempre quien se apresura a preguntarle "¿cuánto vas a durar por aquí?» o, más abiertamente: "¿cuándo te vas?" Se asume de inmediato que su presencia en el patio es puramente pasajera, como la de cualquier turista. De hecho, en el mercado se le cobra de acuerdo a una tarifa diseñada para turistas y aplicada por el relojero ubicado en el centro de la ciudad, así como por la verdulera que monta su estante en una esquina cualquiera del barrio menos afluente. No es que se le trate como a un extranjero, sino que en cierto sentido lo es. De ahí que se le pueda identificar tan fácilmente, ya sea por el olor de la colonia, por lo foráneo de sus modales, en fin, por lo que popularmente se bautiza como "el brillo".

VI. Desdén, desprecio y paternalismo

Sería absurdo negar que al dominicano que desde aquí se traslada a la isla se le mira con cierta suspicacia. Pero esa actitud se explica por la distancia que genera el proceso migratorio. Sucede que, habiendo pasado tantos años fuera de su tierra natal, el dominicano de aquí ya no es el mismo que era antes de salir originalmente de allí. Habrá adquirido necesariamente modalidades propias del medio donde se ha desarrollado, las cuales se reflejan en su conducta durante las ocasiones sociales, su forma de caminar, su forma de vestir, sus hábitos de consumo, su entonación de ciertos vocablos y hasta la inflexión misma de la voz. Ya este dominicano, con una postura ante la vida forjada por circunstancias inexistentes en la isla, es un individuo diferente a los de allá en renglones significativos de su realidad.

Resulta natural que en la mente de sus compatriotas en la isla se haya desarrollado ya toda una mitología sobre la vida que llevan los individuos que se van para "aquel lado", lo que naturalmente conduce a todo un sistema especulativo sobre el tipo de vida de estos emigrados. Dicha mitología, incorporando igualmente verdades y mentiras, incluye una larga serie de estereotipos que para muchos define lo que es un dominicano en los Estados Unidos. El dominicano aquí, según la aludida visión, tiene ilimitado acceso a bienes materiales en el mercado de consumo, lo que supone además que el dinero en el exterior se consigue con mágica facilidad. También se le atribuye desmedida estridencia y vistosidad en el vestir igual que en el comportamiento, como evidencia de lo cual se apela con frecuencia a las "cadenas" y al temperamento siempre festivo que supuestamente le caracteriza durante su estadía en la isla. Junto a la percepción de esta festividad, existe, además, la sospecha de que quienes vienen a la tierra natal procedentes de ciudades como Nueva York tengan algo que ver con el consumo o tráfico de estupefacientes. La imagen del "jodedor" —carro estruendoso, arma de fuego de la más reciente factura, gordo fajo de dólares en los bolsillos y otros distintivos—, que verídicamente corresponde a una porción de nuestra gente, ha llegado a generalizarse, usándose a veces como configuración la persona típica de origen de dominicano que reside en Nueva York. Hace ya unos años el rotativo *Listín Diario* dedicó un editorial a recordar a la ciudadanía y a las autoridades que "no podemos considerar que, si un dominicano regresó a su país, con esposa e hijos, y establece un negocio legítimo, que es un narcotraficante, solamente porque trajo dinero" (8 de enero de 1986).

Existe también la visión que concibe al llamado "dominicano ausente" como un simple vendedor de sudor cuyo campo de elevación mental no trasciende la cruda y limitante realidad de una fábrica de tejidos. Estos estereotipos tienen su nacimiento en las condiciones que provocan la salida masiva de dominicanos de su tierra natal. Siendo la búsqueda por un medio de subsistencia el factor mayor de empuje, puede decirse que el emigrante que viaja a Nueva York lo hace prácticamente en condición de jornalero. Va a "romper corozos", a buscarse el peso a como dé lugar. De la condición económica que supone su desesperada salida se deducen, justa o injustamente, una serie de factores definidores del nivel de educación, la condición social y hasta la calidad humana de estos emigrantes. Encima de esto se entiende que envolverse en una constante lucha por la supervivencia en el exterior, en espacios a veces hostiles, en cierto sentido equivale a bestializarse. De ahí los estereotipos arriba mencionados, los que, dicho sea de paso, normalmente no se aplican a los individuos que salen de República Dominicana hacia Francia, Inglaterra o España. A esos lugares la gente va a "refinarse", a entrar en contacto directo con los logros de la "gran civilización" occidental. Cuando los que viajan a Europa regresan a su país, se les recibe cordialmente. Se les reconoce como individuos valiosos en virtud de su contacto con universidades, profesores y culturas del Viejo Mundo. Son individuos que pueden aportar a su país el alto grado de superación adquirido. A los que viajan a los Estados Unidos, por el contrario, se les percibe como a individuos desnaturalizados, que han perdido su autenticidad en la dureza del proceso migratorio.

No se piense, sin embargo, que es sólo la mente popular la que incurre en la visión aquí descrita en torno a los *dominicanos ausentes*. Sólo hay que notar las actitudes de muchos de los funcionarios, profesores, intelectuales, artistas, profesionales en general y otros miembros de las clases mas prósperas de la sociedad dominicana cuando vienen de visita a las ciudades norteamericanas donde se concentra nuestra población de manera numéricamente significativa. El menosprecio con que los profesionales "de allá" ven a nuestra comunidad resulta consistente con la noción que nos define como una comunidad estrictamente de jornaleros, sin mayor meta que la de amasar dólares.

Quizás más notoria que la de desdén es la actitud de paternalismo que notamos cada vez que un profesional venido de la isla se sorprende de que haya entre nosotros algunos que todavía manejen el idioma español con cierta destreza. De hecho, son pocos los que al venir aquí no sienten la necesidad de tornarse educadores de nuestra comunidad, por lo que rara vez quieren regresar al cálido terruño sin antes legarnos por lo menos un par de charlas sobre asuntos históricos y culturales. La convicción parece ser que esta comunidad está carente y ávida de conocimientos y que los profesionales "de allá" están en la facultad de venir, como Prometeo en la tradición helénica o Lucifer en la cristiana, a traernos la luz y levantar el oscuro velo que obnubila nuestros ojos.

Es profundamente significativo a este respecto examinar la tónica del texto «Lamentos de un Dominican York» aparecido en el periódico *Opinión Hispana* (15 al 30 de noviembre, 1989, p. 8) bajo la firma de un autor llamado Felipe Gutiérrez. Escrito en versos rimados a la manera de las décimas populares, el texto intenta externar el sentir de los dominicanos de aquí que han sufrido algún hostigamiento de parte de los de allá. Una de sus estrofas más directas dice: "No saben con el dolor/y con tantos sinsabores, / los fríos y los sudores/ que se pasan en Nueva York/ para que allá un señor/lo vea indiferente/ y trate los residentes/como malos ciudadanos,/como si fueran extraños,/ y vulgares delincuentes." Que este dominicano emigrante al intentar plasmar los "lamentos" de su comunidad los dirija contra sus compatriotas en la tierra natal, antes que contra los múltiples obstáculos locales que enfrenta nuestra comunidad en Nueva York, da una idea gráfica de cómo la emigración trastoca las relaciones humanas en el seno mismo de un pueblo.

La experiencia de los puertorriqueños nos sugiere que esa actitud desdeñosa o paternalista de los intelectuales "de allá" es parte integral de la división que engendra el proceso migratorio que ha acaecido a nuestras comunidades. Pero lo menos que podemos hacer nosotros es aprender del proceso puertorriqueño, que viene desarrollándose desde muchas décadas antes que el nuestro y que nos puede dar pautas para evitar que la división en nuestro caso se siga agudizando. "El cáncer con tiempo tiene remedio," afirma la sabiduría popular. Y si ser intelectual significa poder entender cosas que, por conocidas razones materiales, a las masas les están vedadas, entonces es a la intelectualidad a quien le toca iniciar el proceso de reflexión que podría armarnos contra la amarga división entre dominicanos de aquí y dominicanos de allá.

Deben comprender nuestros compatriotas en la isla que en esta comunidad la vida no se limita a las exigencias de un capataz en una fábrica de tejidos, sino que hay que tomar en cuenta las demandas de todos los problemas básicos de la existencia humana, complicados en nuestro caso por la experiencia de la inmigración. Existimos en medio de una realidad política que exige de nuestra participación. Vivimos en unos vecindarios donde reinan la precariedad y la corrupción. Tenemos hijos que criar y educar. Tenemos sueños y aspiraciones que cristalizar. Hay que añadir, además, que nuestra comunidad en su totalidad no ha sucumbido a la enajenación inherente al proceso migratorio. Para muchos, migrar ha tenido como resultado el acceso a las grandes universidades, abriéndoles también las puertas a algunas de las más ricas bibliotecas del mundo. Haber aprendido la lengua inglesa ha brindado a muchos la oportunidad de conocer otras culturas, formas distintas de concebir la realidad. Estudiar en los Estados Unidos ha significado tener contacto con una cantidad de información con la que jamás habríamos ni siquiera soñado de haber permanecido en la isla. En otras palabras, hay en la comunidad dominicana en Nueva York quienes están en condición de aportar intelectualmente a la vida de su pueblo igual aquí como allá.

VII. Raza y cultura

Ha pasado, es decir, tal como es de esperarse de cualquier proceso dialéctico. El hecho es que la emigración dominicana a Estados Unidos ha tenido algunos resultados positivos. Al caer en una ciudad racialmente estratificada, muchos hemos reconocido y apreciado aquí por primera vez el legado africano en nuestra formación como pueblo. Puesto que, si no lo hacemos por nuestra propia cuenta, otros se encargan de clasificarnos como personas *de color*, tenemos la oportunidad de reconsiderar la educación que nos recomendaba vernos únicamente como descendientes directos de españoles con un poquito de taíno. Al arribar —consciente o inconscientemente— a una percepción menos enajenante y más sensata de nuestras características ancestrales y fenotípicas, podemos reconocer el lugar que legítimamente les corresponde en nuestra población a los hijos de inmigrantes haitianos en la República Dominicana. Ellos son numerosos y son parte de nuestro pueblo. Ya nos han dado a Jacques Viau Renaud, mártir revolucionario y uno de los mejores poetas dominicanos del siglo XX. Y no tenía por qué ser de otra manera. Pues eran extranjeras las familias que nos dieron a Joaquín Balaguer, Jacobo Majluta y Juan Bosch, quienes han dominado el ambiente político nacional en los últimos años, así como las familias de Ricardo Carty, gloria del béisbol, Juan Lockward, destacado cantautor del pueblo, y Pedro Mir, nuestro poeta nacional, para mencionar sólo figuras de relieve. Y, si les restamos dominicanidad a los hijos de inmigrantes haitianos, tendríamos que hacer lo mismo con los demás hijos de extranjeros aquí mencionados.

El contacto con inmigrantes de todos los continentes nos ha ayudado a ser menos eurocéntricos en nuestra concepción del mundo. Tenemos la oportunidad de ver que el mundo no fue inventado en la Universidad de París o en La Sorbona por doctos pensadores alemanes. Más bien, vemos que la historia es larga y ancha y que en ella han participado personas de todos los colores y tamaños hablando los más diversos idiomas. Con acceso a una cosmovisión genuinamente tercermundista, tenemos ocasión de entender que el legado cultural de la humanidad no ha sido obra exclusiva de un pueblo o de una raza. Debido a su cercanía con inmigrantes de toda la región del Caribe, el dominicano en Nueva York tiene la oportunidad de notar sus similitudes con sus hermanos y hermanas en la gran familia caribeña, adueñándose de una identidad regional que muchos creemos debe preceder a cualquier identidad ampliamente latinoamericana. La emigración dominicana se coloca en este sentido en una situación privilegiada para contribuir a una construcción más veraz y completa de la identidad cultural de nuestro pueblo.

VIII. El género

El papel protagónico de la mujer en el proceso migratorio nos ha puesto cara a cara con un renglón importante de nuestras injusticias sociales: el problema de las desigualdades por género. Las mujeres no sólo preceden aquí a los hombres en el movimiento migratorio, sino que en muchas áreas se incorporan al mercado de trabajo más fácilmente que los hombres. Esto trae como resultado que a ellas se les haga materialmente más difícil someterse a una relación abiertamente patriarcal. Entonces chocamos. Y los varones aprendemos en el proceso. Las mujeres, por su parte, aprenden a vivir en un medio en que, a menos que se hagan ricas, su salario no bastará para costear el servicio de sirvientas. Aprenden así a no buscar su liberación a través de la sujeción de otras mujeres, las de clases menos privilegiadas, como en la isla la buscan muchas mujeres de clase media, incluyendo algunas identificadas como progresistas, revolucionarias y hasta feministas.

Un proyecto nacional encaminado a rescatar la nación dominicana debe incorporar en su discurso definidor esta forma más completa y actualizada de la dominicanidad que ha experimentado nuestra emigración. De no hacerse así, se corre el riesgo de definir la nacionalidad en términos que excluyen a cientos de miles de compatriotas que viven en los Estados Unidos, además de los cientos de miles que viven en Puerto Rico. Esto traería como resultado que se nos viera como un pueblo dividido y se fomente la división aparte de que la definición resultante quedaría coja. Al Partido Socialista Puertorriqueño le tomó décadas comprender que había que incluir a la emigración en su concepto del pueblo boricua. La izquierda dominicana tiene la oportunidad de ahorrarse parte de ese tiempo. Es cierto que la emigración crea individuos hasta cierto punto distintos de los nacionales no emigrantes, como ya hemos dicho, pero hay que distinguir entre diferencia y división. Para reconocer diferencia no hay que promulgar división. Lo que hay que hacer es actualizar la definición de la dominicanidad para que incluya estas dos vertientes de la historia de nuestro pueblo.

IX. La lengua

Habrá que tener en mente a un número significativo de dominicanos que vino a los Estados Unidos cuando aún no dominaba las herramientas del español con suficiente destreza. Para estos, en muchos casos, inglés se ha convertido en la lengua de trabajo principal. Hay quienes vinieron aquí cuando niños y hay ya toda una generación de jóvenes nacidos aquí, de padres dominicanos, y que no siempre conoce la lengua española. Si se quiere articular la nacionalidad en términos que no enajene a una parte significativa de nuestro pueblo, habrá que reducir la importancia del español como elemento definidor de nuestra nacionalidad y modificar la asumida centralidad del acervo hispánico en nuestra demarcación cultural. En caso de resultar necesario, se podrían buscar precedentes en importantes pensadores del pasado que, como Arnold Toynbee, denunciaron el intento de "encontrar el criterio de la nacionalidad en el santo y seña de la lengua," según lo muestra Dankwart A. Rustow en su repaso del concepto de nación (1975). He aquí la complejidad del reto que se nos presenta. Ya no basta proponerse como ideal que el país mejore hasta el grado de poder absorber el retorno de todos sus hijos y todas sus hijas. La emigración es irreversible. Se trata de alcanzar una conceptualización del destino nacional en términos que incluya a gente que vive en otras zonas geográficas y que en muchos casos habla otro idioma.

Referencias

Rustow, Dankwart A. "Nación". *Enciclopedia Internacional de las Ciencias Sociales.* Vol. 7. Ed. David L. Sills. Madrid: Aguilar, 1975. 301-306.

Cuestión haitiana y supervivencia moral dominicana[4]

I. Preámbulo

"Precisamos de hombres tristes para hablar del hombre," escribió Jacques Viau Renaud, poeta y mártir domínico-haitiano cuyo grupo étnico hoy padece asedio en suelo dominicano. Como glosa a ese sentencioso verso, la comunidad dominicana en Nueva York bien puede parafrasear a Antonin Artaud diciendo: lo mucho que hemos sufrido nos da el derecho de hablar. Los dominicanos de la diáspora, incrustados en una engorrosa experiencia migratoria, merecemos tomar la palabra en torno a la crisis que han desatado en el país las deportaciones.

El gobierno dominicano emitió el pasado 13 de junio de 1991 un decreto ordenando la inmediata deportación de todos los ciudadanos haitianos sin documentación legal para residir en la República Dominicana. La prensa dominicana aún no se ha empeñado en dar a

[4] Publicado originalmente en *Punto y Coma* 4.1-2 (1993): 195-203. Anteriormente había sido el texto de una ponencia presentada en un foro comunal sobre las masivas deportaciones que perpetró el gobierno dominicano en el verano del 1991. Auspiciado por el Comité de Solidaridad Haitiano-Dominicano y Puertorriqueño —formado ad hoc— el foro tuvo lugar el 17 y 18 de agosto de 1991, el primer día en un vecindario dominicano de Manhattan y el segundo en el vecindario haitiano de Brooklyn.

conocer la reacción del pueblo al referido decreto. Las opiniones que han obtenido cobertura en los medios noticiosos han provenido generalmente de organismos gubernamentales y otros sectores de la estructura de poder en el país, por lo que, como es lógico, casi siempre han justificado al gobierno. Pero, independientemente de cuál sea la reacción a nivel de pueblo en el país, ésta ha de diferir cualitativamente de la de los dominicanos en los Estados Unidos. En el exterior, los dominicanos, con la experiencia de haber vivido legal o ilegalmente en tierras en las que se nos mira con desprecio, tenemos razón de sobra para condolernos del pesar de los haitianos en la República Dominicana.

La experiencia emigratoria que nos permite identificamos con la comunidad haitiana en el país nos hace sensibles, sobre todo, a la gigantesca ironía que hay en descartar la gravedad de las deportaciones de haitianos a la vez que simultáneamente sufren acoso los dominicanos en playas extranjeras. En *El Nacional* del día 12 de julio de 1991, el periodista Leo Reyes caracterizó el drama de los deportados como un asunto que simplemente "ha sido magnificado por los medios de comunicación y dirigentes social demócratas" haitianos. Y páginas más tarde, en el mismo periódico, leemos un cable de la United Press International sobre la reciente fundación de un comité contra la migración extranjera a Puerto Rico, entre cuyos principales objetivos está la defensa del país de la penetración de "invasores", sobre todo dominicanos, que llegan al país "en forma ilegal," "desplazan" a los trabajadores puertorriqueños y amenazan, según palabras atribuidas al comité, "nuestra existencia como pueblo".

El dominicano de la emigración no tiene los recursos de bifurcación espiritual que le permitan indignarse ante las declaraciones del mencionado comité, así como ante las "manifestaciones aisladas expresadas en calcomanías pegadas en automóviles con mensajes contra" nuestros compatriotas *(El Diario-La Prensa* 17 de julio de 1991), sin al mismo tiempo notar alguna similitud entre esta situación y el caso de las actuales deportaciones de que son víctimas los nacionales haitianos en nuestra tierra. La crisis moral a la que arroja la perniciosa coincidencia entre la embestida contra los haitianos en la República Dominicana y la avanzada contra los dominicanos en Puerto Rico es lo que motiva estas reflexiones, las que, me atrevo a asegurar, recogen las preocupaciones de muchos de los dominicanos que han tenido que buscar asilo económico en tierras a veces inhospitalarias.

II. Coyuntura política

La coyuntura política en que el gobierno dominicano opta por la drástica medida de las deportaciones no deja de provocar escepticismo. En el país se vive un momento de seria perplejidad política, como lo atestigua la recién concluida huelga laboral que paralizó el país y dejó un saldo de aproximadamente 500 detenidos. En Haití, por el contrario, con la llegada a la primera magistratura del Padre Jean-Bertrand Aristide, la ciudadanía comienza a respirar sus primeros aires democráticos por muchas décadas. El gobierno actual fue puesto en el poder por las masas del pueblo en contra de la Iglesia haitiana, por encima de la oposición de las clases dominantes y a pesar de las preferencias del gobierno de los Estados Unidos. Se trata de un Presidente que viene desde abajo y que ha definido su lucha en términos que responden a los intereses de las clases desposeídas. Habrá que esperar algún tiempo pare constatar si el gobierno de Aristide honra su promesa y su compromiso. Pero no hay duda de que hoy el pueblo haitiano se ve bien representado por la estructura que lo gobierna.

Lo especial de esa coyuntura ha llevado a sectores de izquierda a suponer que detrás de la medida de las deportaciones se esconda una funesta estrategia de desestabilizar políticamente a Haití, de impedir que triunfe el ensayo democrático del país vecino. Esa suposición parte de la idea de que una estructura de poder cuyo programa de acción no está vinculado al bienestar del pueblo, como la que manda la sociedad dominicana, pondría en peligro su estabilidad si se ve forzada a compartir la isla con una estructura política que exitosamente acoja las aspiraciones del pueblo. Es decir, una democracia genuina y funcional en Haití inflaría los sueños y las exigencias del pueblo dominicano. La cercanía entre los dos espacios políticos conduciría inexorablemente a la comparación, lo cual destacaría el contraste. De ser acertada esta interpretación, resultaría lógico que a quienes sostienen las riendas del destino político dominicano no les conviene ser sometidos a tal comparación.

Vistas las cosas desde esa perspectiva, se entiende lo ventajoso que sería desestabilizar el gobierno de Aristide y contribuir al retorno al poder de los herederos del duvalierismo con sus temibles *Tonton Macoutes.* Esta postura crítica repara en que las clases dominantes dominicanas, que hoy parecen desafiar a la democracia haitiana nunca han entrado en contradicción ideológica con el duvalierismo. Algo que fortalece esa apreciación es que muchos de los cabecillas del anterior régimen totalitario de Haití viven hoy holgadamente en la República Dominicana, gozando de la gentil hospitalidad de las autoridades gubernamentales y las clases dominantes del país. Así, la estructura de poder que con tanto ahínco arremete contra los inmigrantes haitianos se hace vulnerable a la acusación de estar dando oportuna protección a sus congéneres ideológicos y sus fieles aliados procedentes del país vecino. Entonces, las deportaciones y el posible trastorno económico y político que podría resultar de una repatriación masiva para la cual Haití todavía no está económicamente equipado, podrían interpretarse como una forma de colaboración entre la alta jerarquía política dominicana y los propulsores del anterior régimen haitiano.

Para el gobierno dominicano, la explicación por supuesto, es distinta. Tiene que ver, más bien, con las declaraciones de organismos internacionales defensores de los derechos humanos que denuncian la "esclavitud" a que son sometidos los braceros haitianos en los ingenios azucareros. Las deportaciones son aparentemente una medida encaminada a responder a las imputaciones. Sin embargo, antes de constituir una solución genuina al problema denunciado, la drástica medida va en camino de añadir agravios a la injusticia alegada por los organismos internacionales. Parece como si, antes de inducir cordura, las denuncias han provocado la soberbia de las clases dominantes en el país. Antes de procurar disminuir la "esclavitud" en los ingenios azucareros, las deportaciones parecen una medida vengativa mediante la cual el gobierno dominicano castiga a la población de herencia haitiana por constituir la materia en que se basó la denuncia internacional.

Las deportaciones no prometen mejorar la imagen negativa de la República Dominicana en el plano internacional. Al contrario, ahora hay que sumar a lo ya establecido, el maltrato que padecen los deportados. Se reporta que las autoridades han practicado deportaciones sin tener en mente la condición legal de los trabajadores deportados. Algunas personas han sido obligadas a abandonar el país sin pedírseles sus documentos de inmigración, lo que ha terminado en la deportación de personas que tienen sus papeles en orden. Que sepamos, no existe un mecanismo que permita distinguir entre los haitianos inmigrantes y los nacidos en la República Dominicana, y, por tanto, dominicanos, tengan o no sus papeles en orden. Habría que ver qué porcentaje de los deportados son dominicanos de padres haitianos y hasta qué punto lo que las autoridades llaman "repatriación" sea realmente "depatriación". Es decir, se trataría de dominicanos que sufren deportación de su país por tener padres extranjeros.

En todo caso, las deportaciones han de resultar traumáticas, potencialmente desastrosas, para personas que llegaron al país siendo niños y quienes se han criado y han sido socializados a la dominicana. Hay casos de individuos o familias que han logrado montar pequeños establecimientos comerciales y que ahora se ven obligados a abandonar el país de la noche a la mañana. Según un reporte reciente (*El Nacional,* 12 de julio de 1991) se sabe por lo menos de un caso en que mercaderes haitianos fueron despojados de sus mercancías por agentes policiales que se aparecieron en la Pequeña Haití "sin orden del fiscal" y sin percatarse de que "los comerciantes afectados por la acción tenían sus papeles en orden." No se ha informado de ningún procedimiento que proteja a los detenidos del hurto y la extorsión por parte de mal pagados e inescrupulosos agentes del orden público. Ni se ha establecido hasta ahora un sistema para tramitar las cuentas bancarias de los deportados y la devolución de sus bienes después de sacárseles del país al vapor.

Es difícil que estos acontecimientos satisfagan de alguna manera las exigencias de los que abogan por el respeto a los derechos humanos en cuanto a implementar mejoras en el trato a los haitianos, lo que parecería dar validez a la alegación de que la medida de las deportaciones no constituye una respuesta sincera a las denuncias de los organismos internacionales. Tampoco había que esperar la intervención del Congreso de los Estados Unidos y sus medidas punitivas de sanción comercial para reconocer la existencia del problema haitiano en la República Dominicana. La quejumbrosa situación de los braceros haitianos en los bateyes es harto conocida. Los haitianos viven allí en condiciones infrahumanas, para decirlo eufemísticamente. Diez años antes de que la ONU se pronunciara y que la cadena de televisión norteamericana ABC le dedicara un segmento del prestigioso programa *Prime Time Live* a la penosa condición de los haitianos en los ingenios azucareros dominicanos, Maurice Lemoine, en su afamado *Sucre amer* (París: Encre, 1981) narró convincentemente el funesto drama y demostró claramente esta existencia de "esclavos" en el Caribe.

Sectores contrarios a la política del actual gobierno sospechan que la medida de las deportaciones tiene también como propósito político proveer al pueblo dominicano un chivo expiatorio artificial que desvíe la indignación colectiva hacia un blanco que no sea la estructura de poder. Independientemente de cuán demostrable sea esa sospecha, un análisis de la situación actual del país revela que hay sobrada razón para que la clase gobernante pueda querer recurrir a tácticas de distracción, sobre todo si se estima que la crisis nacional pone en peligro la permanencia del régimen. Pues el país vive hoy en medio de una catástrofe económica y social. La deuda externa ha alcanzado cifras espeluznantes y la moneda nacional pierde cada minuto más valor adquisitivo. El país está en bancarrota, empobrecido y endeudado hasta la conciencia.

En la ciudadanía predominan los epítetos negativos para referirse al país. Se vociferan frases como "este país no vale un chele", "quiero morir lejos de aquí" o "no perdono a mi madre que me haya parido en esta selva," según sostiene Haffe Serulle *(La Noticia,* 11 de julio de 1991). El país padece una crisis que destierra a los ciudadanos. La necesidad de la partida se impone inexorablemente ante la imaginación del pueblo. Nuestra gente huye despavorida. Se va por tierra, por aire, por mar. Desafía las olas en la travesía por el Canal de la Mona. Cada día se hacen más frecuentes las yolas con hombres, mujeres y niños dominicanos que zozobran en medio del implacable océano, ofrendando el capital humano de nuestro pueblo a las fieras marinas. A menudo caen centenares de conciudadanos en redadas de inmigrantes ilegales en Estados Unidos y Puerto Rico. Pero no se trata solamente de los indocumentados. Los que se van por la vía legal aumentan vertiginosamente nuestra fuga de cerebros, de brazos y de conciencias. Muchos encaminan sus pasos hacia Venezuela para proporcionarse un futuro. Lo que importa es irse.

El pueblo dominicano es hoy víctima del más dramático destierro. El gobierno y las clases dominantes en el país tienen una bochornosa situación en sus manos. Pues han desbancado al país. Y les urge ofrecer propuestas para garantizar que no apunte hacia ellos el dedo acusador del pueblo. Eso explicaría la necesidad de identificar a los inmigrantes haitianos como una de las causas de nuestros males y, por consiguiente, de auspiciar las deportaciones. Sin embargo, al optar por esa medida de autopreservación, la estructura de poder en el país aumenta la precariedad de nuestra condición. La medida empeora nuestra situación. No solamente obstaculiza el potencial de colaboración que existe entre los trabajadores sean de herencia haitiana o de otro origen en la variopinta población nacional, sino que contribuye a revivir ideologías que atentan contra nuestra estabilidad síquica como pueblo.

III. Ideología racista e identidad dominicana

Con la necesidad de justificar las deportaciones, ha resurgido en el discurso público de la sociedad dominicana la ideología antihaitianista, la cual tiende a manifestarse casi siempre en términos antinegristas. En un país de origen ancestral sustancialmente africano, el sentimiento anti-negro resulta no solamente obsceno sino también enajenante.

Despreciar a otras personas porque pertenecen a otra raza hace a uno racista. Despreciar racialmente a un grupo étnico cuya herencia ancestral uno comparte hace a uno paciente potencial del manicomio. Tal es la patología que se puede leer en las palabras de Alberto E. Borda Objío, apologista endeble de las clases dominantes y defensor del gobierno, cuando resta validez a las protestas de las autoridades haitianas. Razona el apologista que los haitianos hacen mal en protestar contra un país "que, desde hace tiempo, les está proveyendo de casi todas sus necesidades tanto alimentarias, así como de servicios que ellos por los atrasos tanto de sus gobiernos tiranos, así como de *su raza, atrasada por naturaleza* e 'incultura' no tienen, pues han devastado toda la ecología de la nación" (*La Noticia,* julio 11 de 1991) [Cursivas de ST-S].

No es preciso refutar la falsa lógica que asocia la raza con el progreso. Esa refutación se hizo exhaustivamente hace ya más de cincuenta años, produciendo textos como *Race: Science and Politics* (1945) de Ruth Benedict, libro que compila las declaraciones oficiales de numerosas organizaciones científicas en contra de cualquier malsana e idiótica reducción de los logros humanos a factores de índole racial. Existe una voluminosa y longeva bibliografía que puso fuera de vigencia la ideología racista como discurso intelectualmente defensible. Si Borda Objío no se ha enterado, seguramente se deba a que su fuente intelectual primaria es *La isla al revés* (1983), el poco respetable texto de Joaquín Balaguer. Partiendo de argumentos y postulados mayormente decimonónicos, el libro de quien ahora ha vuelto a ser Presidente del país asegura que si se detiene la "africanización" del país y recuperamos nuestras raíces puramente caucásicas "habrá sido asegurado el futuro de la República Dominicana" (2da. ed., Santo Domingo, 1984, p. 99). Enfatiza además el mandatario que "para poder subsistir como nación española la República necesita afianzar las diferencias somáticas que la separan de Haití" (p. 96). De procederse según esta recomendación, el pueblo dominicano "mejorará gradualmente sus caracteres antropológicos y volverá a recuperar la pureza de sus rasgos originarios" (p.98), vaticina el gobernante.

El raciocinio prevalente en *La isla al revés* tiene una estirpe identificable. Proviene de los planteamientos aberrantes del conde Joseph Arthur de Gobineau, cuya filosofía de la historia está fundamentada en el determinismo racial. Su *Ensayo sobre la desigualdad de las razas humanas* (1853) elevó la raza blanca a la cúspide de la superioridad biológica y negó a la raza negra el más mínimo potencial de superación. Curiosamente, Gobineau en su notorio ensayo llegó a comentar brevemente sobre el destino de los pueblos que comparten la isla de Santo Domingo. Obviamente tuvo cosas menos malas que decir sobre el lado hispánico debido a una presencia blanca relativamente mayor en la composición étnica de la población. Esas páginas de Gobineau son, pues, progenitoras de la teoría que prima en *La isla al revés.* Hoy día pocos pensadores en el mundo —mucho menos en un país mulato del Tercer Mundo— procurarían apoyarse en el legado ideológico del conde Gobineau, que tan útil resultó a los arquitectos intelectuales del Tercer Reich para fundamentar teóricamente su proyecto de exterminar a la población alemana de herencia judía. Pero aparentemente en la República Dominicana la filosofía de Gobineau, aun con los millones de vidas humanas que se anotó en la Alemania Nazi, sigue teniendo seguidores gracias a Balaguer y sus lamentables discípulos.

Se entiende entonces la procedencia de la idea que rumia Borda Objío cuando clasifica a los haitianos como miembros de una raza "atrasada por naturaleza e 'incultura'". De la misma fuente proviene la convicción de que existen en Haití y en la República Dominicana "dos razas antagónicas," la una negra y la otra blanca. La idea es enfermiza y distorsiona nuestra etnicidad y nuestro diverso fenotipo. Los dominicanos de tez blanca saben lo escaso que es su tipo en el país. Cuando uno de ellos viaja al exterior lo nota más palpablemente cada vez que alguien, reparando en el color de su piel, le dice: "Tú no pareces dominicano." No hay que intentar ningún estudio científico para desmentir la pretensión de nuestra blancura. Basta con echar un vistazo a cualquier grupo de dominicanos para notar que no hace falta ni siquiera mirar "tras de la oreja", como sugiriera el juglar criollo Juan Antonio Alix, para encontrar "el negro" en las facciones o en la piel de nuestra gente. Lo verdaderamente alucinante es que, en algún momento, mayormente durante los años de nuestra primera formación escolar, se nos haya enseñado a definir nuestra herencia racial a partir de una blancura que no se compadece con la observación empírica de nuestra fisonomía. De ahí la seria confusión de identidad de muchos de nosotros. Pues en algún momento salimos de la niñez y descubrimos que racialmente no coincidimos con lo que se nos ha enseñado a amar, y podemos caer en el autodesprecio. Ese tipo de dinámica social y síquica explica el desconsuelo que lleva a nuestros compatriotas a quejarse de que "no hemos tenido suerte ni con el color de la piel", frase que recoge Serulle en el escrito antes citado.

Naturalmente, el pueblo dominicano no es un imbécil, colectivamente hablando. Las masas populares rara vez se han tragado la risible noción de que somos un pueblo de pura estirpe española. Sectores de las clases menos privilegiadas de la sociedad dominicana han combatido históricamente la imagen enajenante de nuestra identidad que promueven el Estado y las clases privilegiadas. Ya para 1844, año de la independencia, se oponía el pueblo a que los líderes adoptaran lo que habría sido el himno nacional, escrito por el poeta Félix María Del Monte, que comenzaba con el verso: "A las armas, españoles". Según razona Franklin Franco en *Los negros, los mulatos y la nación dominicana* (5ta. ed., Santo Domingo, 1977, p. 147) los cabecillas del movimiento separatista abandonaron el proyectado himno debido al "escepticismo" expresado por sectores del pueblo, sobre todo mulatos, con respecto al sospechoso españolismo del himno.

Cabe recordar, además, que la gesta de la Restauración, el más glorioso capítulo de nuestra historia y el que más sólidamente ha cimentado la consciencia nacional del pueblo dominicano, fue librada precisamente contra el imperio español. Parecería insólito, en ese sentido, que ese mismo pueblo se viera luego como español. Un texto que recoge Emilio Rodríguez Demorizi en su *Poesía popular dominicana* (3era. ed. Santiago: UCMM, 1979, p.89) da la medida en que el pueblo se ha sabido definir fuera de la imagen recomendada por la ideología dominante. Escrito en 1865, año de la derrota y expulsión de las fuerzas invasoras españolas, el poema contiene versos que dicen: "Ya se fueron los blancos/de Yamasá, ¡ay palisá!/ Ya se fueron los españoles/ con su banderita en popa." Se deduce de estos versos que la voz popular al celebrar el triunfo de la dominicanidad ubicaba lo español y lo blanco en el marco de lo foráneo. Es decir, a nivel de pueblo los dominicanos se han rebelado en contra de la noción oficialista que asocia nuestra identidad con la blancura. De ahí que al dirigirse afectivamente a la persona amada nuestra gente normalmente diga "mi negro" o "mi negra". Si en momentos de intimidad dijera "mi rubio" o "mi blanca", podría desinflarle el ánimo a su pareja.

Contrario a la insistencia de la estructura de poder y sus escribas en establecer una oposición diametral entre la *raza* de los dominicanos y la *raza* de los haitianos, nuestro pueblo ha sobrevivido el atrofiante entrenamiento. A veces, claro está, ha sido fuera del país donde ha aprendido a definirse con mayor claridad. En Nueva York, por ejemplo, a nuestra comunidad se le hace necesario plantearse el asunto de la raza de forma más consciente de lo que se le habría requerido en el suelo natal. Cuando un maestro de origen irlandés, inglés o italiano escucha en su aula a dos niños dominicanos, ambos de piel oscura, discutiendo sobre cual de los dos es "más blanco", seguramente la curiosidad lo lleve a interrogar a los padres sobre la aparente contradicción. Algunos de nosotros hemos tenido que explicar a perplejos colegas norteamericanos el malabarismo mental mediante el cual un dominicano negro puede describir el color de su piel como "indio". Pues en la sociedad norteamericana el medio nos exige autoconciencia racial para poder relacionarnos inteligentemente con los demás grupos étnicos y culturales que comparten el mismo espacio. Y ese imperativo hace que uno a la buena o a la mala aprenda a ubicarse étnicamente con un poco de cordura.

En los peores casos, el dominicano tiene el más dramático contacto con la definición no oficialista de su identidad cuando en el exterior se le negrea. Paradójicamente, mientras los libros de historia patria enseñaron a los dominicanos a verse como blancos, en el exterior se les discrimina por no serlo. Años atrás en un artículo titulado "Los dominicanos en Puerto Rico: un problema de conciencia" *(El Nuevo Día. 25* de mayo de 1986), Jorge Duany, cientista social afiliado a la Universidad del Sagrado Corazón, en Santurce, describió la condición de nuestra gente allí en estos términos: "Los inmigrantes dominicanos constituyen uno de los grupos étnicos más estigmatizados de la sociedad puertorriqueña. Como muchos son de origen campesino, se les estereotipa de brutos, ignorantes y sucios." Su estudio de la migración dominicana en Borinquen condujo al académico a destacar lo racial como uno de los aspectos importantes de la problemática examinada. "Su composición racial —mayormente mulatos y negros— ha dificultado grandemente su integración a la sociedad puertorriqueña. Pobres, prietos y extranjeros, los dominicanos son una minoría desventajada en un triple sentido: económico, racial y étnico," estipuló Duany.

El tipo de drama que narra Duany hace a los dominicanos de la emigración ruborizarse ante el discurso que en nuestro país negrea a los haitianos. Nuestra peculiar experiencia nos protege, además, de la falacia mediante la cual se vincula el antihaitianismo con el patriotismo. En el país los apologistas del Estado intimidan a opositores de las deportaciones cuestionándoles su sentimiento patriótico. De hecho, el dirigente político José Francisco Peña Gómez, quien aparentemente hizo declaraciones en contra de las deportaciones, subsecuentemente ha tenido que enfrentar una campaña que lo acusa de participar en "la labor antipatriótica" (*La Noticia,* julio 11,1991, p.8). Tal raciocinio, que se cae por su propio peso ya que falazmente iguala los intereses del gobierno y las clases dominantes a los valores de la patria, preocupa sólo en la medida en que pueda realmente neutralizar a personas de buena voluntad. Me refiero a dominicanos que sólo han tenido acceso a la definición de patriotismo que nos legaran los fundadores del discurso oficialista desde Pedro Santana y Buenaventura Báez hasta Bernardo Pichardo y Jacinto GimBernard. Estos dominicanos, aunque consternados ante la injusticia de las deportaciones, quizás teman alzar su voz de protesta por miedo a faltar al sagrado principio de la patria y la dominicanidad.

IV. Patriotismo y dominicanidad

Lo primero que habría que preguntar a los buenos dominicanos que sientan temor de faltar a su deber patriótico es de quién han heredado la definición de patriotismo. ¿Operan siguiendo algún sagrado principio de dominicanidad quienes se benefician de la vulnerable mano de obra haitiana en la República Dominicana? ¿Acaso no es cierto que muchos de los más furibundos antihaitianos son también beneficiarios de las ventajas que produce valerse de esa mano de obra vulnerable en sus proyectos de construcción y otras labores? ¿Cabe dentro del sagrado patriotismo dominicano invocar vetustas teorías racistas para justificar las acciones represivas del gobierno contra una comunidad de trabajadores vulnerables? Quien así pensara, profanaría el concepto más puro de la dominicanidad, el que, para merecer la lealtad de cualquier compariota que se respete moralmente, debe oponerse a la prédica del odio, al abuso y al racismo.

La persona que se considere patriota, para merecer respeto, deberá definir su amor patrio a partir de los más altos ideales de la libertad, igualdad, inclusión, justicia y moralidad y considerar enemigo de la patria a todo sector nacional o extranjero que implique al país en la más mínima violación de esos ideales. Ni el ideario de Juan Pablo Duarte ni el de Gregorio Luperón, los más puros gestores de la patria y la nacionalidad dominicana, contiene porción alguna de racismo o de antihaitianismo como ideología política. Duarte, según reporta su hermana Rosa en el *Diario,* insistió en incorporar el concepto de la "Unidad de la Raza" entre los principios fundamentales de los trinitarios, declarando "para siempre abolida la aristocracia de la sangre." Luperón, por su parte, denunció enfáticamente "la insensatez, que hoy es infamia, de ser dominicanos y no ser antillanos, de conocer nuestro porvenir y divorciarlo del porvenir de las Antillas" (Virgilio Ferrer Gutiérrez, *Luperón: brida y espuela,* La Habana, 1940, p.7). Y tal como Duarte supo colaborar con los haitianos que luchaban contra el gobierno despótico de Jean-Pierre Boyer, así Luperón colaboró con sectores haitianos que combatían al gobierno entreguista de Sylvain Salnave.

Los gestores de la nacionalidad dominicana han sabido identificarse con la lucha del pueblo haitiano en su constante afán por defenderse, igual que nuestro pueblo, del pillaje de las clases dominantes.

Es fácil, entonces, concluir afirmando que oponerse a la medida de las deportaciones de ninguna manera puede constituir violación alguna a nuestro compromiso con la patria. Por otro lado, llevar al país a la ruina y causar una situación en la que el pueblo ve la huida a toda costa como su única posibilidad de supervivencia sí puede considerarse *una traición a la patria.* Auspiciar la confusión de nuestra identidad e inducir el odio racial para impedirnos buscar a los verdaderos responsables del pesar de nuestro pueblo es mancillar los principios más puros de la dominicanidad. En este caso, oponerse a la embestida del gobierno y las clases dominantes contra la comunidad haitiana es la única opción posible para el verdadero patriota. Pues quienes auspician el maltrato a los inmigrantes haitianos son los mismos que, provocando el destierro de nuestro pueblo, maltratan a los dominicanos. Podría conjeturarse, en ese sentido, que detrás de ese antihaitianismo lo que se esconde es el más fulminate antidominicanismo. De hecho, el antihaitianismo como ideología racista definidora de la nacionalidad dominicana proviene de la misma tendencia intelectual que nos legó el anexionismo, que, en versión actualizada, todavía subsiste en la República Dominicana. ¿Hay en esencia alguna diferencia entre anexar el país a una potencia extranjera, a la usanza de nuestros gobernantes en el siglo XIX, e hipotecar el futuro del pueblo, como ha ocurrido en el presente?

V. Supervivencia de la emigración dominicana

A los dominicanos de la emigración les urge más que a nadie contar con una definición moralmente coherente del ideal patrio. A nosotros, que nos toca exigir respeto y buen trato para los compatriotas que padecen vejámenes en el exterior, nos hacen daño el maltrato y la explotación que sufren los trabajadores haitianos y domínico-haitianos en nuestro suelo patrio. Cuando eso sucede en nuestra tierra natal, perdemos la ascendencia moral que necesitamos para luchar por salvaguardar la dignidad de nuestra gente en el exterior. Esa lucha no es pequeña ni esporádica. Es grande y constante. Y envuelve a los dominicanos en todos los lugares adonde la crisis nacional los ha expulsado.

La emigración dominicana cae generalmente en áreas de trabajo improductivas, siendo reducida a veces a la más desdichada superexplotación. Cuando llegan a los varios países de destino ilegalmente, los dominicanos sufren a veces condiciones inenarrables. En Puerto Rico, por ejemplo, país donde se estima en cientos de miles el número de los inmigrantes dominicanos ilegales, el Secretario del Trabajo y Recursos Humanos, Ruy Delgado Zayas, dijo recientemente que los indocumentados son puestos en "una forma de esclavitud por parte de patronos que abusan de su situación obligándolos a trabajar por salarios humillantes y [en] inhumanas condiciones de trabajo, debido a que no pueden reclamar sus derechos" (*El Diario-La Prensa,* julio 17, 1991, p.3). Pero no se trata solamente de Puerto Rico ni se trata solamente de los indocumentados.

La situación de la emigración dominicana es en general precaria. Hay que ver la visibilidad que han adquirido nuestras mujeres en el mercado de Eros. En Puerto Príncipe y en algunas ciudades de Holanda la carne de mujeres dominicanas se consume con regularidad en los prostíbulos. Tal es la presencia dominicana en la venta del sexo en Europa que, como cuenta Pedro Mir en *Historia del hambre* (Santo Domingo, 1987, p. 226), "en ciudades como Madrid, toda joven dominicana se encuentra en estado de sospecha mientras no se demuestre lo contrario." De igual manera, la venta callejera de todo tipo de mercancía, lícita e ilícita, incluyendo el tráfico de estupefacientes, está entre las más frecuentes opciones de empleo de los dominicanos en Nueva York, donde nuestra comunidad se alberga generalmente en las áreas más desprestigiadas del sector servicios.

En cuanto a la educación de los jóvenes dominicanos en Nueva York, los distritos escolares donde mayormente se concentra nuestra comunidad están entre los que ofrecen las estadísticas más desconsoladoras de todo los Estados Unidos: altas tasas de deserción escolar, bajos porcentajes de habilidad en los exámenes de lectura y matemática y escasa incidencia de estudiantes que continúan a niveles postsecundarios. Eso es en cuanto a la calidad de la educación propiamente dicha. Pero también existen datos que pintan muy desfavorablemente la calidad del trato que reciben los nuestros en las escuelas públicas. En el Alto Manhattan niñas dominicanas han sido estupradas por sus maestros, pero los directores y superintendentes de las escuelas afectadas han tenido a bien ignorar las quejas de los padres de las víctimas, considerando más conveniente proteger a los violadores en cuestión. Un conocido caso en el Districto Escolar No. 6 no me deja mentir.

La condición antes descrita explica en parte el gran número de dominicanos que hoy en día pueblan las cárceles del estado de Nueva York. Pues no obstante la prosperidad que hayan alcanzado personas o familias individuales, estamos frente a una situación en la que muchos ven el crimen como medio de supervivencia económica. Pero, cualesquiera que sean los caminos asequibles para la comunidad dominicana, vale recalcar que su supervivencia espiritual y material está constantemente sometida a prueba en los lugares adonde le toca migrar. En la política, en el mercado de trabajo, en la educación, los servicios de salud, la vivienda, las artes, en fin, en todos los renglones de su realidad, los dominicanos precisan pelear para asegurarse un espacio digno. Por eso necesitamos tanto preservar nuestra credibilidad como voceros de las más puras aspiraciones de nuestra patria y de la humanidad. La agresión contra los haitianos en la República Dominicana, al atentar contra esa credibilidad, nos desarma en nuestra lucha en el exterior. No cabe duda de que agredir a la comunidad haitiana dentro del país es colaborar con los que nos agreden fuera de él.

Aunque no se lo haya propuesto de forma abierta, hay evidencia de que la comunidad dominicana en Nueva York se ha desvinculado del gobierno y los sectores de poder en sus actuales excesos contra la comunidad haitiana. Aquí la única manifestación de apoyo a las deportaciones de que tenemos conocimiento vino de un grupo organizado por funcionarios del Consulado dominicano en esta urbe. Bajo el apelativo de Comité de Defensa de la Dignidad Nacional, el grupo llevó a cabo el pasado 6 de julio una marcha en favor de las actuales prácticas gubernamentales contra los inmigrantes haitianos. El periódico *Listín USA*, al cubrir la manifestación gobiernista, la tildó de «anémica», en obvia alusión al reducido número de los desfilantes (10 al 16 de julio, 1991). Dicho semanario también citó algunas frases voceadas por transeúntes, quienes restaban sentido a la pequeña movilización. La fría indiferencia de nuestra gente a la marcha revela que la comunidad dominicana en Nueva York no está dispuesta a adherirse a acciones del gobierno que en el fondo no hacen más que poner en peligro su propia "dignidad nacional".

Los dominicanos de la emigración sencillamente no pueden identificarse con la actual causa del gobierno. El pesado proceso emigratorio nos ha enseñado lo que es vivir como minoría racial, étnica, lingüística o nacional en lugares donde se nos menosprecia. No podemos aceptar ninguno de los discursos erigidos para justificar las deportaciones porque todos nos resultan dolorosamente familiares. Demasiadas veces los hemos oído dirigidos contra nosotros mismos. Nos duele también que se ultraje a la patria cuando se la invoca para justificar la injusticia, el racismo, el abuso. Pues la distancia que nos ha separado de la tierra natal nos ha acercado más a la patria en su sentido más puro. Nos indigna que quienes acosan a los haitianos y domínico-haitianos, profanen el legado de Duarte y Luperón pues esos profanadores son los causantes de nuestro destierro, es decir, los verdaderos enemigos de la patria. ¿Acaso no se cansan de pisotear las aspiraciones de nuestro pueblo? ¡Ya basta! ¡Cesen de inmediato los agravios contra la población haitiana en suelo dominicano! De lo contrario se nos dificultará aún más la lucha por la supervivencia en el exterior. De ser así nos habrán fastidiado doblemente las clases que gobiernan nuestro terruño ancestral. Nos hicieron salir huyendo de allá y ahora nos hacen difícil la supervivencia acá.

Julia Álvarez ante la falocracia dominicana[5]

Al reflexionar sobre la obra de Julia Álvarez, la célebre escritora angló-fona de padres dominicanos, se me ocurre pensar en una frase de Octavio Paz describiendo la textura poética en los versos de Elizabeth Bishop. Paz destaca "el poder de la reticencia" en la poesía de Bishop, es decir, la fuerza de lo que se calla, una dinámica expresiva mediante la cual los silencios hablan tan eloquentemente como las palabras (Paz 1983: 213). De manera parecida, me llama la atención en los textos de Álvarez su habilidad para enunciar sentencias graves en un tono de voz apenas audible, la tendencia a emitir estridencias dentro del alcance del murmullo. Viene al caso el personaje de Tía Mimí de su aclamado libro *How the García Girls Lost Their Accents* (1991), aparecido luego en traducción española bajo el título *De cómo las chicas García perdieron su acento.* Sucede que Yolanda, la tercera en edad de las García, se recuerda de su tía Mimí como "la genio de la familia" debido a su abundante lectura, conocimiento del latín y su educación superior inconclusa en Norteamérica. Solo pudo completar dos años de estudios universitarios puesto que sus padres la sacaron del recinto,

[5] Publicado en la revista *Rumbo*, año I, no. 38 (17 de octubre de 1994): 44-46. Huelga aclarar que este texto apareció años antes de que existiera una edición en español de la novela comentada y antes de que los comentaristas de libros en el país comenzaran a hablar de la misma.

temiendo que "demasiada escuela la arruinara para el matrimonio" (Álvarez 1992:228). Sin embargo, a la edad de 28 años, ella se mantiene tan ajena a proyectos maritales que sus sobrinas bromean con que "el día que Tía Mimí se case, volarán las vacas" (p. 229).

La obra nos concede apenas un rápido vistazo al personaje de Tía Mimí, pero aun así detectamos su indoblegable resistencia a la coerción social, su renuencia a aceptar la existencia pasiva de una dama de casa tradicional. Callada y humildemente, se las ha arreglado para transgredir la esfera del decoro y de la conducta apropiada según la conciben sus padres. Literalmente ha desafiado la fórmula social que circumscribiría su accionar al marco de lo doméstico, haciéndola postrarse ante el dictado del orden androcéntrico. Lo ha hecho sin alardes, a la manera de una amazona gentil cuya delicadeza acaso encubra la intransigencia que bulle en sus adentros.

Álvarez ya había manejado el personaje de Tía Mimí en "Orchids," uno de los textos más memorables de su *Homecoming,* un volumen de versos que le publicara la prestigiosa firma Grove Press hace diez años. Allí se llama Tía Chica, una mujer de tranquila rebeldía que evita los votos matrimoniales por miedo a tronchar su potencial creativo. "Ah, que nunca se casaría, / mi tía soltera Tía Chica," abre diciendo el poema (Álvarez 1984: 41). El personaje central de "Orchids" procura realizarse mediante el ejercicio de su destreza artística. Tía Chica conoce íntimamente los secretos de las flores y su manejo del jardín deja atónitos a los observadores masculinos. Botánicos especializados quedan deslumbrados ante su éxito, sorprendiéndoles que ella críe ventidós variedades de orquídeas: "¿Obra de una mujer sola?" El vocablo "sola" (single) insinúa la falta de ayuda con que ella hizo el trabajo además de su soltería (p. 42). Hasta cierto punto le debe su obra creativa a la libertad que le proporcionara dicho estado civil. De hecho, su matrimonio con un abogado en Nueva York marca el fin de su práctica como artista. Termina confinada a un penthouse de Manhattan, adonde atiende a las necesidades de esposo, hijos y mayores. De vivir como artista, pasa a fungir como inspiración artística para Álvarez, quien nostálgicamente le canta a su anterior condición de mujer creadora.

El texto evoca la historia de la mujer de talento que sale perdiendo en el negocio marital. Camille Claudel quizá le deba su demencia a la dinámica que la llevó a subordinar su arte al de su amante Auguste Rodin. Daisy Cocco de Filippis, entre nosotros, nos ha hecho caer en la cuenta de que la producción poética de nuestra venerable Salomé Ureña termina exactamente cuando, habiéndose casado, comienzan sus deberes de madre y esposa (Cocco de Filippis 1988: 22).

Álvarez se ha interesado profundamente por el drama existencial de la mujer de talento y pensamiento independiente como Tía Mimí o Tía Chica y la tensión que se desprende de su choque inevitable con las restricciones implícitas en la visión tradicional acerca del lugar de la mujer en la sociedad. Álvarez maneja esa tensión de manera magistral en los personajes que pueblan su último libro *In the Time of the Butterflies* (1994), recién publicado por Algonquin Press. En esta nueva novela, la más arriesgada y, a mi modo de ver, su obra literaria más importante, Álvarez teje un apasionante enfrentamiento entre cuatro mujeres comunes de la población dominicana durante el trujillato y el orden social falocéntrico en que se apoyó la despiadada dictadura. La novelista sigue con bastante fidelidad el material histórico del que se nutre su texto: la subversión política, persecución, encarcelación y eventual martirio de las hermanas Mirabal, un capítulo de la historia dominicana que ha inspirado obras tan conocidas como el *Amén de mariposas* de don Pedro Mir.

Lo que sorprenderá al lector dominicano cuando se traduzca la obra al español será la representación de las hermanas Mirabal en toda la anchura de su frágil, problemática e inmensa humanidad. Ahuyentando todo impulso deifícador, el tipo de impulso que en el fondo «engendró a nuestro tirano», la novelista rescata a las hermanas Mirabal del terreno baldío de los mitos para ubicarlas en la arena vital de la vida cotidiana (Álvarez 1994: 324). Es decir, las revive, puesto que ahora pueden servir "de modelos a las mujeres que combaten injusticias de todo tipo" en todas partes del mundo. Traer al escenario el personaje de Dedé, la hermana viviente a la que le tocó la carga lúgubre de hablarle al mundo sobre «las muchachas», le proporciona a la escritora un pasadizo idóneo hacia la niñez de los personajes, permitiéndonos una mirada útil a la personalidad, el talento y las ansias de cada una de las beldades de Salcedo. Además, nos permite comprender hasta qué punto sobrevivir para contar la tragedia quizás sea la peor manifestación del martirio.

Mediante el agudo escalpelo de la ficción, Álvarez, en tono de susurro, esculpe los personajes de *In the Time of the Butterflies* como agentes de la subversión que se ven obligados a contemporizar con el simulacro de armonía social prevaleciente en un sistema opresivo. Patria, Minerva, María Teresa y Dedé, cada una a su manera, quebrantan los linderos con que las cerca la estructura política misógina vigente en la sociedad y cuyas ramificaciones opresivas se reflejan en la familia, la escuela, la iglesia y el trabajo. Tres de ellas conspiran en la lucha clandestina contra una tiranía que castiga implacablemente hasta la más leve forma de disensión. Su disidencia femenina parece consternar al régimen más que la masculina. Eso quizá explica por qué, al orquestar su muerte, intervienen directamente en la emboscada los jerarcas del Servicio de Inteligencia Militar (SIM). Sus esposos conspiran también, pero el gobierno no muestra igual prisa en asesinarlos.

En una falocracia nada ofende tanto como la insubordinación de las mujeres ya que atenta contra estamentos esenciales de la estructura de poder. De ahí que haya que someterlas no sólo como ciudadanas en el plano político sino también como entes sexuales en la soberanía de sus propios cuerpos. El Capitán Peña Rivera, por ejemplo, pretende usar su poder e influencia para poseer a Patria. Minerva, por su parte, debe luchar por contener los avances carnales del mismo Jefe Trujillo. El ahínco con que el sistema rinde culto a la hombría, con Trujillo a la cabeza en la doble potestad de gobernante absoluto y de principal dominador de hembras, se trasluce en que toda oposición al régimen se demoniza como conducta afeminada. A los desafectos se les tilda de desviados sexuales y la prensa oficial no encuentra mayor insulto para la militancia izquierdista que llamarles: "Un partido para homosexuales y criminales" (Álvarez 1994: 77).

En muchos sentidos, las hermanas Mirabal, en la remembranza y creación de Álvarez, constituyen facetas diversas de Tía Mimí o Tía Chica, distintas dimensiones de un complejo arquetipo de la mujer disidente desamarrando los nudos con que la aprietan definiciones androcéntricas de su feminidad. *In the Time of the Butterflies* bella y sutilmente adelanta una interpretación de la dimensión perversamente misógina de la dictadura trujillista. Se trata de un aporte valioso que sienta pautas creativas para un proyecto necesario dirigido a la destrujillización síquica de la sociedad dominicana. La destrujillización debió iniciarse inmediatamente después de la muerte del tirano, pero se ha dilatado más de tres décadas debido a la permanencia en el poder de los individuos y los esquemas mentales que propiciaron el surgimiento y señorío de la tiranía funesta.

En la República Dominicana murió Trujillo, pero sobrevivió el trujillato en el orden autoritario y falocrático que rige todos los renglones sociales que están ligados a los organismos oficiales. La novela que nos ocupa sugiere caminos que bien podrían ayudar a combatir nuestra enajenación colectiva. Virginia Woolf se quejó una vez de que una obra escrita por un varón se le llamaba *libro* pero cuando la escribía una mujer se le llamaba *libro de mujer.* La obra de Álvarez sobre las hermanas Mirabal es indefectiblemente un libro de mujer, sólo que, lo que eso significa para mí, no creo que ofendería a la Woolf. Hablo de un libro que muestra la réplica perniciosa de la opresión política en todos los renglones públicos y privados de la sociedad, escrito en un lenguage de turbulenta quietud y el tipo de discurso atenuado que la mujer escritora contemporánea ha sabido manejar con destreza.

Referencias

Álvarez, Julia. *In the Time of the Butterflies.* Chapel Hill, N.C.: Algonquin Books, 1994.

Álvarez, Julia. *How the García Girls Lost Their Accents. New York: Plume,* 1992. Publicado originalmente por Algonquin Books en 1991.

Álvarez, Julia. *Homecoming.* New York: Grove Press, 1984.

Cocco de Filippis, Daisy. *Sin otro poeta que se canto: Antología de poesía escrita por dominicanas.* Santo Domingo: Taller, 1998.

Paz, Octavio. "Elizabeth Bishop, or the Power of Reticence." En *Elizabeth Bishop.* Ed. Lloyd Schwartz and Sybil P. Estess. Anne Arbor: University of Michigan Press, 1983.

¿Historiador conservador o intelectual subversivo?: Hacia una relectura de Frank Moya Pons[6]

I

La obra que nos convoca, *The Dominican Republic: A National History* (1995), del historiador Frank Moya Pons, viene efectivamente a llenar un profundo vacío bibliográfico para lectores y estudiosos anglófonos que se ocupan de los asuntos dominicanos. Estamos, nada más y nada menos, que ante la primera historia dominicana importante publicada en inglés en los Estados Unidos desde el 1928, año en que el diplomático norteamericano Sumner Welles dio a la estampa su conocida *Naboth 's Vineyard,* la cual en nuestro país se editó posteriormente en español bajo el título de *La viña de Naboth* (1939). Hasta este libro de Moya, nunca antes había circulado en Norteamérica una historia de nuestra nación contada por un autor dominicano. Sólo a partir de ahora podrá la sociedad norteamericana ver nuestro devenir como

[6] Publicado como un folleto con su propia paginación inserto en la revista *Rumbo*, año II, no. 72 (19 de julio de 1995). Originalmente el texto había sido un discurso de presentación del libro *The Dominican Republic: A National History*, durante su puesta en circulación en el Hotel Santo Domingo, Santo Domingo, R.D., el 29 de mayo de 1995.

pueblo a través de una mirilla nativa. Como miembro de la comunidad dominicana en Nueva York, testigo ocular del drama de nuestra diáspora, me siento debidamente autorizado para testificar sobre el magno acontecimiento que la salida de este libro representa. Su publicación se convierte en un puente vital que nos permite cruzar hacia la meta ineluctable de asistir a la inserción positiva de lo dominicano en la conciencia colectiva de Norteamérica. Ahora podremos contar con un recurso que nos podría llevar a ser tomados en consideración en los debates que surjan acerca de la población general de la sociedad norteamericana.

Las instituciones responsables de la edición del libro, el Instituto de Estudios Dominicanos de la Universidad Municipal de Nueva York (CUNY) e Hispaniola Books, no podían haber escogido un texto mejor ni un escritor más apropiado para impulsar la diseminación de la trayectoria histórica del pueblo dominicano por el amplio territorio norteamericano. A mí me llena de orgullo el haberme vinculado a un proyecto que se vale de la trascendencia de la obra de Moya para educar a la sociedad norteamericana acerca de quiénes son y de dónde vienen esos dominicanos cuya cuantiosa presencia hoy se ve y se siente en los centros urbanos de la tierra de Walt Whitman. Tampoco es pequeño mi privilegio al asignárseme la responsabilidad de decir estas palabras de presentación, la cual acojo con la alegría celebratoria que inspira la ocasión, así como con la conciencia del serio compromiso implícito en la distinción que se me ha hecho.

The Dominican Republic: A National History es una obra obviamente escrita en inglés. A aquellos cuyas destrezas lingüísticas les permiten leerla en ese idioma, les invito a consumir 544 rigurosas, enjundiosas e inteligibles páginas que compendian nuestra historia desde los orígenes de la sociedad taina hasta nuestro penúltimo fraude electoral. A los que desconocen la lengua inglesa, estimo justo decirles que este nuevo libro observa en gran medida una estructura temática y cronológica similar a la obra del autor titulada *Manual de historia dominicana,* cuya décima edición apenas acaba de salir con una bibliografía comentada que sobrepasa los 750 títulos entre libros y artículos. En vista, pues, de la relativa paridad entre la obra en inglés que hoy saludamos y el ya famoso *Manual* del autor, se hace innecesario para mí abordar esta presentación bosquejando cuidadosamente el contenido del libro. Liberado de esa faena, he optado por adelantar algunas consideraciones acerca del legado intelectual que se plasma tanto en la obra en inglés como en el *Manual.* Pues ambos compendios recogen a manera de síntesis la enseñanza que Moya ha aportado en venticinco años de producción ininterrumpida y ambos carecen de precedente en el país en cuanto a que fueron escritos después de su autor haber profundizado por separado en varios de los momentos históricos que conforman el recuento global. Es decir, por primera vez un historiador dominicano escudriñó las partes antes de intentar narrar el todo.

II

Académico que soy, y ciudadano consciente de que mi labor intelectual jamás será válida *per se* sino sólo en la medida en que sirva para esclarecer asuntos de utilidad, me parece válido tratar de arrojar alguna luz sobre la significación de la obra de Moya. La tarea que aquí me asigno parecería innecesaria dado el respeto que suscita la persona de nuestro autor y la familiaridad del estudiantado y el profesorado en este país con los títulos de sus libros. Sin embargo, difícil es negar que reina un desconocimiento generalizado acerca del valor real de sus escritos. He visto que muchos dominicanos al hablar de su obra tienden a externar criterios que parecen proceder más de la tradición oral que de la lectura de sus textos. Hace poco, por ejemplo, le comentaba a una persona inteligente y con un grado razonable de instrucción el hecho de que nuestro Instituto de Estudios Dominicanos en Nueva York había tenido la suerte de contar a Moya entre sus colaboradores. No bien oyó el nombre cuando, mostrando asombro ante lo que estimó una extraña alianza, me sorprendió con esta interrogación: «¿Y ya él no es tan reaccionario?» La pregunta me desarmó por lo inesperada y no creo haber dado una respuesta satisfactoria. Pero la curiosidad que me produjo no me abandonaría.

Debo decir que para la fecha del referido episodio ya yo había leído textos de Moya que estoy convencido son más revolucionarios y más subversivos que los de ningún otro autor de su generación. Yo conocía al Moya que durante la celebración del quinto centenario de la conquista se levantó como voz clamante en el desierto y pronunció el discurso «El choque del descubrimiento», la disertación dominicana que con mayor elocuencia ha delatado la maldad que subyace en la exaltación desmedida de los vencedores en la conquista y colonización de las Américas. Era el 1992, un año en que el gobierno dominicano, con el aval cómplice del clero católico y el silencio sumiso de nuestra *intelligentsia,* derrochaba recursos estatales en la glorificación del genocidio, de la destrucción de la sociedad aborigen y otros daños perpetrados por los invasores españoles contra los habitantes originarios de la isla. Y Moya se preguntó: «¿No era un crimen matar gente hace quinientos años como lo es también hoy, o como lo era hace dos mil años? ¿Por qué se celebran y se glorifican hoy a los que cometieron esos crímenes?... ¿Qué motivos pueden tener hoy los que se nutren del poder para olvidar o callar o justificar el crimen y el pecado de la conquista exaltando a los criminales y a los conquistadores? Yo soy apenas un historiador que mira hacia el pasado y me gustaría que ustedes me expliquen este presente dominicano de valores invertidos y discursos extraviados, este escenario de amenazas espirituales y advertencias políticas que me tiene tan perplejo» (Moya Pons 1992: 241-42).

El Moya que con la vehemencia de un Montesinos lanzó ese alarido de indignación ha escrito, además, un volumen titulado *Empresarios en conflicto* (1992), un estudio copiosamente documentado de las políticas de industrialización y sustitución de importaciones en la República Dominicana desde el trujillato hasta nuestros días. Un análisis meticulosamente detallado de la interacción entre el sector empresarial y el Estado, el libro ofrece una aguda, severa y audaz radiografía de la clase gobernante en el país. Aduciendo evidencias históricas de diversas índoles, el examen revela a un sector empresarial dotado de la capacidad para quitar a un gobierno popular que no responda a sus intereses o para ayudar a mantener a un gobierno impopular que lo favorezca así sea a expensas del bienestar colectivo. Mostrándonos lo mucho que le ha costado a nuestro pueblo el crecimiento del capital industrial, *Empresarios en conflicto* sienta las bases para formularnos preguntas fundamentales acerca del destino nacional. Dada la naturaleza poco altruista de la mentalidad capitalista criolla, ¿habría alguna manera de reconciliar los intereses de la clase industrial con una administración estatal que desee elevar la condición material del pueblo dominicano? O se pregunta uno si debemos resignarnos a la idea funesta de que quien quiera llegar al poder y gobernar sin que lo tumben debe olvidarse de toda agenda orientada por principios de justicia social y simplemente asegurarse de tener contentos a los empresarios. A mi parecer ningún otro texto ha dado a conocer la dinámica interna del capitalismo dominicano durante las últimas seis décadas de manera tan inteligible como este libro de Moya.

Innúmeros libros y ensayos académicos producidos en el país, exhibiendo gran destreza en el manejo conceptual, han articulado notables críticas al desarrollismo que ha dominado a la economía dominicana en los últimos tiempos. Pero el texto de Moya tiene la ventaja de que no se circunscribe a la teorización abstracta para beneficio y beneplácito de los miembros de su gremio académico, sino que ilustra con detalles palpables la realidad económica y política de nuestra sociedad durante el período estudiado. El resultado es de tal manera didáctico que basta saber leer para comprenderlo, lo que le confiere un rico potencial como instrumento de concientización para la ciudadanía ya que arma al lector común con el poder del conocimiento y las herramientas de la crítica. Puesto que el libro develaba situaciones que podían resultar desagradables para sus protagonistas, sobre todo en vista de que la mayoría de ellos eran personajes vivos y muchos eran amigos del autor, en su introducción él les anticipa esta satisfacción: «... espero que todos comprendan que antes que con ellos tengo un compromiso más alto con la verdad, tal y como la percibo a partir del estudio de los documentos y otras evidencias históricas» (Moya Pons 1992: xv).

En su compromiso con la verdad, fortalecido por la claridad expositiva y el deseo de comunicarse con los lectores, reside el elemento altamente subversivo de la obra de Moya. No es un secreto que su obra ha padecido la censura del gobierno conservador actual, precisamente en una época en que ese mismo gobierno ha hecho alardes de liberalidad en su relación con intelectuales izquierdistas. Desde la novena edición del *Manual,* a la que el autor agregó cinco capítulos que traían el hilo narrativo de su compendio hasta el momento actual (equivalentes a los últimos tres capítulos de la versión en inglés), no ha vuelto a figurar la obra de Moya entre los textos recomendados por la Secretaría de Educación para las aulas del país. Conviene señalar que los capítulos en cuestión disgustaron no sólo a representantes de los varios gobiernos reformistas que se han sucedido desde el 1966 sino también a funcionarios activos durante los dos cuatrenios del Partido Revolucionario Dominicano. Moya actualizó el *Manual* valiéndose del conocimiento que había manejado para la escritura de *Empresarios en conflicto,* el cual, dicho sea de paso, también hirió la sensibilidad de muchos representantes de la comunidad empresarial dominicana.

III

No cabe duda de que estamos ante un escritor subversivo. De ahí que el empleo del adjetivo «reaccionario» para describirlo me resultara tan intrigante. A la caza de alguna explicación satisfactoria, seguí buscando entre personas conocedoras del ambiente intelectual dominicano y conversé con un amigo, egresado de la Universidad Autónoma de Santo Domingo, quien me contó de un curioso incidente ocurrido en una de sus clases durante sus años de estudiante universitario. En una ocasión, en el curso de la cátedra, un condiscípulo suyo opinó algo que el profesor consideró ideológicamente objetable. El profesor era el reconocido intelectual Juan Isidro Jimenes Grullón, quien recriminó el juicio de su alumno con esta advertencia: «Por ese camino vas a convertirte en un amanuense de la oligarquía igual que Moya Pons.» Al enterarme del relato hecho por mi amigo, comprendí que el caso Moya entrañaba un misterio mayor al que yo pudiera inicialmente imaginarme. Acababa de averiguar que un intelectual de prestigio y una figura de prestancia social como Jimenes Grullón había externado una apreciación de la obra de este autor que se oponía diametralmente a lo que mi propia lectura de los textos moyanos sugería.

La grave incongruencia entre la obra en sí y la opinión que suscitaba la misma entre personas instruidas me llevó a estudiar formalmente el problema. Consultando algunas fuentes bibliográficas recientes que valorizan la contribución de Moya, di con una referencia significativa en el artículo de la *Enciclopedia Dominicana* consagrado a la historiografía nacional (1986 iv: 26-28). Las enciclopedias, como todos sabemos, son instrumentos de transmisión de conocimientos que recogen, presumiblemente, el consenso de los estudiosos en una rama determinada del saber. Lo que dice el artículo importa, por tanto, debido a su potencial para estandarizar una apreciación específica del tema tratado, dadas la imparcialidad y la objetividad que normalmente se atribuyen a los textos de consulta. Consta en la *Enciclopedia* que la obra de Moya corresponde a la «variante erudita o documentalista de la historiografía tradicional.» Lo que esto significa se deduce de la explicación dada en el artículo acerca de las características principales de la historiografía tradicional: «la exaltación del hispanismo, y el catolicismo, y a su vez, el racismo,» expresado en «un acentuado antihaitianismo.»

Puesto que el artículo sólo distingue a Moya de sus presuntos antecesores en la corriente historiográfica tradicional por practicar una «variante erudita o documentalista,» queda implícito, para consumo de todo estudiante nacional o extranjero que consulte la *Enciclopedia,* que su obra padece de los males antes citados. De hecho, en otro artículo de la enciclopedia titulado «Frank Moya Pons» se asevera abiertamente que en la obra de Moya «se dejan sentir los mismos lineamientos ideológicos de la vieja historiografía dominicana dominada por el antihaitianismo, la hispanidad y el catolicismo» (1986 V: 73-74). Nuestro autor, representa entonces, una corriente que difiere, por oposición antagónica, teórica y metodológicamente hablando, de la orientación «que fundamenta sus apreciaciones en los principios del materialismo histórico» y cuyos representantes la denominan «la auténtica historiografía científica.» Esa corriente, según consigna el referido artículo, se afana por descubrir las leyes que rigen el devenir histórico y se aproxima de manera crítica a los datos obtenidos, insistiendo en la investigación exhaustiva y haciendo hincapié en los procesos económicos.

Se desprende de la información citada que Moya ha producido su obra al margen de toda corriente de avanzada en el plano intelectual o científico. Una apreciación similar se deja entrever en la referencia a sus escritos que encontramos en una fuente de consulta más reciente. Me refiero a una lista de fichas sobre asuntos haitianos editada en Puerto Rico bajo el título *Bibliografía haitiana en la República Dominicana.* Su compilador, un joven profesor dominicano, describe la contribución de Moya al tema haitiano, junto a la de otros historiadores contemporáneos, de esta manera: «Al respecto encontramos una amplia variedad de interpretaciones que van, desde un enfoque ortodoxo marxista en los trabajos de Emilio Cordero Michel (...) y Roberto Cassá ... hasta las interpretaciones de los intelectuales más hispanófilos y conservadores como Pedro Troncoso Sánchez (...) Manuel de Jesús Troncoso de la Concha (...) y Frank Moya Pons» (Inoa 1994: 28).

Si unimos los epítetos «hispanófilo» y «conservador» a los que se desprenden de las características que, como dolencias ideológicas, se le atribuyen en los artículos de la *Enciclopedia,* aparte de los motes de «reaccionario» y portavoz de «la oligarquía,» tenemos una idea general de la valoración que la tradición oral, propiciada por cierto sector de la *intelligentsia,* ha propagado sobre la obra moyana. Puesto que mi lectura revelaba todo lo contrario, opté inicialmente por conjeturar que quizás mi evaluación radicalmente distinta se debía a mi familiaridad con un Moya posterior, mientras que mis colegas en Santo Domingo mencionaban a un Moya anterior. Yo conocía apenas la parte de su obra que iba desde el *Manual* en adelante. Por ejemplo, fue leyendo el *Manual,* cuya primera edición data del 1977, que pude finalmente acceder a un esquema de análisis materialista que mostraba con claridad la evolución histórica que, en el período colonial de nuestra isla, mediante el choque de modos de producción y modelos económicos distintos, hizo posible el surgimiento de dos sociedades diferentes. Es decir, la «pugna entre la plantación y el hato, entre el capitalismo colonial francés y el sistema tradicional de explotación de las tierras españolas» trajo como resultado sociedades coloniales dispares y, al correr de los años, naciones distintas (Moya Pons 1977: 143). Puede decirse que, en términos de los procedimientos metodológicos y los postulados teóricos implícitos en la reconstrucción del pasado, el Moya que se manifiesta en el *Manual* se separa drásticamente del providencialismo teleológico de la historiografía tradicional. Sus enfoques, si se nos permite la hipótesis, resultarían bastante halagüeños a la cosmovisión de cualquier André Lefebvre, Georges Politzer o Marta Harnecker, para no mencionar en persona al autor de *Das Kapital.*

IV

En vista, sin embargo, de que, sobre todo tras la caída del Muro de Berlín, tantos otrora predicadores de credos libertarios han cambiado de casaca ideológica para vestir los colores de los nuevos tiempos, supuse que quizás Moya podía haber dado un viraje contrario al que han dado muchos contemporáneos suyos. Es decir, mientras progresistas de la izquierda se derechizaron, quizás él, presunto reaccionario de la derecha, se izquierdizó. De confirmar esta posibilidad, entonces podría encontrar explicación para la ubicación que los mencionados colegas dan a la obra moyana. Entonces reconocí como obligatorio leer al Moya anterior al *Manual,* comenzando por su primer libro *La Española en el siglo XVI: 1493-1520,* publicado en 1971. Pero mi perplejidad, en vez de disminuir, aumentó. Pues este es un libro revolucionario y pionero en la historiografía nacional. Se trata de un texto que, celosamente apegado a las más diversas fuentes documentales relativas al período estudiado, refleja los avances de la historiografía moderna, la cual ya venía haciéndose progresivamente más cuantitativa. Sobresale el hecho de que a Moya se le ocurriera dedicar todo un libro a un período que los historiadores tradicionales despachaban en unas cuantas páginas. El eje central del libro es el surgimiento, desarrollo y ocaso de la economía del oro en Santo Domingo durante las primeras tres décadas de la conquista, un período durante el cual existía «una estructura social jerarquizada, en la cual la servidumbre india era la base económica y social de la nueva colonia» (Moya Pons 1971: 26).

La Española en el siglo XVI mostró con cristalina claridad la naturaleza económica de la transacción colonial e hizo ver persuasivamente las tensiones y los conflictos surgidos de las contradicciones de clase entre los distintos sectores que se disputaban el control de la colonia. En ese sentido, refiriéndose a la rebelión de Roldán el autor aclara que: «Oponerse a los Colón significaba para los [colonos] españoles liberarse de las trabas monopolistas que el Almirante y sus hermanos habían mantenido para hacer del negocio de las Indias una empresa privada, cuyos socios exclusivos eran Cristóbal Colón y la Corona,» ocasionando esa coyuntura el surgimiento de «prácticamente dos gobiernos en la isla» (pp. 22, 24). Digno de señalar, además, es que en este primer libro ya se encuentra el tenor crítico que veinte años más tarde se vertiría en el llamado admonitorio de «El choque del descubrimiento.» Ya aquí no sólo queda clara la crueldad perpetrada por los españoles contra los indios y la dureza del proceso que llevó a su exterminio, sino que también se desmitifica el discurso idílico sobre las virtudes de la evangelización. «La tarea de adoctrinamiento y de civilización que supuestamente iba a ser llevada a cabo podría haber sido calificada de noblemente utópica, a no ser por los velados propósitos que la inspiraban,» dice Moya, añadiendo que «La labor de cristianización» tenía como fin enseñar a los indios «a pagar impuestos, tributos y diezmos,» a la vez de ponerlos «a la disposición exclusiva de la Corona para recoger oro y realizar labores agrícolas» (p.49).

El primer libro de Moya, marcó entonces, una ruptura epistemológica con los presupuestos conceptuales que orientaban los estudios anteriores sobre ese período en la historiografía dominicana.

Apoyándose en una amplia gama de fuentes documentales y consideraciones estadísticas, *La Española en el siglo XVI* examina sistemáticamente el desarrollo de la economía aurífera en la colonia desde sus inicios hasta su decaimiento final, el que coincide con el vigoroso surgimiento de un nuevo sistema de acumulación y de un nuevo contingente de trabajadores para ser explotado. En su último párrafo, el libro evoca sucintamente esa transición económica y demográfica: «De ahora en adelante, los indios y el oro serían una preocupación económica marginal. Los negros comenzaban a andar junto con el azúcar y con ella permanecerían hasta el fin de esa nueva economía» (p. 268). La vigencia del aporte hecho por el autor en este texto quizás se ilustre mencionando el hecho de que hace unos años Alianza Editorial en Madrid decidió lanzar una nueva edición bajo el título *Después de Colón* (1987) para el público español e iberoamericano. De hecho, el texto ha tenido su impacto también en Santo Domingo, aunque no siempre lo citen todos los estudiosos nativos qué se han nutrido de él para sus publicaciones. El libro incluso ganó el Premio Nacional de Historia, aunque la decisión del jurado fuese anulada por funcionarios del gobierno *reformista* de Balaguer, entonces en su segundo cuatrenio, quienes sí se dieron cuenta a tiempo de que el enfoque del texto reñía con la sensibilidad historiográfica del régimen conservador vigente.

Desde esa afrentosa decepción, Moya no ha vuelto a someter un título suyo, ni se ha prestado a servir de jurado, en ningún certamen convocado por la Secretaría de Estado de Educación durante un gobierno reformista. El engaño sufrido en carne propia le dejó tempranamente convencido de que allí no hay espacio posible para la más leve disidencia intelectual. Los acontecimientos que luego se harían públicos en la Secretaría apoyarían con creces el acierto previsor de Moya al desvincularse de ella. Cuando en abril de 1993 la funcionaría titular de esa cartera, totalmente profana en asuntos literarios, revocó el premio nacional de novela que un jurado de expertos había otorgado a *Los que falsificaron la firma de Dios* de Viriato Sención, arbitrariedad que posteriormente recibió el respaldo del Jefe del Estado, quedó fuera de toda duda que allí hasta el juicio estético estaba supeditado al parecer soberano del primer mandatario. Al año siguiente, académicos de reconocida estirpe izquierdista —Emilio Cordero Michel, Raymundo González, Walter Cordero y Roberto Cassá— se añadirían a las víctimas del irrespeto intelectual que impera en el referido ministerio. Después de trabajar celosamente en la elaboración del nuevo texto escolar de estudios sociales para el octavo grado, en el contexto de lo que podría haberse visto como una refrescante apertura ideológica del régimen derechista, tuvieron que lidiar con el disgusto de que al publicar el volumen se le suprimió la unidad número cinco, es decir, el capítulo sobre el período 1961-1965, donde se relata «críticamente» la «participación política» del Presidente Joaquín Balaguer y Donald Reid Cabral en los eventos que se sucedieron «a raíz de la muerte de Trujillo» (Rosario Adames 1994: 6-8).

A Moya hay que congraturarlo por su ininterrumpida actitud de protesta contra la perfidia de un proceso, que, siendo reconociblemente perverso, se nutre de la colaboración de intelectuales para legitimarse. Si se quiere repudiar la corrupción imperante en la Secretaría de Educación ahora que se ha descubierto allí malversación de fondos que se haga. Pero las irregularidades monetarias que, mediante el decreto 116-95 promulgado el pasado 21 de mayo, desembocaron en la destitución de la titular, no son, moralmente hablando, más graves que la superchería de negar premios literarios para salvaguardar la imagen del Presidente o censurar textos escolares con el fin de proteger el nombre de poderosos funcionarios del régimen. Nadie que no se haya ruborizado de lo anterior tiene por qué ruborizarse de lo posterior.

V

Ya que el primer libro de Moya no da pábulo alguno a la percepción que lo define a partir de las dolencias ideológicas arriba mencionadas, procedí a buscar algunas razones en su segundo libro, *La dominación haitiana: 1822-1844* (1972), cuyo tema se ofrece como arena ideal para que un historiador tradicional, conservador y antihaitiano exhiba ampliamente sus colores y sus creencias. Yo conocía el volumen titulado *El Batey* (1986), la publicación de los hallazgos de un gigantesco proyecto de investigación conducido por Moya con un impresionante equipo de especialistas de distintas disciplinas. Auspiciado por el Banco Interamericano de Desarrollo y el Consejo Estatal del Azúcar durante el gobierno de Salvador Jorge Blanco, el proyecto buscaba proveer un diagnóstico que sirviera de base a la elaboración de un plan de modernización de los bateyes del Estado. El voluminoso informe retrata con crudeza espeluznante la condición infrahumana a que son sometidos los trabajadores haitianos cuyo sudor motoriza a la industria azucarera dominicana. Muchos de los datos ofrecidos constituyen por sí solos una denuncia contra la explotación. De la infinidad de detalles revelados, he aquí tres sobre el tipo de viviendas donde se alojan los trabajadores: 5,515 unidades habitacionales no tienen sanitario ni recurso alguno para defecar u orinar; 6,319 de las viviendas censadas carecen de cualquier tipo de alumbrado; y 4,464 de las viviendas no tienen agua de ningún tipo (Moya Pons 1986: 509,515,521). Es decir, a esos seres humanos les falta la luz y el agua y no tienen como deshacerse de las heces y la orina. Ningún estudio antes o después de *El Batey* ha dado a conocer mayor y más irrefutable información, y ninguno puede ser mejor aprovechado para concientizar a la sociedad civil acerca de la condición de innombrable martirio en que viven y trabajan los braceros haitianos en los bateyes estatales de la República Dominicana. Cabe resaltar que Moya dirigió ese trabajo durante el mandato de un presidente amigo, pero eso no le movió a desfigurar la verdad con el fin de proteger la buena imagen del Estado, lo cual es sumamente laudable sobre todo ahora que tantos intelectuales nuestros se eximen de expresar la más mínima solidaridad con el dolor que sufren los trabajadores haitianos en nuestro país por miedo a ser fichados como *fusionistas* por el recién nacido patriotismo derechista.

De todas maneras, seguí considerando la posibilidad de que quizás la actitud perceptible en *El Batey* remitía solamente al Moya posterior. Veamos, pues, *La dominación haitiana,* publicado catorce años antes que *El Batey.* Aquí, otra vez, estamos ante un trabajo pionero, puesto que no existía ningún estudio sistemático del período de la unificación con Haití bajo el gobierno de Jean-Pierre Boyer. El libro rompe con la sensibilidad y las presunciones típicas de la historiografía tradicional al contar lo que normalmente se presentaba como el luctuoso *yugo haitiano*. Moya no execra a los líderes de la ocupación ni establece jerarquía moral alguna entre dominicanos y haitianos. Lejos de toda explicación racista, el libro razona la unificación como un intento de Boyer de «asegurar las fronteras naturales que defendieran la República contra un eventual ataque francés» y «asegurar la consolidación interna del régimen, amenazado por los grupos descontentos de la élite militar del derrocado gobierno de Cristóbal» (Moya Pons 1972:28). Destacando el carácter oligárquico del independentismo representado por Núñez de Cáceres, el autor explica el contexto socioeconómico que hacía que la mayor parte de la población dominicana al principio viera con buenos ojos la unificación con Haití (pp. 34-36). De igual manera, muestra el mismo proceso a la inversa, atribuyendo al «deterioro económico de Haití» y a una gama de acciones legislativas perjudiciales para sectores importantes de la sociedad hispanoparlante de entonces la caída de Boyer y la precipitación del movimiento separatista que condujo a la independencia (pp. 38, 45).

Moya incluye entre las tensiones que alimentaron el ideal separatista en Santo Domingo la estatización de las tierras pertenecientes a personas emigradas, la confiscación de los bienes eclesiásticos, la eliminación de los terrenos comuneros y la reestructuración de la actividad económica para los agricultores. Por disposición del gobierno haitiano, muchos productores agrícolas debían sembrar cacao, caña de azúcar y algodón en vez de continuar actividades que ya les resultaban productivas como la crianza, la montería, la siembra de tabaco y el corte de caoba. En síntesis, «la política económica haitiana y su legislación relativa a la organización de la propiedad de la tierra y al trabajo agrícola, enajenaron desde muy temprano a la mayor parte de la población dominicana,» alimentando el ideal separatista (p. 87). El autor regresaría con igual énfasis al tema de la tierra durante la ocupación haitiana en un capítulo que aparece en *Between Slavery and Free Labor* (1985), el libro que editaría junto a Manuel Moreno Fraginals y Stanley Engerman para la Editora de la Universidad de Johns Hopkins en Baltimore.

Cuando apareció *La dominación haitiana,* Moya fungía como Profesor de Historia en la Universidad Católica Madre y Maestra, bajo cuyo sello editorial salió el libro, como había ocurrido con *La Española en el siglo XVI.* Especialmente ahora que hemos visto plumíferos cambiar camaleónicamente de perspectiva según lo sugiera el momento político o lo requiera quien financie o comisione la escritura, bien podría suponer uno que el joven historiador, pensando en su carrera profesional, tuviese la sagaz cortesía de evitar referencias poco halagüeñas a los miembros del clero católico durante el período de la unificación con Haití. Pero no. Más bien queda claro en el libro que cuando los prelados se opusieron a Boyer o conspiraron contra el gobierno haitiano, lo hicieron movidos estrictamente por las pérdidas materiales que sufrieron en el monto de sus bienes. Asimismo, cuando pensaban en la separación, era la fidelidad al Rey de España y no a la causa independentista lo que los motivaba (pp. 51, 55).

También podría esperarse que un joven historiador que había bebido en la fuente de la erudición de vetustos maestros con quienes pudo compartir en sus años mozos, tales como Max Henríquez Ureña, Emilio Rodríguez Demorizi y Vetilio Alfau Durán, hiciera alguna concesión a la visión sostenida por ellos acerca del liderazgo taumatúrgico de nuestros próceres. Juan Pablo Duarte, por ejemplo, ha sufrido una vasta bibliografía hagiográfica en la que, al presentársele como una criatura celeste, ungida para la misión suprema de fundar la República, se le ubica, deshumanizado, más allá de toda posible emulación. Un autor de la vieja guardia, imaginando el origen del ideal independentista en el patricio, se remonta a la temprana adolescencia y lo vislumbra en el barco que lo llevaría a estudiar a España. Seguramente, al alejarse el barco del puerto y el niño Duarte clavar sus ojos en la Torre del Homenaje, desde la cual ondeaba la bandera de Haití, fue que «nació en su pensamiento el propósito de volver un día a redimir a su pueblo de tamaña afrenta y a bajar de aquella torre la enseña usurpadora,» se figura emocionado el referido escritor (Balaguer 1970:17).

Sin embargo, Moya no desciende a lirismos famélicos de ese tipo. Su examen riguroso del momento histórico mediante las evidencias documentales lo lleva a señalar variables menos pastoriles para explicar el desarrollo político de Duarte.

El hincapié en la naturaleza coyuntural del advenimiento del trinitarismo, y la circunstancialidad de la participación de Duarte en particular, debe haber resultado irreverente a los viejos intelectuales con quienes Moya se codeaba. El autor nos remite al año 1834 cuando murió D. Javier Miura, capitán de la gendarmería de Santo Domingo. Sucedió que el joven capitaleño Wenceslao de la Concha le seguía a Miura en el orden jerárquico y debería sustituir al oficial fenecido. Pero ocurrió que el General Carrié arbitrariamente lo postergó, dándole el cargo a un hijo suyo, a quien tuvo que mandar a buscar de un cuartel lejano. La desconsideración sufrida por el joven militar criollo de parte de su jefe haitiano indignó gravemente a su amigo José María Serra, quien inmediatamente inició una campaña de repudio contra el gobierno. Duarte, amigo de ambos, pronto se unió a Serra, dando inicio a una campaña de conspiración que desembocaría luego en el trinitarismo. Según Moya, Duarte y Serra fueron «movidos primero por un sentimiento de rencor contra el gobernador haitiano que había humillado a su amigo mutuo Wenceslao de la Concha... No fue sino andando el tiempo cuando Duarte llegó a captar el profundo sentido de su labor propagandística y logró percibir claramente la finalidad a que la misma debía llevar necesariamente» (1972: 118).

De igual manera, los trinitarios aparecen inicialmente en el estudio en cuestión como individuos agraviados por intereses materiales. Como dice el autor, «La Trinitaria, que fue el nombre de esta sociedad encabezada por el comerciante Juan Pablo Duarte y Diez, logró reunir en su seno a la mayor parte de la juventud de la Ciudad de Santo Domingo cuyas familias habían sido lesionadas en una o en otra forma por las adversas disposiciones legales o militares del gobierno haitiano» (p. 106). Es decir, Moya se adscribe, como se ilustra claramente en los pasajes citados, a la teoría materialista que concibe al líder como el producto de circunstancias históricas concretas. Además, referirse a

Duarte por su ocupación productiva, es decir, la de comerciante, en vez de por las cualidades vinculables a su eminencia y a su proceridad, refleja, hasta en el marco del lenguaje, una disociación radical con respecto a la historiografía tradicional.

Como muestran estas observaciones, la más somera lectura de *La dominación haitiana* convence al lector precavido de que el segundo libro de Moya es tan revolucionario como lo es *La Española en el siglo XVI.* Manejando conocimientos multidisciplinarios, el estudio explora el período de la unificación examinando procesos socioeconómicos y políticos que motivan y son motivados por las acciones de seres humanos en ambos lados de la isla. Lejos de todo juicio de valor de tipo étnico o nacionalista para explicar los hechos protagonizados por los habitantes del Este y el Oeste de la Isla Española, el libro se aparta de cualquier visión que deshumanice —ya mediante la idealización o la demonización— ni a los haitianos ni a los dominicanos. Queda claro que estamos ante un texto fundacional en el estudio moderno de las relaciones históricas entre los dos pueblos y que sólo basta abrir sus páginas para desestimar la más mínima vinculación del autor con la tradición antihaitiana.

VI

La lectura de *La dominación haitiana* despejó en mí toda duda de que pudiera haber alguna justificación para la clasificación que atribuye cualidades teóricas y metodológicamente retrógradas a la obra de Moya. A partir de ese volumen, más bien, se percibe a un Moya en franco combate contra algunas de las trabas que obstruyen el desarrollo de una disciplina historiográfica auténticamente científica en el país. Sus palabras introductorias desmienten, por ejemplo, el mito de que «no existen las fuentes adecuadas» para embarcarse en el estudio profundo de los distintos períodos de la vida dominicana. El autor asegura que las mismas fuentes usadas por él para el estudio de la dominación haitiana pueden servir a otros estudiosos para «realizar sólidas reconstrucciones» de aspectos diversos de la vida nacional entre 1822 y 1844, con énfasis en áreas múltiples desde la economía hasta los valores populares (1972: 12). Afirmando que «el material está ahí,» Moya insta a sus colegas a escudriñarlo.

La próxima obra de Moya, titulada *Historia colonial de Santo Domingo* (1974), se propone reconstruir la historia de los 330 años del período colonial, siguiendo las informaciones obtenibles mediante fuentes de la época. El texto también trilla un camino nuevo. Contrario a la usanza previa en los estudios históricos, el autor intenta un recuento exhaustivo de las relaciones económicas y políticas de Santo Domingo desde el comienzo de la conquista hasta el período que los historiadores llaman la España Boba. Mientras estudiosos anteriores no mostraban preocupación por conocer a fondo el período colonial y lo ignoraban, descuidaban o mutilaban, Moya sostiene que sin un conocimiento a fondo de la vida económica, social y política a lo largo de los 330 años que duró la colonia, difícil será comprender plenamente lo que ha sido del país en la era republicana (Moya 1974: 7). Aquí invita de nuevo el historiador a sus colegas del gremio a fijarse en las abundantes fuentes documentales asequibles en la República Dominicana e identifica para edificación de sus lectores las fuentes, existentes todas en el país, de las que él se nutrió para la composición de *La historia colonial de Santo Domingo.*

Su prédica por la utilización de las riquezas documentales de que disponen los estudiosos dominicanos ha llevado con frequencia a Moya a señalar caminos de investigación antes desatendidos. Tal es el caso con su edición de *La vida escandalosa en Santo Domingo en los siglos XVII y XVIII.* Publicada inicialmente en 1973 y reimpresa en versión corregida en 1976, la obra anuncia la necesidad de trascender las limitaciones de clase de que ha padecido la historiografía dominicana. Allí lanza Moya un revolucionario desafío a los estudiosos de nuestro pasado, urgiéndolos a fijar sus ojos en el «hombre común con sus afanes diarios, con sus pequeñas y grandes ilusiones, con sus noblezas y debilidades» (Moya Pons 1976: 7). La historia dominicana normalmente aparecía como un recuento de las acciones, logros y peripecias de gobernadores coloniales, jefes militares, terratenientes y dueños de plantaciones, es decir, como un retrato de la vida de las clases gobernantes y la estructura de poder. Moya fue el primero en reconocer la necesidad de hacer una reconstrucción historiográfica en la que aparecieran los de abajo como agentes activos de la experiencia nacional. He aquí palabras del prólogo que vienen al caso: «Descubrir que en la colonia dominicana de los siglos XVII y XVIII se perseguía a los negros y a los mulatos, a los pardos y a los grifos, ya fuesen libres o esclavos, a los sastres y zapateros o a los simples artesanos, así fuesen canoeros, porque vivían su vida conforme a lo que su naturaleza les mandaba es descubrir mucho de esa inercia histórica que todavía lastra el proceso de promoción social en que parecen empeñados los dominicanos de hoy» (Moya Pons 1976: 9).

La vida escandalosa contiene cinco piezas documentales que son expedientes judiciales levantados contra personas de extracción humilde por las autoridades gubernamentales y esclesiásticas de la colonia, empeñadas en regular la moral y la sexualidad de las clases populares. La lectura de los documentos reproducidos en *La vida escandalosa* nos lleva a constatar que, en la colonia, como hoy, a la hora de juzgar pecados y dispensar castigos, los de abajo, incluyendo a la población femenina, llevaban siempre las de perder. En síntesis, Moya propone el estudio de los documentos allí compilados, así como los muchos otros que se encuentran en los archivos, como fuentes «sumamente útiles para la reconstrucción de la historia social dominicana,» la que ha sido descuidada por quienes él caracteriza como «investigadores imbuidos de pretensiosas teorías esquemáticas» (p. 12).

Lástima es que, hoy, a más de veinte años de *La vida escandalosa*, el llamado de Moya no haya tenido mayor resonancia y que los libros de historia todavía no reflejen una visión completa de lo que fue y lo que es en toda su complejidad el pueblo dominicano. Esperamos que cuando se sinteticen los aportes hechos por los estudiosos de la religiosidad popular, el cimarronaje, la cultura afrodominicana, los trabajadores, la vida cotidiana, la esclavitud, la tradición de rebeldía, la participación de la mujer en los procesos históricos y el fenómeno emigratorio que ha dado raíz a nuestra diáspora, se podrá escribir una historia genuinamente social del pueblo dominicano. Será una reconstrucción que nos libere de los efectos aún vigentes de aquella educación que nos enseñó a vernos —negros y blancos, mansos y cimarrones, pobres y ricos— como descendientes directos de los conquistadores. Cuando finalmente se logre esa meta, habrá que conceder a Moya un papel fundacional por su práctica, su ejemplo y sus orientaciones.

La persistencia orientadora de Moya ha seguido hasta hoy, como se ve en su columna «La historia tiene otra historia» que aparece semanalmente en la revista *Rumbo.* Allí se sigue viendo su afán por atraer la atención de los investigadores hacia asuntos importantes hasta ahora desdeñados sobre todo en lo que respecta a los de abajo. Para mí, por ejemplo, el artículo titulado «Mujeres en la colonia,» donde se presenta a las mujeres —indias, negras, blancas y mezcladas— como las protagonistas de la historia social a lo largo del período colonial, debería enmarcarse y colocarse visiblemente en el escritorio de todo estudioso o toda estudiosa que en este país se ocupe de asuntos de género. Moya nombra las fuentes documentales que pueden permitir «reconstruir el papel de las mujeres» como protagonistas de la historia social dominicana «durante los siglos 16, 17 y 18.» Pero advierte a los investigadores no circunscribir su pesquisa al marco de las «monjas escritoras, ni esposas de gobernadores, ni compositoras musicales, ni heroínas de guerra» a expensas de las mujeres pobres y trabajadoras, desde las agricultoras hasta las cocineras (1994:6). Ese llamado nos obliga a recordar que el liderazgo femenino proviene de sectores de clase muy diversos y que una cosa es recitar de memoria a Simone de Beauvoir o a Lucy Irigaray y otra, enteramente otra, es desenterrar el legado protagónico de nuestras propias mujeres dominicanas, el que precede por siglos a esas celebridades de la tierra de Ronsard.

VI

Como ya esta presentación debe terminar, permítaseme cumplir con dos compromisos que me parece haber contraído. Primero, al demostrar como infundada la percepción divulgada por la vertiente intelectual de la tradición oral en cuanto al conservadurismo historiográfico de Moya, me veo obligado a ofrecer alguna explicación sobre el surgimiento de la penosa distorsión. Segundo, siendo el hallazgo principal de mi pesquisa el hecho de que los anteriormente citados definidores de la obra de Moya, si lo han leído, lo han leído mal, se impone alguna recomendación sobre cómo leerlo bien a fin de evitar el crecimiento canceroso de la errónea percepción. Comencemos por lo último. Recomiendo en primer término que toda persona interesada en situar la producción intelectual de nuestro historiador se tome la molestia de leerlo. Al hacerlo, encontrará a un autor riguroso, metódico y paciente, cuyas obras invariablemente son el producto del estudio constante y la investigación exhaustiva. Completamente desprovistos de altanerías intelectuales, sus textos se distinguen por su nítida comunicabilidad. El autor jamás asume que su materia está por encima de la capacidad de entendimiento de sus lectores, ni considera al lector erudito como su interlocutor natural, fenómeno que se ha dado en el país con una que otra obra de difusión para principiantes. Viene al caso un recuento de historia social y económica del país cuyo docto autor insta al «lector no iniciado» a valerse del manual técnico publicado por él previamente donde se explican las nociones preliminares necesarias para comprender las «categorías de análisis» en las que se fundamenta su obra (Cassá 1992 II: 10).

La producción intelectual de Moya manifiesta una dedicación tenaz al trabajo arduo y a la búsqueda incansable de corroboración mediante diversas índoles de pesquisas. Gracias a la mucha energía que invierte en sus estudios y al afán por sentirse actualizado —afán que lo llevó a regresar al aula universitaria a obtener su doctorado en la Universidad de Columbia aún después de gozar ya de prestigio como historiador en el país y en el extranjero— Moya se ha aprovechado de los avances de las ciencias sociales en otras latitudes, sin desdeñar cuanto tiene de útil la historiografía marxista, entre sus recursos metodológicos e interpretativos. Pero esto no se percibe en la enunciación retórica. Nadie encontrará en los prefacios de sus libros aseveraciones tales como «Esta obra se adscribe a los principios del materialismo histórico» o al «idealismo alemán» o al «darwinismo social spenceriano.» Pero que nadie se equivoque. Al adentramos en las páginas de sus textos, reconocemos rápidamente, en el plano de la aplicación, su íntima familiaridad con las corrientes teóricas y metodológicas más avanzadas, mostrando hasta mayor destreza en el manejo de ellas que muchos de los que las blanden retóricamente en el plano del enunciado.

La obra de Moya se caracteriza por un imperativo clarificador. Cada libro suyo le marcha a un período o a un aspecto de la vida nacional dominicana que ha sido poco o mal estudiado por los investigadores anteriores y se plantea siempre como misión llenar algún hueco en nuestra bibliografía histórica. Como goza el autor de una dosis saludable de humildad, reconoce que existen más vacíos en el estudio de nuestra sociedad de los que él o ningún erudito individual podría humanamente llenar. De ahí su prédica, desde los prefacios de sus libros, y ahora desde su columna semanal, dirigida a las nuevas generaciones de estudiosos a que pongan su talento y sus conocimientos al servicio de un más completo entendimiento del pasado dominicano. Esa tesitura entraña una preocupación intelectual más englobadora que se manifiesta no sólo en su producción académica como talento individual, sino también en lo mucho que ha hecho por crear foros para la difusión de conocimientos, para diseminar las ideas de otros y para alimentar el diálogo tanto sobre el pasado como sobre el presente.

Viene al caso en ese sentido su encomiable gestión como editor-fundador de la revista *Eme Eme: Estudios Dominicanos*, así como la labor magistral que llevó a cabo cuando dirigió la Sociedad Dominicana de Bibliófilos. Recientemente, el periodista Bienvenido Alvarez-Vega ha evocado nostálgicamente el trabajo realizado por Moya en el fomento del debate abierto sobre temas decisivos para el destino nacional a través de los seminarios de Forum. «[T]odos los grandes problemas de la nación fueron discutidos públicamente en este escenario,» recuerda Alvarez-Vega, quien exhorta a Moya a rendir «otro gran servicio al país,» retomando la serie de encuentros de Forum y regresando a su anterior «jornada de pedagogía pública» (1994: 8). Hay que ver a Moya, entonces, a través de sus textos y sus servicios, sin suscribirnos irracionalmente a una visión que lo descarta, encasillándolo descuidadamente en el compartimiento de la historiografía tradicional. Quien siga esta recomendación, encontrará en Moya a uno de los intelectuales más genuinamente progresistas que ha dado su generación. De ahí que la sensibilidad oficial de nuestra sociedad lo haya repudiado sostenidamente desde su primer libro en 1971 hasta la última edición del *Manual.* En otras palabras, el conservadurismo oficial sí lo ha sabido leer.

VII

No pretendo explicar a cabalidad todas las razones de la distorsión de que ha sido objeto la obra de Moya, pero me parece que debemos hurgar en circunstancias extratextuales que nos remiten a la polaridad política que experimentó nuestra *intelligentsia* en las dos décadas posteriores a la muerte de Trujillo. Sucedió que nuestros intelectuales se segregaron en flancos políticos de izquierda y de derecha según la afiliación partidaria o la retórica enunciada por cada quien. Desaparecieron los términos medios y cayó en desuso el pensamiento crítico que no siguiera los lineamientos de determinado partido. Las aberraciones que se dieron en la izquierda se recogen con excepcional sensibilidad en el testimonio dado por Fafa Taveras en su libro *Refundar la República,* donde el autor, con la autoridad de la experiencia vivida, describe algunas de las características menos laudables de lo que él ha llamado «comportamiento de izquierda» o «cultura de izquierda» tal y como aconteció en nuestro país (Taveras 1992: 74,95). Moya, por razones que habrá que preguntarle a él, no militó en los partidos que la izquierda aprobaba, y puesto que había hecho su maestría en los Estados Unidos, es decir, en el imperio, y enseñaba en una universidad conservadora, se le identificó con los intereses de la burguesía. El razonamiento silogístico que para entonces dominaba el ambiente intelectual dominicano llevó a muchos a la conclusión de que Moya, por afiliación de clase, respondía a una sensibilidad burguesa y que sus textos, por consiguiente, emanaban de la historiografía burguesa, lo cual hacía suponer que ya se sabía cual era el contenido de sus libros antes de uno leerlos. Es decir, así como se llegó a creer que si un autor seguía la filosofía de un partido autodenominado marxista, su obra, automáticamente, reflejaría una orientación revolucionaria, también se presumió que de una mentalidad considerada burguesa no podía salir otra cosa que no fuera una visión reaccionaria de la historia dominicana.

Aunque jamás las justifique, ese panorama explicaría las etiquetas ideológicas con las que se clasificó la obra de Moya. La realidad ha demostrado, sin embargo, que los estudiosos provenientes de la izquierda, cuando razonan ciegamente a partir de la autoridad contenida en el credo de su partido, pueden sucumbir a la presunción de poseer la verdad de antemano, perdiendo así la urgencia de buscarla, esa urgencia de la cual se alimenta el avance de la ciencia. Así, se ven casos de intelectuales marxistas por afiliación partidaria que resultan ser tradicionales y conservadores en la práctica de recrear el pasado. También se da el caso de individuos con un historial de conducta políticamente retardataria que siguen usufructuando el prestigio proveniente de una antigua militancia izquierdista, devengando por ese medio abundantes privilegios en círculos liberales y ante los ojos de estudiantes imberbes. Moya no formó parte de la disidencia oficial, esa que a veces hasta un sistema totalitario puede tolerar y hasta estimular si la considera incapaz de subvertir el orden imperante. Pero, como libre pensador y crítico acucioso, el autor que nos convoca ha brindado a lo largo de veinte libros e innúmeros textos monográficos un apreciable armamento conceptual para analizar sobriamente la sociedad dominicana y reconocer las causas de nuestra indefensión.

No se piense que me atribuyo ninguna sabiduría especial por haber reconocido en la obra de Moya cualidades que varios eruditos criollos han pasado por alto. No supero necesariamente a mis colegas en Santo Domingo en la capacidad de leer textos y discernir su contenido. Sólo se trata de que he tenido la ventaja de haber leído los escritos de Moya en el espacio difuso de nuestra diáspora, donde, si bien sufrimos traumas diversos, podemos al menos juzgar a nuestra gente al margen de las presiones que impone el ambiente político de la tierra natal, el cual, como en el caso particular de Moya, puede dar vigencia a interpretaciones distorsionadas de la realidad. En la diáspora, necesitamos para nuestra supervivencia la grandeza de todos los dominicanos y las dominicanas. En ese sentido, nos resultaría contraproducente resistirnos al impresionante magisterio contenido en la obra de Moya.

VIII

Como bien hace constar Piero Gleijeses en su célebre libro sobre la revolución dominicana del 1965, las acciones y los sentimientos de Moya han estado del lado correcto en cuanto a vanguardia ideológica y preocupación social. A la hora de dar la cara por los mejores intereses de la patria, Moya estuvo a la diestra de Molina Ureña formando parte del gabinete del primer gobierno constitucionalista que se instaló en el Palacio Nacional (Gleijeses 1978: 220,391). Similarmente, cuando sobrevinieron los primeros símbolos de la eventual derrota de la causa libertaria, las páginas de su diario se colmaron de tristeza (Gleijeses 1978: 161-62). Pero su accionar ha discurrido al margen de la bandera legitimadora de un partido de izquierda, lo cual, viendo el momento actual, quizás sea digno de celebración. Pues muchos intelectuales nuestros, cuyo anterior discurso de justicia social provenía de la línea ideológica del partido, se han desvinculado de esa sensibilidad a raíz de su rompimiento con el partido o al derrumbarse el Estado socialista en la Europa Oriental. Pero Moya ha mantenido viva la preocupación social y ha seguido defendiendo el bien colectivo. Eso se puede ver en las posiciones que ha asumido públicamente en los últimos años tanto en asuntos del pasado como en los acontecimientos políticos actuales en nuestra sociedad. De manera más convincente que nadie, Moya ha exaltado el principio de la verdad por encima del instinto de la supervivencia como el valor supremo que debe guiar sobre todo a los intelectuales.

Rebelándose contra el sistema de valores que parece prevalecer en la República Dominicana, Moya ha rehusado enlistarse en las filas de los «hombres prácticos,» como les llama Rufino Martínez a las figuras que, en procura de asegurarse el bienestar material, descuidan y hasta lastiman su sociedad. Nos cuenta Rufino que: «El día 30 de septiembre de 1896 circuló en la ciudad de Santo Domingo un documento firmado por Félix María del Monte, Manuel María Gautier, Joaquín Montolío, José Gabriel García, más un grupo de la misma ciudad, políticos y no políticos, en el cual pedían la reelección del Presidente Heureaux como una necesidad del bien público» (Martínez 1971: 234). El abnegado historiador describe esa trastada de aquellos notables a finales del siglo pasado como un subterfugio de quienes veían en el continuismo lilisista la seguridad de seguir viviendo bien, «expediente» que ha vuelto a ponerse en práctica en «la vida pública dominicana cuantas veces la desvergüenza al servicio de los detentadores del poder» ha necesitado hablar a nombre del pueblo para engañar al pueblo.

Refiriéndose a los miembros de la *intelligentsia* en el primer tercio del siglo presente, cuando el Presidente Horacio Vázquez se dejó seducir por el vicio reelecionista, Rufino asevera que «el continuismo, caído en una manifestación morbosa, ha tenido de campeones burladores del sentir colectivo a los grupos de las actividades profesionales e intelectuales» (Martínez 1971: 393). El autor de la serie *Hombres dominicanos* condenó enérgicamente las cabriolas espirituales de los intelectuales metidos a «hombres prácticos» quienes, por la poca atención que ponen a los valores permanentes, como la dignidad y la gloria, «no pertenecen a la historia sino al presente que acaba con la muerte.» En nuestro país, «este grupo social, de la actividad intelectual, con ribetes de políticos cuando les conviene» vive «a la caza de oportunidades, de las brindadas por los mandatarios, especialmente los despreciadores de las libertades públicas, para hacer su agosto y su vendimia, cargándose de honores pocas veces merecidos. Entre el pueblo y los poderosos, se deciden siempre por los segundos,» siendo el pueblo para ellos «una ficción a la que a veces le conceden realidad a cambio de algún beneficio circunstancial» (Martínez 1971: 391).

De qué manera el proceder de los hombres prácticos se ha hecho ley en nuestra sociedad se refleja patentemente en los múltiples artículos periodísticos recientes que celebran la «habilidad» y la «sagacidad» de tal o cual funcionario que ha sabido ganarse el cariño del primer mandatario y de esa manera cabildear los recursos que su cartera necesita. ¡Horror de horrores! Hemos llegado al colmo de cantar con melifluidez bucólica sobre el don del «olvido que anula o modifica el pasado» como un instrumento de sensatez que supuestamente nos deja contemporizar con aquellos a quienes hemos considerado enemigos del pueblo (Urbáez 1995). Lo que no alcanzan a comprender los enarboladores de la sagacidad es que su llamado, aparte de asumir la caducidad de todo principio de altos valores, aleja aún más la posibilidad de que podamos alcanzar algún día el tipo de sociedad que todo el mundo debería exigir. Todo ser humano que se respete debe desear vivir en una sociedad donde, por ejemplo, la Constitución no se reduzca a un mero pedazo de papel, donde la corrupción no se promueva sistemáticamente desde el poder, y donde un funcionario público no tenga, personalmente, utilizando quién sabe cuáles recursos de vasallaje, que granjearse el afecto del Jefe del Estado para que su entidad estatal pueda gozar del apoyo material que legalmente le corresponde. Si gastamos nuestro talento en confeccionar barcos sicológicos para navegar astutamente en el mar del desorden ocasionado por el personalismo político, quizás estemos derrochando la oportunidad que tenemos de construir una sociedad regida por las leyes y las instituciones.

En ese mismo ambiente que propicia la prédica del olvido y la volubilidad moral, Moya se internó el año pasado en una lucha campal por salvar la posibilidad de la democracia durante nuestro más reciente fraude electoral. Invertió en ese afán más energía que hasta muchos de los candidatos opositores que se quedarían sin los escaños anhelados de prosperar el fraudulento continuismo balaguerista. Al ver que el partido oficial, en complicidad con la Junta Central Electoral, la Iglesia y figuras claves de la oposición, se enseñorearía sobre la voluntad popular, Moya dejó su indignación ciudadana plasmada en un texto en el que hacía constar la ilegalidad del gobierno que se inauguraba el 16 de agosto de 1994. Lo tituló precisamente «Para que no se olvide» (Moya Pons 1994b). Conocedor, pues, de nuestra historia reciente igual que de la antigua, sabía que muchos, aún entre los que habían denunciado las prácticas dolosas del partido oficial, comenzarían sus ejercicios de autoinducida amnesia tan pronto comenzara el nuevo término del gobierno para de esa manera dejar abiertas las puertas del colaboracionismo. La lucha de Moya por lograr elecciones democráticas ilustra la condición, especie de ave rara en nuestro país, del intelectual ciudadano.

Por su entereza en el plano de la erudición y en el seno de la sociedad, Moya habría alegrado grandemente a Rufino Martínez, quien más de una vez se quejó de que nuestro pueblo «no ha tenido suerte con sus hijos que se instruyen y logran encasillarse en algunas de las actividades mentales (...) En su gran mayoría, entran en el intercambio de la vida social, no para servirle a ella, sino determinados a laborar únicamente para sí y obtener los mayores beneficios posibles, sin cuidarse del destino de la sociedad» (1971: 76-77). Con intelectuales como Moya, que estoy seguro no es el único, por considerar, con Ulises Francisco Espaillat, que «la mayoría, la inmensa mayoría de la Nación, no está aún corrompida» (Espaillat 1962: 37), tiene nuestro país esperanza de salir del fango moral que amenaza con asfixiarlo. El hecho de que los lectores dominicanos, desconociendo la censura oficial, hayan favorecido persistentemente al *Manual de historia dominicana* da fuerza a mi optimismo. Me aventuro a vaticinar que lo mismo sucederá en la diáspora dominicana de los Estados Unidos con respecto a *The Dominican Republic: A National History.*

Referencias

Alvarez-Vega, Bienvenido. «Para Frank Moya y compañía.» *Ultima Hora.* 9 de septiembre de 1994: 8.

Balaguer, Joaquín. *El Cristo de la libertad.* Edición Especial. Santo Domingo: Fundación de Crédito Educativo, Inc., 1970.

Cassá, Roberto. 1980. *Historia social y económica de la República Dominicana.* Vol. 2. Santo Domingo: Alfa y Omega, 1992.

Espaillat, Ulises Francisco. *Ideas de bien patrio.* Ed. Emilio Rodríguez Demorizi. Santo Domingo: Editora del Caribe, 1962.

Gleijeses, Piero. *The Dominican Crisis: The 1965 Constitutionalist Revolt and American Intervention.* Trans. Lawrence Lipson. Baltimore and London: The Johns Hopkins University Press, 1978.

«Historiografía: Nacimiento y evolución.» *Enciclopedia Dominicana.* 3ra. ed. Vol. IV Santo Domingo 1986:26-28.

Inoa, Orlando. *Bibliografía haitiana en la República Dominicana.* Serie Bibliográfica Op-Cit Num 2. Río Piedras: Centro de Investigaciones Históricas-Universidad de Puerto Rico, 1994.

Martínez, Rufino. *Diccionario biográfico-histórico dominicano: 1821-1930.* Serie Historia y Sociedad No.5. Santo Domingo: Editora de la Universidad Autónoma de Santo Domingo, 1971.

«Moya Pons, Frank.» *Enciclopedia Dominicana.* 3ra. ed. Vol. V. Santo Domingo 1986: 73-74.

Moya Pons, Frank. *The Dominican Republic: A National History.* New Rochelle: Hispaniola Books, 1995.

Moya Pons, Frank. «Para que no se olvide.» *El Siglo.* 15 de agosto, 1994b.

Moya Pons, Frank. «Mujeres en la colonia.» *Rumbo.* 17-23 de marzo, 1994.6.

Moya Pons, Frank. «El choque del descubrimiento.» *Ciencia y Sociedad* 17.3 (1992): 219-42.

Moya Pons, Frank. *Empresarios en conflicto: Políticas de industrialización y sustitución de importaciones en la República Dominicana.* Santo Domingo: Fondo para el Avance de las Ciencias Sociales, 1992.

Moya Pons, Frank. *Después de Colón: Trabajo, sociedad y política en la economía del oro.* Madrid: Alianza Editorial, 1987.

Moya Pons, Frank. *El Batey: Estudio socioeconómico de los bateyes del Consejo Estatal del Azúcar.* Santo Domingo: Fondo para el Avance de las Ciencias Sociales, 1986.

Moya Pons, Frank. *Manual de historia dominicana.* Santiago: UCMM, 1977.

Moya Pons, Frank. *Historia colonial de Santo Domingo.* Santiago: UCMM, 1974.

Moya Pons, Frank. *La dominación haitiana: 1822-1844.* Santiago: UCMM, 1972.

Moya Pons, Frank. *La Española en el siglo XVI: 1493-1520.* Santiago: UCMM, 1971.

Moya Pons, Frank, ed. *La vida escandalosa en Santo Domingo en los siglos XVII y XVIII.* Colección Incháustegui. Santiago: UCMM, 1976.

Rosario Adames, Fausto. «Censura contra la historia contemporánea.» *Rumbo.* 12-18 de octubre, 1994:6-7.

Taveras, Fafa. *Refundar la República.* Santo Domingo: Ediciones Bloque Socialista, 1992.

Urbáez, Aristófanes. «La UASD: Roberto y Balaguer.» Columna «El Roedor». *El Siglo* 1995.

La oblicua intelectualidad dominicana[7]

En el actual momento de víspera electoral, cuando la República Dominicana se encamina hacia un desenlace que podría avanzar el postergado proceso de destrujillización, conviene enfilar el pensamiento en torno a lo que ha de venir. Anhelamos una nación organizada y decente cuando nos descorazona el despilfarro personalista que ha llevado al país material y moralmente a la bancarrota. Ahora se abre la oportunidad de soñar el día en que aquí resulte obvio, por ejemplo, que cuando un Secretario de Estado, afín con el vasallaje típico de nuestros funcionarios, gasta fondos de su despacho en anuncios destinados a festejar la fecha natalicia del primer mandatario, está haciendo uso personal de los bienes públicos, cometiendo un acto delictivo a toda luz punible. Es decir, los seres pensantes, cada quien dentro del marco de su pericia, pueden ahora imaginarse una sociedad *comme il faut.* Pero su imaginación deberá perseguir la meta de erradicar en nosotros los esquemas mentales y las actitudes que hemos repudiado en los responsables de la ruina nacional. Hijos que somos de una sociedad autoritaria y presidencialista, tenemos el reto de exorcizar en nosotros todo cuanto nos lleve a la adoración desorbitada de los caudillos. Los

---

[7] Publicado en *Rumbo*, año II, no. 89 (16 de octubre de 1995): 42-48.

intelectuales tienen un papel qué desempeñar en ese exorcismo, pero deben comenzar por ellos mismos.

I. Maniqueísmo

Primeramente, habrá que liberar la conciencia nacional de la educación que nos ha inculcado la obsecuencia con respecto a los denominados doctos. Es maniqueísmo, por ejemplo, hablar de la significación para la historia cultural dominicana de un Antonio Fernández Spencer sin aludir al varón que baleó gravemente a una mujer indefensa sin costarle un solo día de cárcel o al director de la Biblioteca Nacional que cumplía sus horas de oficina libando el buen licor en un bar capitalino acompañado de su secretario, tarea por la cual ambos le cobraban pingües pesos al maltratado erario. Asimismo, no se puede historiar el aporte hecho a nuestras letras por Tomás Hernández Franco, el célebre autor de *Yelidá*, pasando por alto la porción infame de sus escritos, la de vulgar exaltación trujillista y difamación de los desafectos del régimen. Ella incluye textos de la calaña de *Juan Isidro Jiménez* [sic] *Grullón, el terrorista cobarde* (1945), en el que el autor denuncia las actividades en el exilio antitrujillista de su amigo de infancia como ejemplo de una "líbido ambigua" y de las "inconfesables ondas de pusilanimidad que agitan y sitúan su ubicua personalidad" (Hernández Franco 1945: 6, 22). Tampoco podremos justipreciar el legado de Juan Isidro Jimenes Grullón en el campo del pensamiento político sin que nuestra ponderación abarque el raciocinio que lo llevó a legitimar el golpe de Estado de 1963, ayudando por ese medio a desproveer al pueblo dominicano de la única oportunidad de democracia que había tenido en todo el siglo.

Fernández Spencer, Hernández Franco y Jimenes Grullón, como tantos otros paladines de las letras nacionales, nos legaron herencias deleznables que compiten en condición de igualdad con sus contribuciones positivas. Desgraciadamente, ese hecho no se percibiría leyendo a los narradores de la historia de las ideas y de las artes en el país, a quienes una sensibilidad primordialmente maniqueísta les impide aproximarse a nuestros pensadores y escritores como lo que son, seres humanos con defectos, debilidades y contradicciones, independientemente de las virtudes que posean. Las páginas de las historias de la cultura o historias literarias dominicanas coronan con el rango de "ilustre," "benemérito," o "insigne" a todo aquel que haya alcanzado alguna notoriedad en el manejo de la pluma. Aún en los casos en que la alabanza pueda tener validez, como cuando se trata de un Pedro Henríquez Ureña, se llega a una mitificación que desinforma. El académico Jorge Tena Reyes, en el prefacio a la edición dominicana de *El español en Santo Domingo*, nos conmina así: "La glorificación de Pedro Henríquez Ureña debe ser preocupación de todos los dominicanos. Es deber de conciencia y de dignidad ciudadana" (Tena Reyes 1982: 5). Lo desafortunado de ese imperativo es que si lo obedecemos no podremos estudiar al eminente dominicano, puesto que estudiar implica ejercitar el entendimiento, lo cual nos puede llevar a notar cosas poco laudables, como la frenética negrofobia y la filología racista que permea todo el capítulo VIII del citado libro de nuestro venerado erudito.

II. El imperativo glorificador

Entre los más recientes agraciados del instinto ditirámbico en la crítica dominicana se encuentra el jefe del Estado dominicano, cada uno de cuyos versos se eleva a la categoría de obra maestra universal en la apreciación candorosa de Cándido Gerón. Asimismo, cada una de las "páginas de crítica literaria gestadas por el numen pulquérrimo del Dr. Joaquín Balaguer" despliega tal genialidad que basta leer "al azar" cualquier trozo para inexorablemente "caer de hinojos," como hace poco ha caído León David en unas fervorosas páginas de apoteosis balagueriana (David 1995: 5). Ambos críticos se hacen eco sin querer de Bruno Rosario Candelier, para quien, según consta en *Perfiles de Balaguer*, los grandes logros del Presidente "revelan a un intelectual enaltecido por la Historia como una figura singular del siglo XX... es mucho lo que el país le debe a este incansable cultor de la palabra, y es grande el reto de los que han de continuar la huella de este escritor eminente" (Rosario Candelier 1994: 189).

No contamos con bases documentales para sustanciar las razones mercuriales que puedan motivar los juicios lisonjeros de los críticos citados. Pero lo que sí salta a la vista es que en la valoración de su celebrado escritor no entran textos problemáticos tales como "El principio de la alternabilidad en la historia dominicana," *La isla al revés* o "Romance del amor malherido." El primero desarrolla la tesis de que sólo la dictadura de mano fuerte es capaz de encaminar eficazmente a la nación dominicana por la vía del progreso y el segundo intenta demostrar que nuestro subdesarrollo se debe al ennegrecimiento de la población debido al contacto con Haití. El tercero, aparecido en *Galería heroica* (1994), versifica una paradójica elegía a las hermanas Mirabal, paradójica en cuanto a que el propio Balaguer era Presidente cuando su gobierno las asesinó en el 1960. El poema se las arregla para racializar y haitianizar el horrendo crimen comparándolo con el caso de "tres niñas de alma blanca" ultimadas en Galindo el siglo pasado: "Eran también tres doncellas, /de la más límpida casta,/que perecieron a mano/de unos hombres de otra raza,/ dominados por las brujas/de su lujuria africana" (Balaguer 1994: 154).

El imperativo glorificador que se ilustra en los juicios de Tena Reyes, Gerón, León David y Rosario Candelier importaría poco si no fuese por su potencial para coartar el instinto crítico de estudiantes que crezcan bajo el influjo de esa visión. Estamos ante una forma de valorar el trabajo mental que castra la propensión analítica, iniciando a los jóvenes en la sumisión devota ante quien haya logrado renombre como letrado, robándoles la posibilidad de evaluar sobriamente a los intelectuales de ayer y de hoy tanto en su escritura como en su relación con la sociedad. Se trata de una visión que vulnera los mejores intereses de la patria. Pues una ciudadanía libre en un país que se diga democrático requiere la facultad de escudriñar, descodificar, desmontar y disecar la producción de sus intelectuales. Sólo así podrá aprender de ellos, acopiando lo bueno y desechando lo malo que sus obras puedan contener. La inteligencia de la población debe manifestarse en la capacidad de escoger y rechazar sabiamente. Promover la glorificación acrítica es fomentar la estulticia.

Una lectura, por ejemplo, de *Yelidá* que no se nutra de la posible intertextualidad de ese poema con los escritos nocivos de Hernández Franco resultará siempre incompleta. Pero si el crítico, por miedo a desprestigiar al venerado poeta, omite deliberadamente toda mención a la obra malsana del autor, incurre en el delito de la complicidad, lo cual añade al yerro intelectual una mácula moral. La obra de nuestros intelectuales requiere una lectura compleja y completa que se aleje de lirismos y sacramentos. Hay que despejar de la cabeza de nuestros jóvenes la noción enfermiza de que reconocer imperfecciones en un Ramón Marrero Aristy, un Franklin Mieses Burgos, una Aída Cartagena Portalatín, un Juan Bosch o un Manuel Rueda siginifíca irrespetarlos. Si vamos a llegar a algún lugar como pueblo, debemos arriesgamos a sacudir el altar no obstante los santos que caigan. Realmente hay muy poco que temer. Pues no es la santidad de nuestros letrados lo que va a ayudar al país a forjar un destino promisorio. Es el aporte concreto que ellos hayan hecho. Y, si resulta que no han hecho tal aporte, vale la pena entonces que no solamente caigan del altar sino que se les destierre allende los confines de la parroquia.

Tiene razón Diógenes Céspedes cuando describe al "intelectual no crítico" como "un colaborador, un auxiliar benévolo del poder o un auxiliar inconsciente." José Martí lo había dicho de otra manera en la prosa dulce y útil de "Nuestra América", donde leemos que "conocer es resolver" y que "pensar es servir," pero no servirle al poder a cambio de impugnables canonjías, sino servirle a la verdad con la fuerza de las ideas, esas "armas del juicio" que ordenadas en trincheras "valen más que trincheras de piedra" (Martí 1976: 87, 89, 92). Hay que dar luz verde a la población dominicana para que ponga bajo el lente a nuestra intelectualidad, identificando a los miembros de ella que realmente estén comprometidos con el bienestar colectivo y retirarles el palio a aquellos que sólo respondan a las exigencias de su olímpico ego y a sus necesidades individuales.

III. Los intelectuales y su gente

La República Dominicana precisa intelectuales a quienes les duela su gente, no como algunos de los que se expresan por los diarios nacionales que parecen carecer de visceras nativas y que importan sus inquietudes de la última revista extranjera que leyeron antes que de la experiencia vivida en su suelo. De ahí que a veces plasmen pareceres sobre asuntos que tienen muy poco que ver con un pueblo sin luz ni agua y sin un sistema ni judicial ni postal que funcione. No son pocas, por ejemplo, las columnas doctas que saludan con albricias el fin de la era ideológica en los mismos medios donde un periodista puede perder su trabajo porque su escrito critica al primer mandatario, menciona favorablemente a un desafecto del gobierno, o denuncia la inmundicia de los prelados del poder. Se trata de diarios cuya estabilidad económica se afinca en la doblez de directores genuflexos que saben cuáles ocasiones aprovechar para adular al Jefe del Estado o al Cardenal de Santo Domingo en nauseabundos editoriales. No, no vivimos una época post-ideológica. La caterva de ex-izquierdistas que, para poder colarse, anda haciéndole los mandados a la clase gobernante indicaría, más bien, que asistimos al monopolio de una ideología, la triunfante.

Muchos pensadores nuestros apenas muestran sensibilidad para los dolores que afligen a su pueblo. En los infortunios de la población parecen ver apenas un pretexto para desplegar destrezas de malabarismo mental y confirmar su liderazgo de sapiencia. Cuidándose de cualquier juicio comprometedor, pueden execrar la corrupción estatal, pero sin referirse a los hechos de actores conocidos en el terreno de las fechorías. Prefieren aludir a un esquema abstracto que remita a variables y categorías de índole planetaria, como la inversión de valores en el mundo contemporáneo, la lucha eterna entre el bien y el mal y el legado de una cultura política criolla malsana cuyas raíces se remontan a los tiempos de la colonia. En fin, logran condenar emotivamente el hurto, el tráfico de influencias, el chantaje, el nepotismo, el favoritismo en la asignación de contratos públicos y el abuso generalizado del poder sin llegar a herir la sensibilidad de uno solo de los arquitectos de la corrupción que corroe los distintos estamentos de la vida pública nacional.

Se pregunta uno qué tendrá que pasar para que la *intelligentsia* se pronuncie sobre los sucesos que pueblan las ondas sonoras y las páginas de los diarios. Caen hombres, mujeres y niños, ultimados por las balas del orden oficial, ofrendando sus vidas en la proeza de exigir lo mínimo: que haya luz y agua, que pare el alza del pasaje en el transporte público, que no se siga elevando el precio de la comida y que se detengan los brutales desalojos. Moralmente hablando, parecería claro quién es la víctima y del lado de quién hay que estar. Pero abre uno el periódico y encuentra artículos firmados por figuras de autoridad catedrática que ubican los disturbios mencionados en el contexto de la violencia mundial. Un artículo que viene al caso alude a los enfrentamientos escenificados en el país y pasa, acto seguido, a evocar la pugna de intereses en la que se ha debatido la humanidad por los siglos de los siglos. La autora, una conocida historiadora santiaguense, termina encumbrándose a altitudes celestes e insta a todos los miembros de la especie a reprimir el impulso que nos lleva a la confrontación. Admirable imaginación la que, de protestas reales y muertes concretas con víctimas y agresores reconocibles, en vecindades específicas de su país, desencama una exelsa ponderación sobre la violencia sempiterna y global. Aunque parezca un gran caso de sarcasmo profesoral, más bien se trata de una mentalidad para la cual duele más la violencia abstracta que la padecida por vecinos de carne y hueso en los barrios de la ciudad. Además, por razones de conveniencia material, a muchos intelectuales nuestros ya no les está dado defender causas de justicia social en su país, a pesar de su afán de seguir emitiendo criterios públicamente para mantener su vigencia como voces del saber.

IV. La supervivencia y la verdad

En el 1994 un cientista político de Santo Domingo interesado en procesos electorales me confesó que algunas veces, después de escribir comentarios con fines de diseminarlos a través de alguno de los diarios nacionales, los releía y, si les parecían muy atrevidos, terminaba engavetándolos. Me explicaba su autocensura de esta manera: "Mira, mi mujer y yo trabajamos en empresas vinculadas al gobierno. Los dos sueldos se necesitan para mantener el hogar a flote. Ahora mismo, yo no puedo darme el lujo de ofender a nadie en este país." Sustanciando la justificación de su fobia, me hizo saber de situaciones en las que debía uno cuidarse de lo que decía, aunque no se sintiera individualmente vulnerable. "Cuando no te pueden hacer nada a tí, te cancelan a un familiar," me contó. Es un cuadro penoso que inspira condolencia antes que repudio.

Nada tiene de objetable el que un profesional salvaguarde el sustento de su familia sometiéndose a limitaciones, aunque eso implique tener que callarse. Todos sabemos que criar hijos conlleva grandes sacrificios. Lo condenable es que los que se saben amordazados se empecinen en participar del discurso público escondiendo su silencio detrás de palabras hipócritas cuyo fin principal parece ser evitar la contradicción con nadie. El legado de Martí sugiere que sólo en la capacidad del desafío y en el compromiso impostergable con la verdad puede uno hacerse acreedor del nombre de intelectual. El intelectual no tiene ningún otro valor para la sociedad que no sea el de levantar el estandarte de la verdad, promover el juicio crítico y facilitar el mejor entendimiento de las cosas. Y nadie todavía ha descubierto la manera de desempeñar esa función sin una cuota de riesgo.

La razón de ser del trabajo intelectual reside en el servicio, en el afán de esclarecer lo turbio para beneficio de la colectividad. Los eruditos que viven guarecidos en la cómoda protección que les ofrece el reino de la mentira no llenan los requisitos para adoptar el apelativo de intelectuales. Tampoco lo llenan los sabihondos de conciencia barata cuya opinión viene siempre regulada por la gratitud que le deben al funcionario palaciego o al jerarca esclesiástico que les proporcionó un apartamento. No por tener pluma fácil, deslumbrar con los giros verbales o manejar ágilmente un rico caudal de vocablos alcanza uno automáticamente el rango de intelectual. Según el modelo martiano, el intelectual debe armarse con las ideas para mejorar la sociedad. Debe usar la palabra no para regodearse de su propia brillantez conceptual, sino para brindar conocimientos y alumbrar el camino. El intelectual ejerce una función vital en su comunidad. Su trabajo se justifica en la medida en que toca a interlocutores en la sociedad. Quienes no tienen nada qué decir no tocarán a nadie, lo cual invalida irremediablemente sus obras no obstante la erudición que desplieguen.

Mucho de lo que entre nosotros pasa por trabajo intelectual no es tal cosa. Publicar libros y artículos o dictar conferencias carece de valor en sí. Tendrá valor en la medida en que esa producción combata el oscurantismo, promueva la verdad o alcance la realización artística. Si la copiosa obra no hace tal aporte, entonces en vez de celebrarla estaríamos obligados a recriminarla como un derroche de papel y tinta que perjudica el balance ecológico. La sociedad les exige a los médicos, a los zapateros, a los mecánicos, a los contables y a los talabarteros demostrar que su obra vale, es decir, establecer su eficiencia en el servicio que se espera de ellos. Si su trabajo no sirve, pierden el empleo o el favor de los clientes, teniendo que cambiar de oficio o morirse de hambre. Los intelectuales no tienen porque estar exentos de esas exigencias básicas.

IV. Hacia una respetabilidad merecida

La tradición nos ha hecho permisivos con respecto a los letrados. Les guardamos incuestionado respeto por su erudición, capacidad de redactar textos, dominio de algunas lenguas o posesión de grados universitarios. Prestos a rendirles tributo y a condecorarlos, rara vez se nos ocurre ver en ellos a unos dichosos a quienes la fortuna ha hecho prósperos en capital social. Sobretodo en sociedades como la nuestra, carentes de un sistema de educación eficiente, gozar de una sólida formación académica y exhibir destrezas de políglota resulta tan envidiable como tener dinero, tierras, casas y carros. Erudición es posesión y no mérito. Denota el logro obtenido por individuos y no debe confundirse con virtud. Hay eruditos trepadores, envidiosos y mezquinos. Cada uno de nosotros puede mencionar a más de uno, tanto vivos como muertos, que han hecho grave daño al pueblo dominicano. No basta con leer ávidamente todo lo concerniente a determinada disciplina o escribir prolíficamente. Al final lo único que cuenta es si esa lectura o esa escritura ha traído como resultado un producto que beneficie a los demás. La obra del intelectual, en otras palabras, se hace digna de aprecio sólo cuando deviene en servicio a la sociedad.

Hemos sido excesivamente indulgentes con la *intelligentsia.* Le hemos rendido culto *a priori,* honor que suelen heredar sus vástagos. Hay más de un letrado que en nuestro país disfruta de prestigio intelectual conforme a una obra que realizó el padre, el abuelo y hasta el bisabuelo. Ya es hora de que antes de honrarlos, por lo menos nos cercioremos de su honorabilidad, que los evaluemos estrictamente a partir de su aporte y los ubiquemos en su justa dimensión. Debemos adoptar una visión equilibrada, orientada por la fórmula martiana que une el erudito al servidor. Debemos premiar sólo después de juzgar. Que reciban respeto únicamente los que se lo hayan ganado en el servicio. El portador de docta pluma cuya obra no avance el conocimiento sobre un asunto en particular, ni esclarezca nada, ni corra el peligro que demanda la búsqueda de la verdad o la defensa del juicio auténticamente crítico, debe sencillamente cambiar de oficio. Hoy vivimos un momento decisivo y no hay tiempo para sandeces. La crisis nacional no se reduce a «una dimensión perenne del país fantástico» ni puede aceptarse como «el precio que tuvimos que pagar para pertenecer a la cultura occidental» como quiere Enriquillo Sánchez, el conocido literato capitalino que, estando vivo el viejo, proclamó fundador del pensamiento dominicano moderno a Rafael Herrera, aquel sinuoso director de diarios que logró por tantas décadas armonizar astutamente con el régimen de Trujillo y su continuación balagueriana. La sociedad dominicana está exigiendo voces que sirvan como agentes de luz, cruzados de la verdad y promotores de la justicia. Quien, por razones de supervivencia material, no pueda hacer ese servicio a su pueblo que no lo haga. Pero que tampoco cometa la insensatez de llamarse intelectual.

Referencias

Balaguer, Joaquín. *Galería heroica.* Santo Domingo: Sin sello editorial, 1994.

David, León. "La magistral crítica literaria de Joaquín Balaguer." (2 de 3) *El Siglo* 4 septiembre, 1995: 5.

Hernández Franco, Tomás. *Juan Isidro Jiménez (sic) Grullón, el terrorista cobarde.* Ciudad Trujillo: Editora Montalvo, 1945.

Martí, José. *Sus mejores páginas.* México: Editorial Porrúa, 1976.

Rosario Candelier, Bruno. "El filólogo" *Un Perfiles de Balaguer.* Ed. Ramón Lorenzo Perelló. Santo Domingo: Fundación Pro-Cultura Dominicana, 1994.

Tena Reyes, Jorge. "Presentación." *El español en Santo Domingo.* Por Pedro Henríquez Ureña. 4ta ed. Santo Domingo: Editora Taller, 1982.

La intelectualidad dominicana ante la crisis nacional: De la apatía a la complicidad[8]

Yo no conozco a las personas que acuso. No las he visto nunca. No les guardo resentimiento ni enemistad. No son para mí más que entidades, reflejos del mal social... Mi única pasión es la luz. La anhelo por el bien de la humanidad, que ha sufrido mucho y que tiene derecho a la felicidad. Emile Zola. Enero 13 de 1898.

I. Soñando un país

Construir un país «con nombre de país» y no «de tumba, féretro, hueco o sepultura» requiere imaginación. Ayer, la patria vulnerada por la barbarie de una tiranía formal, el verso de nuestro Pedro Mir contempló la llegada de un día «cuando todo milagro sea posible/y ya no sea milagro el de la vida» (Mir 1991: 22, 73). Hoy, el país a la deriva, es preciso de nuevo el vuelo imaginativo, pero esta vez para concebir lo mínimo, para visualizar hasta lo pedestre. Demasiada gente nuestra ha sucumbido al escepticismo de que seríamos ilusos al soñar con una sociedad sin macuteo oficializado, sin dictadura económica y sin periodismo coartado. La noción de querer hospitales estatales abastecidos de jeringuillas, gaza, guantes, camas limpias, algunas de las medicinas esenciales y médicos capacitados o de aspirar a que en nuestro país un

[8] Publicado en la revista *Rumbo*, año II, nos. 99-100 (25 de diciembre de 1995): 39- 46.

empleado público preserve su puesto aunque se niegue a hacerle campaña al partido de gobierno suena utópico a los oídos de innúmeros ciudadanos. Ha cobrado auge la tesis derrotista de que en el país ya no hay salida porque sencillamente «esto se fuñó». Sin embargo, la intelectualidad está a tiempo de combatir esa desidia, ayudando a dar vigencia a la imaginación que el país necesita.

II. El compromiso de la intelectualidad

A nuestra clase instruida le toca hacer que prevalezca en la psiquis colectiva la idea de que la población tiene derecho a vivir «como la gente». La sed de justicia que se expresa diariamente en manifestaciones callejeras a través de toda la geografía nacional no se borra con meros epítetos derogatorios. Narciso Isa Conde ha dicho convincentemente que «los vándalos» son los otros, los responsables de las condiciones sociales que dan motivo a las protestas. Nuestros doctos pueden ayudar a concientizar a todos los sectores acerca de la necesidad de la transformación impostergable de nuestra realidad de tal manera que nos acerquemos un poco más a la vida ordenada. Con la realización de esa meta básica podríamos vislumbrar el día en que nuestro pueblo no se vea compelido a lanzarse en una yola por el inhóspito Canal de la Mona en busca del pan de sus hijos.

La conciencia ciudadana de la población deberá activarse hasta el grado en que la gente se espante ante el descaro de un ministro capaz de interrumpir el acto de inauguración de una escuela por faltar el retrato del primer mandatario, considerando insuficiente la imagen de los Padres de la Patria para dar solemnidad a la ceremonia. Esa conducta inolvidable la exhibió en octubre de 1995 el Dr. José Andrés Aybar Sánchez, Secretario de Educación, Bellas Artes y Cultos, según informe recogido por la revista *Rumbo* (Año II No. 93, p. 17), y eso no movió a ningún diario del país a editorializar su consternación sobre el hecho. Definitivamente hay que destrujillizar la sociedad si vamos a tener esperanza de desarrollo. Pero no bastará para eso la expulsión de los engreídos caciques que se han apropiado de la arena política dominicana. Habrá que aniquilar la herencia de vasallaje que ha auspiciado el surgimiento de jefes políticos que ven al país como su hacienda y al pueblo como su ganado, importándoles solamente aquello que se traduzca en la perpetuación de su disfrute lascivo del poder.

Lamentablemente, nuestra intelectualidad no está libre de culpa en el penoso drama nacional. Una buena parte de ella se ha hecho cómplice del despilfarro personalista que hoy corroe a la nación. Cobijados bajo la sombra pecaminosa de sotanas incélibes o enlistados en la servidumbre de conciliábulos palaciegos, muchos letrados nuestros han arrendado su talento a las instancias del poder. No son dueños de sus palabras ni poseen la libertad de defender a su pueblo. No hay que desesperar, sin embargo. Todavía queda en nuestro país gente seria. Hace unos 25 años, el poeta Mir leyó en la prensa un decreto mediante el cual el Presidente Balaguer inconsultamente lo nombraba miembro activo del recién creado Instituto de Cultura. Guarecerse bajo la égida presidencial de seguro habría traído al poeta beneficios materiales. Pero habría tenido que abrazar, juzgando por la directiva de dicho Instituto, una agenda controlada por «fuerzas retrógradas de nuestro país» con miras a la «conservación de las tradiciones más negativas». Por lo tanto, en carta fechada el 23 de enero de 1971 aparecida en *El Listín Diario,* el vate hizo constar su renuencia a legitimar un proyecto cultural que estimaba «vituperable y anti-dominicano». De igual manera, en el día de hoy existen intelectuales criollos capaces de reprimir la tentación de correr desenfrenadamente hacia el despacho presidencial a juramentarse tan pronto se enteren por la prensa de alguna posición oficial para la cual hayan sido designados sin ningún aviso previo.

Una porción de la intelectualidad dominicana no ha roto con la herencia de altura moral proveniente de los más nobles antepasados nuestros. Sin aspavientos, esa porción sigue emulando la dignidad legada por letrados del calibre de Juan Pablo Duarte. El venerado gestor del ideal independentista bien pudo haber pactado con Pedro Santana para luego facturar asegurándose un turno en el poder. Pero no lo hizo. Prefirió seguir padeciendo la dureza del destierro con tal de no faltar a sus principios. Similar talla la desplegó el santiaguense Pedro Francisco Bono, quien llegó a declinar la posición de Presidente de la República por considerar que «mucho dinero, lisonjas, la primera posición social de la República, cañonazos, repiques de campana y festejos oficiales» atentarían contra la limpieza requerida para continuar su prédica en favor de los mejores intereses de la patria (citado por Martínez 1971: 75).

El 28 de febrero de 1920, viendo los ramalazos y las llagas vivas en la espalda de Cayo Báez, el docto jurista Juan Bautista Pérez Rancier, entonces juez del tribunal adonde fue traído el torturado «reo», se negó rotundamente a legalizar la crueldad yanqui, manifestando frente al invasor una verticalidad comparable a la que exhibiría ante la desvergüenza criolla. Asimismo, en 1927 se opuso con firmeza al continuismo horacista y, años después, tan pronto identificó la ilegalidad asesina de la satrapía trujillista, renunció a los nombramientos oficiales con los que el régimen quizo neutralizarlo. Conocemos también la rectitud cívica de la educadora Ercilia Pepín quien, durante la ocupación norteamericana, se desveló sostenidamente en la lucha por recuperar la soberanía mancillada. Baste añadir el nombre de Evangelina Rodríguez, brillante y tenaz, quien no se valió de la formación académica para separarse de sus orígenes humildes, sino que regresó a ellos a hacer la diferencia. Apasionada enemiga de la opresión y la ignorancia, defendió con denuedo los derechos civiles de la mujer. Contrario a aquellas farsantes que se prestaron para legitimar la barbarie de la falocracia trujillista mediante puestos oficiales y cargos diplomáticos, Evangelina practicó un feminismo de verdad. Por eso hubo de padecer ostracismo y la violencia misógina del régimen.

Los letrados referidos en este diminuto muestreo sugieren el modelo de intelectual-ciudadano de cuya influencia puede beneficiarse la nación en su agonía por levantar el velo de abatimiento que hoy sofoca nuestra condición humana, fruto indudable de sesenta y cinco años de terrorismo de Estado y de corrupción. Hacer patente y enaltecer ese legado de grandeza es parte del servicio que la *intelligentsia* dominicana debe rendir a su pueblo. La población necesita reforzar sus propias destrezas de supervivencia moral y prepararse, con la ayuda de sus doctos, para encarar los nuevos retos del presente y el porvenir. Es una exigencia modesta la que hacemos a nuestros líderes del saber. No hablamos aquí de revolución socialista ni de utopía nirvánica. Se les pide únicamente hacerse eco del deseo colectivo de vivir en una sociedad organizada. Con ese pedido no se ciñe uno «a la vieja y manida posición del intelectual 'como vanguardia del proceso'», cosa que interpreta la conocida historiadora santiaguense Mu-Kien Adriana Sang Ben (1995: 6). Al externar ese llamado, estamos apelando, más bien, al principio de la buena fe o a la ley de la reciprocidad, es decir, a un marco de referencia mucho más elemental.

III. De ingratitud y reciprocidad

La *intelligentsia* se compone de individuos en quienes la sociedad ha hecho una gran inversión. La preparación académica, los grados universitarios y la capacitación profesional de que disfrutan tienen un precio alto que el pueblo de una u otra manera ha debido sufragar. No hay que doctorarse en economía para saber eso. La queja generalizada de los países que padecen «fuga de cerebros» lo muestra claramente. El enorme gasto que se hace en la formación de un individuo desde el kindergarten hasta la educación superior se derrocha cuando la persona emigra. La tierra natal se deshace de un valioso recurso. Los historiadores, los cientistas sociales y los catedráticos en estudios literarios —igual que los médicos, los químicos y los ingenieros mecánicos— no surgen de la nada. Son el caro producto del sudor nacional. Con toda propiedad, entonces, se les debe pedir que rindan un servicio a la colectividad. Negarse a rendirlo reflejaría falta de conciencia social o una ingratitud reprobable.

Aquellos miembros de la intelectualidad que acceden a la palestra pública a través de los medios de prensa se prestan más que nadie a que se les juzgue a partir de la noción del servicio a la colectividad. Publicar una columna semanal en un diario de circulación masiva representa un privilegio. El acceso regular a una página desde la cual hablarle a la sociedad eleva al autor a la categoría de autoridad con respecto al grueso de la ciudadanía. El control de ese foro legitima su voz y sus ideas, ubicando al letrado en la posición de moldear opiniones e influir percepciones. En sociedades con un grado de analfabetismo alto, los eruditos que mantienen columnas manejan un instrumento que la sociedad necesita[9]. Cargan sobre sus hombros una onerosa responsabilidad. Hasta qué punto cumplan con ella dependerá de si se ven o no como partícipes de un acuerdo tácito con esa sociedad que los ha capacitado. Si uno, ya en posesión del foro, escoge los temas o confecciona el tratamiento de ellos a la defensiva, es decir, atento sólo a la preservación de su bienestar individual, se comporta ingratamente. Es mala fe aceptar un privilegio e incumplir los deberes que del mismo se desprenden.

Un país en quiebra moral y material precisa intelectuales que ayuden a evitar el desplome total y asistan en la tarea de iluminar un sendero esperanzador, luchando contra los esquemas mentales que han obstruido el desarrollo. Concedo a Margarita Cordero que debo achicar el radio de mi aserto a fin de aminorar la probabilidad de «excesos», «equivocaciones» e «injusticias flagrantes», aunque no pueda evitar el «pecado de la omisión» por temor a convertir estas páginas en un catálogo nacional de la infamia (Cordero 1995). Mi juicio compete estrictamente a los eruditos no reconocidos como portavoces del poder. A las plumas de figuras tales como Ramón Alberto Font Bernard, Héctor Pérez Reyes y Aliro Paulino Segura no hay que exigirles pronunciamientos críticos sobre el estado de cosas reinante en la sociedad dominicana. Esos connotados señores han sido servidores y beneficiarios del régimen que ha dominado la arena política nacional desde el 1930. De manera efectiva, han vivido alineados al gobernante sin alardes de descontento social. Con el derecho que tienen a escoger un flanco político, han sido los fíeles colaboradores del

[9] Agradezco a León David el señalarme una posible ilogicidad en la versión original de esta oración (David 1996: 5C).

Estado autoritario y presidencialista, defendiéndolo consecuentemente y abogando por su conservación. Han sido coherentes. Eso los exonera del cargo de oblicuidad.

Diríjome, pues, a los letrados vigentes en el discurso público que se erigen como voces independientes pero cuyos textos coartan el juicio crítico, en vez de promoverlo. Conviene confesar, además, que mi definición del «servicio a la sociedad» parte de una identificación específica con los de abajo, esa abrumadora mayoría que tan severamente padece los azotes del marasmo que cunde a la sociedad dominicana de hoy. Debido quizás a mi propia extracción social o a una cosmovisión aprendida o al hecho de vivir en una comunidad diaspórica desprovista del don tranquilizante de la amnesia, no me es dable obviar las masas desposeídas al ponderar el drama nacional. No espero, naturalmente, que toda la clase instruida comparta mi identificación. María Aybar, por ejemplo, considera erróneo el que se pida a los intelectuales convertirse en «defensores de los indigentes, algo muy loable pero no lo único importante.» Sospecho que la defensa de «los indigentes» se hará más o menos «importante» dependiendo de la mayor o menor distancia social que nos separe de ellos o de la medida en que uno sea beneficiario o víctima del sistema político que reduce a la mayoría de nuestros compatriotas al desamparo de la indigencia (Aybar 1995: 6).

IV. Los intelectuales sirven para mucho

Habrá también quien desestime cualquier impronta destinada a estipular una «función» para los miembros de la clase instruida. Detalles como la «autorrenunciación» de Manuel Arturo Peña Battle podrían reflejar un patrón recurrente en el que se ve el autoritarismo recalcitrante enseñorearse invariablemente sobre «la tradición ideal del pensamiento liberal criollo». A partir de esto, podríamos concluir fatídicamente que «los intelectuales no sirven para nada» como asegura Andrés L. Mateo (1995: 7). Sin embargo, aplicando un modelo distinto de lectura, las evidencias aducidas por Mateo podrían llevarnos a ilustrar lo contrario, la inmensa utilidad de los eruditos. El mismo Peña Battle, por ejemplo, supo justificar de manera efectiva el asesinato de quince mil seres humanos en la frontera como parte de su construcción de una base teórica de apoyo a la horrenda dictadura. Peña Battle hizo una labor imprescindible en pos del reino de la perversidad. Su obra sirvió para mucho y su utilidad sigue vigente hasta el día de hoy. Baste ver el auge que hoy disfruten émulos suyos como Manuel Núñez y los demás integrantes de la Unión Nacionalista, para quienes la predica del odio antihaitiano constituye la base de su sustento.

Hoy tiene poco de inocua la «función» de la clase instruida. Cuando los doctos se distancian de la defensa de la justicia, la búsqueda de la verdad y la promoción del juicio crítico, se convierten, quiéranlo o no, en una fuerza de choque al servicio del poder. No se trata de negar a la intelectualidad el libre albedrío. Cualquier letrado tiene derecho a gastar sus columnas semanales en ponderaciones sobre la estructura de la amiba o la configuración de las anémonas. Lo que complica la cosa es el contexto. Sucede que en una sociedad en la que un Juan José Ayuso se torna objeto de un editorial negativo en el propio periódico para el cual ha laborado por décadas por haber criticado al primer mandatario, la amiba y las anémonas pueden garantizar la estabilidad y hasta el empleo del director del rotativo. Sin embargo, la población necesita escuchar sus voces de sapiencia orientando sobre asuntos cruciales para la supervivencia moral y material. Hay toda una gama de temas que requieren aclaración. He aquí una breve lista: la desaparición de Narciso González, el lenguaje negrofóbico que nuestra población negra y mulata le ha tolerado a funcionarios gubernamentales, el hecho de que la abolición de la esclavitud y los alzamientos de esclavos no figuren entre nuestras efemérides, el deterioro de todos los servicios sociales, la pasividad de nuestros juristas ante cada acto inconstitucional del Presidente, la temperatura moral que permite a truhanes pontificar en los programas de televisión sin que nadie los denuncie, la necesidad que tienen los principales periódicos del país de ofrendar todos los días la primera plana al Presidente o al Cardenal, la facilidad con que reputados criminales logran rehabilitar su imagen si gozan del favor del régimen, el desinterés en la democracia de aquellos empresarios que deben su prosperidad al favoritismo de una tiranía económica que los ha exonerado del riesgo de la competencia, y, finalmente, el destino de una literatura nacional a expensas de imprenteros sin aptitudes industriales que irrespetan la creatividad nativa con sobretiros editoriales clandestinos y desconociendo las deudas contraídas por contrato con los escritores.

Naturalmente, hurgar en el análisis de las inquietudes citadas conllevaría el leve peligro de lastimar alguna poderosa sensibilidad. Entonces se impone el instinto de la autopreservación en las columnas de los doctos. De ahí que asuman poses como la del triste literato capitalino que, afectado de la presuntuosidad de creerse por encima de los problemas nacionales, predica en sus artículos el credo de la frivolidad (Sánchez 1995: 6). Esa supuesta indiferencia acerca de lo político y lo social tiene poco de «independiente» puesto que auspicia la convivencia pacífica con lo que hay. De alguna manera vemos aquí la herencia de Rafael Herrera, maestro de sinuosidades y condonaciones, quien al día siguiente de instalarse de nuevo Balaguer, otra vez por vía fraudulenta, como Jefe del Estado en agosto de 1994, decretó ufano la ley del olvido y apeló a la tradición del borrón y cuenta nueva. De ahora en adelante, quien hable de «fraude» es «un desfasado», legisló el afamado editorialista, procurando neutralizar de ese modo aquella voz que clamara por la activación del recuerdo en un manifiesto titulado «Para que no se olvide». Añádase al ambiente aquí descrito, el protagonismo discursivo de propulsores del cinismo, modalidad de autopreservación por excelencia. Viene al caso el ex-líder comunista, hoy renombrado comentarista político, que aprovecha cada oportunidad que se le presenta para recalcar su harto difundida convicción acerca de la inexorable «eternidad» en el poder del actual Presidente. Estamos, entonces, ante paladines del saber que desde una postura de pretendida neutralidad han posibilitado el reinado de una mentalidad favorable a la permanencia del régimen personalista.

Puesto que nuestra intelectualidad ha servido para tanto a favor del poder, no es injusto pedirle que sirva para algo a favor de la población que padece las consecuencias. De no honrar el pedido, que por lo menos admita con franqueza el flanco político que ha escogido. De esa manera, el pueblo dominicano podrá tener una idea clara de quiénes son sus amigos y quiénes sus enemigos. Cuando se hace daño al país, se es «enemigo» independientemente de si uno ha escrito o no un texto poético que termine siendo canonizado en las antologías y las historias literarias del país. Esta afirmación es clara. No es una invitación a que juzguemos «la ficción» a partir de criterios extraliterarios, como insinúa Aristófanes Urbáez. Tampoco da pábulo a que se entienda, con León David, que estamos deformando «el problema planteado», reduciéndolo todo «a política, ideología y moral» (David 1995:5C). Lo dije una vez y tengo que decirlo de nuevo: la obra escrita de Tomás Hernández Franco incluye los textos dedicados a la sustentación de la inmundicia en un gobierno culpable de graves crímenes contra la humanidad. De igual manera, «la significación para la historia cultural dominicana de un Antonio Fernández Spencer» incluye su frecuente uso del talento verbal y escritural para promover agendas de gobiernos ilegales y opresivos, así como sus fechorías a la cabeza de la Biblioteca Nacional. Sobretodo para un hombre de letras, ese depósito del saber nativo debería cuidarse como un sagrado bastión cultural. Insisto en que presentar deliberadamente una versión higienizada de esos dos paladines del intelecto es suscribirse al análisis maniqueísta y promover la glorificación acrítica, atentando así contra la inteligencia de nuestros jóvenes.

V. Mala lectura y erudición

En los estudios literarios modernos nadie se azora frente a la idea de que mientras uno mejor conozca el corpus total de los escritos de un autor determinado mayor millaje interpretativo podrá sacar de cada uno de sus textos en particular. Es decir, los especialistas aceptarían como prudente la posibilidad de que algún escrito gestado por Fernández Spencer o Hernández Franco como parte de su servicio a la dictadura contenga algún detalle concebiblemente capaz de arrojar luz sobre tal o cual elemento de *Yelidá* o *El regreso de Ulises.* En la crítica literaria establecida se estimula la cotejación entre las diversas partes de la escritura completa de un autor con miras a determinar la posible existencia del diálogo interno denominado «intertextualidad». Util sería, por ejemplo, una lectura de *Yelidá* a la luz del discurso negrofóbico vigente en el régimen al cual el poeta servía en el momento de la composición del poema. Lo negro en el texto viene de Haití, es decir, se remite al marco de lo foráneo, lo que va perfectamente acorde con la teoría trujillista de nuestra etnicidad. También se podría notar un parentezco entre la jerarquía racial endosada por los mercenarios intelectuales del dictador y la escala de valores que el texto atribuye a las dos herencias que confluyen en la joven Yelidá. A ella le llegan «lujurias selváticas» por parte de su madre negra y «melancolías nórdicas» por vía de su padre blanco, según la exégesis propuesta por Mariano Lebrón Saviñón, quien sintetiza el personaje de la mulata así: «Hay en ella todo el frenético ancestro, pleno de supersticiones, del hijo de Africa. Y pudo más en ella su atavismo que el grito de la civilización» (Lebrón Saviñón 1994: 764).

Consideraciones de esta índole, contenidas en mi artículo «La oblicua intelectualidad dominicana» aparecido en octubre de 1995 en *Rumbo* (Año II No. 89), han causado un insospechado furor de parte de eruditos tornados evangelistas de la amoralidad y abogados de la autonomía de lo estético. Las «respuestas», cuando trascienden el *argumentum ad hominem,* tergiversan mi planteamiento. Primero aclaremos el asunto moral. La ciudadanía, sin tener que demostrar que ha llevado una vida inmaculada, impecable en todos los sentidos, tiene derecho a demandar de sus líderes una conducta digna. Afirmar que uno, siendo imperfecto, no puede pedir probidad a las figuras públicas es una falacia. Además, no se trata aquí de invadir la privacidad de ningún letrado. El que uno de nuestros doctos se entregue a la bebida, se atiborre de cocaína o promiscuya su cuerpo con varones o con hembras importa poco en cuanto conducta privada. Sin embargo, importa mucho si para costear sus apetencias desfalca el erario.

Jamás pretenderemos regular el soberano espacio de la intimidad. Lo que exigimos de nuestras luminarias es decencia, lo cual, al decir de Marguerite Yourcenar, es «un asunto público».

Tampoco ha sido nuestro interés escudriñar la naturaleza de lo estético. Nuestro texto se concentra en hacer un llamado a la clase instruida, instándole a emplear las palabras en la tarea de avanzar el juicio crítico, la justicia y la verdad. Jamás le invita a tirarse a la calle en son de protesta al lado de «las masas irredentas», como erróneamente supone un ripostador iracundo quien, hablando por encargo, me reta a «respaldar» las ideas con «los hechos». Sólo hemos externado algunos pareceres sobre el deber de la *intelligentsia* de usar las ideas para ayudar a efectuar un necesario exorcismo político y social en nuestra sociedad. Pretende el trabajo únicamente combatir «la alabanza servil y el fetichismo de falsos ídolos», tal cual lo captó Maximiliano Arturo Jimenes Sabater, quien, además, acierta en el reclamo de que separemos los errores cometidos por su padre Juan Isidro Jimenes Grullón de las "vilezas" atribuibles a un Hernández Franco o un Fernández Spencer. Incómoda de explicar resulta, por tanto, la coincidencia de tantas plumas doctas en la misma forma de mala lectura. Sólo una insufrible arrogancia me haría suponer que mi humilde prosa pueda trascender las dotes hermenéuticas de renombrados intelectos dominicanos. Cabe sospechar, entonces, que la tergiversación colegiada se deba a una estrategia consciente. Es decir, la carencia de un argumento capaz de defender la genuflexión y la adulonería probablemente les ha cerrado a los contestadores la posibilidad de «dar la cara» de otra manera que no sea recurriendo al sofisma de trivializar nuestros juicios.

VI. Sobre la autonomía de lo estético

Aún si nuestro «artículo de marras» tuviese algo que ver con el misterio de la creación artística, habría que recomendar alguna cordura analítica a los propulsores de la autonomía de lo estético. No sería bueno que nuestros jóvenes cayeran presa de la engañosa tesis que plantea la apoliticidad absoluta del texto literario y la crítica cultural. Por un lado, hasta la mera definición de cultura nos inserta inexorablemente en un campo donde se debaten intereses políticos. La voluminosa *Historia de la cultura dominicana* de Mariano Lebrón Saviñón, por ejemplo, sostiene que «no hay ninguna raicilla» en nuestra formación cultural que se pueda considerar «proveniente de nuestros aborígenes» debido a que «estos no tenían nada que ofrecer desde el punto de vista de savia enriquecedora». Hay algo de inhumano en esa declaración que niega categóricamente a los tainos la condición de entes culturales. Históricamente sería más exacto establecer que heredamos muy poco de los aborígenes debido al brutal genocidio y a la hecatombe perpetrada contra ellos, su cultura y su sociedad. Pero para hablar así habría que tener una perspectiva política que le permita a uno identificarse con el dolor de los caídos en la bestialidad de la transacción colonial antes que regodearse en el triunfo ensangrentado de los conquistadores. Además, la apreciación citada refleja un concepto harto superado en la culturología en el que sólo expresiones tales como la edificación de catedrales, los libros, la música clásica, el ballet y la pintura venían al caso para ilustrar los logros culturales de un pueblo.

En su definición de cultura, Lebrón Saviñón no sólo deshumaniza a los aborígenes, sino que, afín con la negrofobia de la vieja guardia, arremete contra los «africanistas». El distinguido erudito desdeña a quienes, según él, se empecinan en «darle un origen negro a todo nuestro folclor» e invoca la afirmación «siempre oportuna» de Flérida de Nolasco en cuanto a que: «La música folclórica dominicana es música española adaptada a los gustos nativos y sólo por accidente puede ser afectada por los salvajes ritmos africanos» (Lebrón Saviñón 1994:28-29). Vemos aquí un eurocentrismo feroz, al que se añade el antihaitianismo ya perceptible páginas antes en pasajes que caracterizan la gesta libertaria de los esclavos de Saint Domingue a finales del siglo XVIII como el levantamiento de «un pueblo de negros con afanes imperialistas» (p. 15). El autor insiste en el abismo racial que nos opone diametralmente a los haitianos, martillando alusiones a «las hordas negras» de Occidente y a nuestras «esencias españolas» (15-19).

En su conceptualización de la dominicanidad, el obeso libro de Lebrón Saviñón divulga el esquema de valores avanzado por los escribas del trujillato. Había sido articulado por el Presidente Balaguer en su libro *La realidad dominicana* (1947), el cual se reeditaría cerca de cuatro décadas después bajo el título de *La isla al revés* (1983), para ser groseramente recapitulado por Luis Julián Pérez en *Santo Domingo frente al destino* (1990).

Publicado originalmente en el 1982 por la editorial de la Universidad Nacional Pedro Henríquez Ureña, la misma editorial que publicaría la de Julián Pérez, la obra de Lebrón Saviñón reapareció doce años después en una edición atractiva patrocinada por la Comisión Oficial para la Celebración del Sesquicentenario de la República Dominicana. Es decir, a la hora de invertir fondos del Estado en la impresión de un escrito definidor de nuestra cultura, los directivos de dicha Comisión optaron por dar curso a las ideas representadas por Lebrón Saviñón. Hemos de suponer que los Comisionados conocen su asunto. No ignoran los aportes que académicos como Carlos Esteban Deive, Franklyn Franco, Dagoberto Tejeda y Marcio Veloz Maggiolo, portadores de una visión actualizada y humana de la cultura, han hecho al esclarecimiento de nuestro bagaje cultural. El hecho, pues, de que los Comisionados decidieran privilegiar precisamente un libro que promueve la teoría cultural dominicana proveniente de la tiranía trujillista no puede carecer de motivaciones y consecuencias políticas. Si no le econtráramos una explicación política, tendríamos que transarnos por la perfidia.

La definición cultural lebroniana, en su afán negrofóbico y su ardor eurocentrista, destierra a la inmensa mayoría negra y mulata del país de toda participación en la creación de nuestro acerbo. Es una conceptualización que desprecia abiertamente a nuestro pueblo, lo cual, independientemente de la naturaleza del móvil, puede desembocar en la mezquindad. Nuestros jóvenes mulatos y negros, sabiéndose nulificados en la representación oficial de lo dominicano, pueden llegar a creer que sus ancestros no han servido para nada. El consiguiente sentimiento de inferioridad puede inducir en ellos la patética necesidad de penetrar los círculos sociales exclusivos y, a fuerza de riguroso entrenamiento, emular los gustos que se asocian con la «gente fina», como una manera simbólica de alcanzar la elusiva blancura. Tal parece ser el sorprendente caso de Manuel Núñez, un escritor negro que defiende con más pasión que nadie la teoría hispanófila y negrofóbica de la cultura dominicana. Como carezco de pruebas para asegurar que los Comisionados alberguen en su alma el grado de maldad que implicaría hacer ese daño intencionalmente a la juventud de su país, prefiero asumir que se trata de la maléfica consecuencia de una conveniencia política. Es decir, los Comisionados simplemente han razonado que perpetuar los mitos culturales de la dictadura ayuda a la permanencia del actual gobierno que ellos favorecen, el cual se nutre de una mentalidad poco dispuesta a cuestionar el *statu quo* tanto cultural como político.

VII. De la literatura y el poder

No es fácil para la literatura habitar los predios de la apoliticidad. Cabe preguntarse si prima la apreciación estética o la motivación política, por ejemplo, cuando un testaferro de los que usan el seudónimo de Eloy Santos Rodríguez en *Última Hora* (29 de octubre de 1995, p. 11) desencama una declaración de Mario Vargas Llosa «en el periódico español *El País*» sobre «la condición de poeta de Joaquín Balaguer» para enrostrársela a la «intelectualidad 'liberal' dominicana» que «nunca le ha querido reconocer al presidente sus méritos poéticos». Que sepamos, «Bloque de notas», la columna que en el referido periódico firma el incorpóreo Eloy, jamás ha pretendido erigirse como foro de crítica o teoría literaria. Sin embargo, héla ahí, abanderándose de la importancia del Jefe del Estado como vate, con la misma picardía con que suele asaetear a los desafectos del gobierno, identificarse con las vociferaciones del Cardenal contra la Embajadora norteamericana o desmitificar el concepto de «anillo palaciego».

Dos acontecimientos literarios recientes en el país ilustran gráficamente la relación inextricable entre arte y política cuando media un contexto como el de la actual sociedad dominicana. El primero es la aparición de *Los que falsificaron la firma de Dios* (1992) de la autoría de Viriato Sención y el segundo la publicación de *Bienvenida y la noche* (1994) de Manuel Rueda. Ambos libros suscitaron debates y ambos pusieron a los comentaristas a alinearse en bandos. Tanto en un caso como en el otro se dió una transacción conceptual que involucraba a la obra, el criterio estético y el poder. La obra de Sención, como se sabe, obtuvo el Premio Nacional de Novela en 1993 por voto unánime de un jurado de expertos, pero Jacqueline Malagón, la entonces titular del ministerio de Educación, juzgó propicio, para bien de su gobierno, revocar la decisión de los especialistas. Luego el primer mandatario, alegando que la obra en cuestión difamaba a él y su familia, apoyó «soberanamente» la revocación anunciada por la funcionaría. Marino Vinicio Castillo, alias Vincho, un jurista proverbial por la vehemencia y la conveniente selectividad con que se autoproclama defensor de la justicia, mintióle al país desde su estrado televisivo, declarándose poseedor de pruebas fidedignas que descartaban a Sención como el autor de la novela, a la vez que tronaba pidiendo diez años de cárcel para el escritor.

Hasta el momento en que la ira presidencial bramó contra el libro de Sención, muchos comentaristas de renombre lo habían saludado como una novela importante, afín con el entusiasmo del público lector que ya se había tirado a la calle a devorar una segunda edición. Sin embargo, bastó un pronunciamiento negativo del primer mandatario, puntualizado con dos puñetazos sobre el atril ante las cámaras de la televisión, para que pararan de súbito los encomios provenientes de los literatos reconocidos. La obra automáticamente perdió validez como objeto de reflexión artística. La sensibilidad de nuestros críticos se subordinó al mandato de lo que podríamos llamar la estética presidencial. Los periódicos se congraciaron, entonces, mediante editoriales amistosos a la agenda literaria palaciega y cedieron sus páginas a plumas comprometidas con la misión de invalidar la calidad artística de la obra. La mayor aberración se dió con «Los que falsificaron la firma de Viriato Sención», un artículo de larga y torpe redacción escrito por el mercadólogo José Cabrera. El periódico *Hoy,* concluyendo el 1 de mayo de 1993, le dió cabida a cada una de las seis entregas del adefesio.

De la comunidad literaria reconocida salieron dos voces después de la novela de Sención haber sido deshauciada por el régimen: Juan José Ayuso y Bonaparte Gautreaux Piñeyro. El primero sostuvo que el libro no merecía el galardón que el jurado literario le había otorgado y el segundo avanzó el argumento de que la obra no reunía las condiciones necesarias para pertenecer al género de la novela. Los dos juicios, puestos en el marco de una discusión sobre asuntos literarios, no son en sí problemáticos. Pero ninguno puede despojarse de la carga conceptual latente en el contexto. Cualesquiera que fueran las inquietudes que movieron a Ayuso o a Gautreaux, el hecho ineludible es que el contexto en el cual ellos escogieron adversar a la obra de Sención los tornó en cruzados de la estética presidencial.

Con la obra de Rueda, *Bienvenida y la noche,* se agregaron niveles de complejidad. Subtitulado «Crónicas de Montecristi», el libro evoca, a partir de las memorias de la infancia del narrador, un momento clave en el ascenso político de Rafael Leónidas Trujillo. Ni siquiera el autor lo ha tildado de novela, pero el texto terminó concursando de manera exitosa en ese género. Ganadora del Premio Nacional, la obra fue objeto de algún debate puesto que hubo quienes quedaron estupefactos ante la decisión del jurado. Pero se alzaron voces doctas a exigir consideración y respeto por la estimable carrera literaria de Rueda y no hubo mayores consecuencias ni en el ministerio que expide el premio ni en la crítica literaria establecida. Paradójicamente, Gautreaux Piñeyro, quien había salido en defensa de la pureza del género novelístico cuando estaba en juego la obra de Sención, figuró entre los integrantes del jurado de expertos que sancionó a *Bienvenida y la noche* como novela. Noticias literarias brindadas en la sección dominical que dirige José Rafael Lantigua informan que Gautreaux, por motivos de viaje, se habría ausentado de las deliberaciones que culminaron en la selección de la obra de Rueda como la «novela» del año. Existe incluso la sugerencia de que el literato estuviese en desacuerdo con la decisión de otorgarle esa clasificación genérica al texto. Sin embargo, no le ha urgido comparecer ante la prensa a enderezar el entuerto con el mismo ardor que desplegó en el caso de Sención.

Se deja entrever, entonces, un grado dispar de compromiso con esclarecer el hecho estético cuando intervienen variables que debemos llamar políticas. Recalquemos el mar de implicaciones que se desprenden del contexto. Hay razón para pensar que adversar a Rueda resultaría mucho más oneroso que antagonizar a Sención. Un ícono literario de la vieja guardia, Rueda constituye un eslabón del *establishment* literario y cultural no sólo por el valor simbólico de su prestigio social como figura central de las letras nacionales y del campo musical sino como fuerza efectiva que controla espacios a los que puede obstruir o facilitar la entrada. Además, *Bienvenida y la noche* nos convida a una evocación nostálgica de la figura «varonil» y embrujante de Trujillo, gratificando metafóricamente al régimen actual, el que se ha nutrido ampliamente de toda una mitología en torno a las aptitudes individuales el Jefe del Estado. Es decir, temáticamente la obra de Rueda complace a la sensibilidad que reina en el poder. A la manera inversa, la de Sención le resulta tóxica. Mediante el uso efectivo de la alegoría, *Los que falsificaron la firma de Dios* pone en tela de juicio la inmaculada moralidad del Presidente y ejecuta una representación descortés de la jerarquía esclesiástica, cuyos líderes en la vida real ejercen hoy una enorme influencia sobre el acontecer cultural y sobre los proyectos de publicaciones que reciben fondos del Estado. Dado que desafiar a Sención conlleva menos riesgo que incomodar a Rueda, extraña sería la inocencia política en la posición que se asuma con respecto al logro estético de la obra de uno o la del otro.

Visto está que cuando el poder interviene en la relación de la escritura con la sociedad, el contexto le impide al texto la apoliticidad. Añádase un último caso a nuestra tipología. Nadie le niega propiedad, por ejemplo, al proyecto intelectual de León David al internarse apasionadamente en una indagación valorativa de la prosa crítica de Joaquín Balaguer. Uno podrá repudiar la irreprimida alabanza, la exaltación superlativa de cada oración gestada «por el numen pulquérrimo» del escritor comentado, por considerarla una apoteosis que da un mal ejemplo a nuestra juventud. En esa idolatría de un escritor, quienquiera que sea, reverbera la actitud de postración que ha impedido el establecimiento de la democracia en el país. La democracia depende de la presión que ejercen los gobernados al exigir respeto. La idea es estimular el surgimiento de una mentalidad de ciudadanos y despreciar a los vasallos, pues los vasallos generan dictadores.

Aparte de esa objeción, León David tiene todo su derecho a enaltecer la obra crítica de un autor en quien él encuentra «brillantez literaria» y «acuidad ponderativa» aunque ese autor presida un país. Pero no se debe ignorar el contexto. León David escogió como foro un acto descrito por la prensa como la «celebración del 89° aniversario del natalicio del gobernante». No fue un congreso crítico ni un panel sobre literatura. El fungió como figura central de un homenaje coordinado por «El Discipulado del Pensamiento y la Obra de Joaquín Balaguer», organización consagrada a la adoración casi religiosa del estadista, en un momento en que sectores conservadores representados en ese «Discipulado» propugnaban por la violación del Pacto por la Democracia y la extensión del actual período presidencial hasta el 1998, dos años más tarde de lo acordado. Al seleccionar esa actividad para emitir su alocución glorificadora de la crítica literaria del personaje agasajado, León David se hizo partícipe de una agenda estridentemente política. Su texto, a la luz del referido contexto, desbordó la esfera puramente literaria.

VIII. De la caducidad del dolor

Volviendo a la actitud de los intelectuales con respecto al bien público, muchas de las «respuestas» provocadas por mi escrito anterior revelan la concepción un tanto generalizada de que ya la clase instruida ha trascendido la preocupación por los oprimidos. En más de una ocasión se me acusa de revivir «polémicas» correspondientes a «la década de los años 70». Parece reinar entre muchos de nuestros doctos la presunción de que referirse a las masas desposeídas es desenterrar fósiles provenientes de un mundo caduco. De hecho, se trasluce en sus declaraciones la creencia de que articular la defensa de causas sociales, cosa que otros hicieron mucho antes que yo, refleja poca originalidad y hasta rezago intelectual. Debería uno avergonzarse, por tanto, de que lo «pesquen» enunciando propuestas de justicia social puesto que, según parece, el discurso intelectual ha alcanzado un plano superior de conceptualización en torno a la sociedad. Nuestros letrados no afirmarían necesariamente que la sociedad dominicana carezca de males. El drama nacional —con altas tasas de hambre, desempleo, criminalidad y abuso del poder— delata uno de los más bajos índices de garantía social en el hemisferio. La precariedad y la insalubridad golpean hoy a la población humilde de manera más demoledora que durante los sesenta y los setenta. No se han esfumado, por tanto, los problemas que tiempo atrás indignaron a nuestros colegas dominicanos. Es sólo que el discurso intelectual se divorció de la realidad concreta que debía describir. Se dió una bifurcación entre la palabra y la cosa que bien podría denotar incongruencia de no encontrársele una explicación.

Una parte de la explicación reside en nuestra tradición de colonialismo mental, la cual se manifiesta en la tendencia de nuestra *intelligentsia* a evaluar la realidad nacional a partir de esquemas importados de otras realidades. El discurso revolucionario articulado por nuestra izquierda obedeció casi siempre a pautas de planteamientos engendrados por contextos históricos distintos del nuestro. Ahora se da que últimamente las voces dominantes en las ciencias humanas europeas y estadounidenses han reducido notablemente el énfasis en los conflictos de clase y la necesidad de elevar el nivel de vida de los de abajo. Su atención la capturan en estos días paradigmas mucho más fluidos como la postmodernidad y la globalización. Esta nueva cosmovisión del pensamiento occidental ha conquistado, como había de esperarse, la imaginación de los estudiosos criollos. De ahí que algunos analistas de la sociedad dominicana hablen como si realmente sintieran que, habiendo alcanzado el fin de la historia, asistimos a una era post-ideológica aún cuando sus propias columnas necesiten cuidarse de no altercar con la ideología dominante si quieren seguir publicando en los medios importantes.

Parte de la explicación hay que buscarla también en la peste de conservadurismo que ha plagado a nuestra intelectualidad desde el deceso del bloque socialista. Ese acontecimiento trajo consigo una espesa capa de fatalismo que ha arropado de pies a cabeza a muchos voceros antes considerados «de avanzada». Mirando hacia el futuro, usan la reciente caída del Estado socialista para negar validez a la visión de una sociedad igualitaria y descreer del ideal de la liberación necesaria de los pueblos oprimidos. En el peor de los casos, del derrumbe de la Unión Soviética y su órbita extraen razones para declarar erróneo el haber invertido parte de su vida aupando la idea de la posibilidad de un mundo mejor. Ese estado anímico ha resultado en la proliferación del «izquierdista arrepentido» como una nueva especie en la fauna social, a la par con el surgimiento de un individualismo militante. Una buena parte de nuestros letrados ha abrazado la consigna de que la lucha por el cambio sólo tiene sentido en el ámbito de lo personal: cada quien agenciándose lo suyo.

Afortunadamente, sólo una minoría de la población dominicana profesa el credo del individualismo militante. El resto no podría, aunque quisiera. A nuestra gente no le queda otra alternativa que la de soñar con fórmulas colectivas. Como diría la colega Ramona Hernández, sólo unos cuantos disponen de los recursos necesarios para contratar los servicios de una compañía privada que les satisfaga sus necesidades de correo o comprar una planta eléctrica con la cual abastecer de energía su hogar u oficina. El resto, sin los medios de resolver individualmente el problema postal o energético, deberá seguir abogando por soluciones de índole social. Es decir, sólo unos cuantos privilegiados tienen con qué dar concreción al individualismo. Los demás necesitan aferrarse a la visión del mejoramiento social de la colectividad. No tienen otra salida.

Asimismo, no todos los dominicanos tenemos que aceptar el evolucionismo moral insinuado por los que encasillan la conciencia social en una etapa histórica ya superada. Los desheredados no han desaparecido ni ha habido moratoria en el sufrimiento de nuestros semejantes. No tiene nada de caduco el seguir conmoviéndose con el dolor humano en el seno de nuestra sociedad. Así como siempre hubo gente seria que no necesitó registrarse en un partido de izquierda para luchar por la igualdad, también hay quienes hoy no utilizan la caída del Muro de Berlín como una licencia para desentenderse de la sociedad.

No me intimida, pues, el que se asocie mi llamado a una usanza intelectual vigente durante los setenta, una época en la cual varios eruditos dominicanos que hoy dominan la palestra pública propulsaban agendas colectivas para el bien de la ciudadanía. Quizás era un tiempo en que ellos carecían de los medios para costear soluciones individuales a los problemas sociales. Yo objeto, más bien, a que se le achaquen a mi prédica raíces tan cortas. El origen de mis ideales no se remonta solo a los sesenta o los setenta. A mí me alimentan tambien fuentes más remotas. A mí me inspira el primer negro que, recién llegado con Nicolás de Ovando al suelo quisqueyano en 1502, evaluó de inmediato sus opciones: la estabilidad humillante de la esclavitud o la arriesgada incertidumbre de la vida cimarrona y, sin pensarlo dos veces, cogió el monte. Mi ideal remite a la primera mujer aborigen que se envenenó junto con sus hijos cuando no encontró otra manera de escapar del oprobio del cautiverio. Los dominicanos contamos con un legado longevo de rebeldía y dignidad, el cual jamás podrá reducirse a las «polémicas» en que participaron nuestros doctos veinte años atrás. De igual manera, con toda la tibieza moral que cunde en la sociedad dominicana, hay en nuestros días una parte de la ciudadanía dispuesta a perder cien empleos, cien igualas y cien oportunidades de publicación con tal de no doblegarse ante corruptos personeros del poder.

IX. El país necesario

Hasta aquí mi reflexión. He intentado hablar claro, haciendo lo posible por evitar la ambigüedad. También he vencido la tentación de caer en pugilismos librescos. Jorge Luis Borges, Richard Wagner,

Friedrich Nietzsche, Edgar Allan Poe, Ezra Pound, Marcel Proust y las demás luminarias enarboladas por mis adversarios no entran, por el momento, en la conversación que nos ocupa. Si los exhibicionismos de erudición valieran, otras fichas bibliográficas vendrían al caso con mayor relevancia. Pensaríamos en el *Infierno* de Dante por su condena a «los neutrales»; en *Las nubes* de Aristófanes y *Los viajes de Gulliver* de Swift por la burla contra los «cerebruses»; en el «J'accuse» indignado y justiciero de Zola y, finalmente, en el *Mephisto* de Klaus Mann por retratar el drama de un artista que tiene que lidiar con la inevitabilidad de que servirle como actor a la dictadura Nazi implica un compromiso con mucho más que el mero plano de lo estético. Pero no estamos para hacer gala de sapiencia escolástica. El tiempo apremia y la patria exige algo más que acrobacia mental.

Con un país en rápida y progresiva corrosión social, no hay excusa para que los doctos se ocupen de otra cosa que no sea ayudar a frenar el tren del desorden que nos conduce al abismo. El presidencialismo ya ha hecho suficiente daño. Nuestra clase instruida puede declararle la guerra a la noción enfermiza que cifra la esperanza del desarollo nacional en la genialidad de determinado líder. Hagamos caso a Ulises Francisco Espaillat: «la mayor calamidad que a una nación puede sobrevenirle es la necesidad de ser salvada por un genio». Nuestro reto consiste en ayudar a desmoronar el vulgar monopolio de las personalidades, suprimir para siempre la práctica que hace a todas las decisiones vitales sobre la vida nacional dependientes de una conversación personal con el Presidente en su despacho. Nuestro pueblo merece ascender a la categoría de plenitud ciudadana, de tal manera que la gente no necesite canjear su dignidad por el empleo o el acceso.

La nociva alianza entre amos abusivos y siervos pusilánimes no puede continuar. Nuestra juventud no tiene por qué seguir expuesta a la verborrea de obsecuentes voceros a quienes les importan los problemas nacionales sólo en la medida en que puedan afear el «buen nombre» del primer mandatario. El subdirector de cultura y diversión en *El Siglo*, señalando irregularidades en tal o cual estamento del Estado, ha apelado al padre mayor con esta querella: «Doctor,... alguien quiere tumbarle la casa encima al final de su larga carrera. Presidente: no permita que esos gamberros ensucien su imagen histórica, ¡resucite, coja el chucho...» (Urbáez 1995: 7C). El tenor de la queja, viniendo de un letrado que gusta citar a Octavio Paz, lastima el bien público tanto como los males que denuncia. Pues pone la organización de la sociedad a depender de la efectividad de un «chucho» paterno.

Hay conductas, como la de andar de hinojos, que deslucen a los intelectuales más que a todos los otros «trabajadores» en la sociedad. Pues a ellos le toca más que a nadie velar por los altos valores, tales como la justicia, la decencia y la verdad. Entiéndase bien. A ellos le toca esa tarea debido a la naturaleza de su oficio. No se trata de atribuirles superioridad moral ni clarividencia por encima del resto de la ciudadanía. Sencillamente, ellos, y no los ebanistas ni los talabarteros, escogieron operar con las palabras y las ideas para interactuar con su entorno. Ellos, y no los farmaceúticos ni los pulperos, dominan espacios claves en el marco del discurso público. Son ellos, por tanto, quienes disfrutan de los mecanismos de comunicación social a través de los cuales promover una forma constructiva de imaginarse la interacción de los ciudadanos con los gobernantes. Nuestra clase instruida tiene derecho a abstraerse de la defensa de los mejores intereses de la colectividad, prefiriendo usar la palestra pública para hilvanar ponderaciones sobre la amiba y las anémonas. Pero si usa ese derecho, que tenga la entereza de reconocerse como lo que es, una fuerza de choque al servicio del poder.

Referencias

Aybar, María. "En torno a un escrito irreverente". *El Siglo* 23 octubre, 1995: 6.

Cordero, Margarita. "A propósito de un artículo". *El Nacional* 28 octubre, 1995. Página editorial.

David, León. "Silvio Torres-Saillant: Del desacierto a la ofensa," 3ra. parte, *El Siglo* 27 enero, 1996: 5C.

David, León. "La función del intelectual (una respuesta al Sr. Silvio Torres-Saillant)". *El Siglo* 21 octubre, 1995: 5C.

Lebrón Saviñón, Mariano. *Historia de la cultura dominicana.* 2da. ed., tomo II. Santo Domingo: Comisión Oficial para la Celebración del Sesquicentenario de la Independencia Nacional, 1994.

Mateo, Andrés L. "¿Para qué sirven los intelectuales?" *El Siglo* 31 octubre, 1995: 7.

Martínez, Rufino. *Diccionario biográfico-histórico dominicano 1821-1930.* Colección Historia y Sociedad. Santo Domingo: Editora de laUASD, 1971.

Mir, Pedro. *Hay un país en el mundo y otros poemas de Pedro Mir.* Edición Especial Limitada. Santo Domingo: Taller, 1991.

Sánchez, Enriquillo. "Elogio de la frivolidad". *El Siglo* 18 octubre, 1995: 6.

Sang Ben, Mu-Kien Adriana. "Creo que soy yo". *El Siglo,* 24 de octubre, 1995: 6.

Urbáez, Aristófanes. Columna "El Roedor". *El Siglo,* 27 de octubre, 1995: 7C.

Identidad cultural como batalla: Hacia una visión nativa de lo dominicano[10]

El Príncipe Ai preguntó: "¿Qué debo hacer para que el pueblo me mire con estima?"
Confucio contestó: "Eleva al honrado por encima del malvado y el pueblo te estimará; si encumbras al malvado sobre los honrados, se te despreciará."
(Confucio 1979: 65)

I. Preámbulo

La contienda electoral de 1996 puso sobre el tapete la dificultad de definir étnicamente a los dominicanos. En la campaña se habló de quién representaba más nuestra nacionalidad. Se blandieron tesis y consignas sobre la nación, la cultura y la raza de nuestra gente. En términos generales prevaleció la confusión. Ahora, transcurridos los comicios y juramentado ya el nuevo Presidente, tal vez podamos

[10] Publicado en la revista *Rumbo* en dos entregas, Año III, no. 140 (7 de octubre de 1996): 33-36 y no. 141 (14 de octubre de 1996): 69-72.

retomar el asunto sin que seudopoetas beneficiarios del orden imperante atribuyan a la inquietud por el tema motivaciones "político-partidistas". Sirvan, pues, estos apuntes como una propuesta encaminada a nativizar el discurso sobre la dominicanidad. Pues nada ha imposibilitado tanto una conversación saludable sobre el tema como el hecho de que heredamos categorías definidoras forjadas por gente que nunca se identificó con la compleja particularidad del pueblo dominicano. De ahí la insistencia patológica en postular la negatividad, la plegaria nostálgica en torno a lo que podríamos haber sido y el énfasis en nuestras faltas, pérdidas, fracasos y defectos. De ahí la ecuación entre dominicanidad y desgracia, fórmula funesta con la que hemos arribado a la postrimería del siglo XX.

La meta por lograr en los años venideros ha de ser ayudar al pueblo dominicano a reconocerse en la genuina complejidad de su ser. Los ciudadanos futuros deberán ser capaces de verse y amarse en su herencia africana y multirracial, en las variadas manifestaciones de su espiritualidad, en su pluralidad genérica, en su completa sexualidad, en su criollidad lingüística, en la naturaleza sincrética de su formación étnica. Con la realización de esa meta se podrá salvaguardar la salud mental y el autorrespeto de la población. Para el año 2030, por ejemplo, podría existir una generación de dominicanos satisfecha con lo que realmente es. Sólo se necesitaría que para la fecha haya perdido fuerza la "fracción miserable" de que habló Juan Pablo Duarte, refiriéndose a una caterva recurrente en nuestra historia que se empecina en "hacer parecer al pueblo dominicano de un modo distinto de como es en realidad" (Duarte 1994: 28). En nuestros días esa "fracción" se compone de blancos enajenados, mulatos pusilánimes y negros acomplejados que se aferran a una visión negrofóbica, falocrática, antipopular y eurocéntrica de lo que significa la nacionalidad dominicana. Nuestra población logrará adueñarse de una representación afín con el rostro que la historia le dio cuando arrebate a sus enemigos nacionales el monopolio sobre las instituciones que median en la implantación de discursos, prácticas y gustos codificadores de su identidad.

II. La historia del poder

El pueblo dominicano variopinto ("como es en realidad") brilla por su ausencia en la imagen de la nación esculpida por los artífices del discurso oficial. El *Enriquillo* de Manuel de Jesús Galván y el *Compendio de historia de Santo Domingo* de José Gabriel García lo confirman. Ambas obras, suscritas a la imaginación imperial, revelan una cosmovisión que glorifica la expansión territorial de las naciones poderosas, a pesar de las poblaciones que cayeron aplastadas por el peso "civilizador" de ese terrible avance. Es decir, los de abajo no cuentan. La experiencia de la especie se reduce a la marcha ineluctable del poder. Esa sensibilidad inhumana se nos inculcó en las aulas escolares, donde aprendimos a gozar con la destrucción de la Galia por Julio César, las conquistas de Alejandro en el Oriente, las exitosas gestas bélicas de Vasco de Gama en Africa y la India, la conquista de México y del Perú por Hernán Cortés y Francisco Pizarro, respectivamente, y la entrada triunfal de Napoleón Bonaparte en el lejano Egipto. No se nos decía nada del dolor infligido a los caídos ni el desamparo multitudinario que acompañaba a cada una de las victorias imperiales contadas en los libros de historia. La malhadada educación nos bloqueó la solidaridad con los vencidos. Obnubiló nuestra percepción, impidiéndonos apreciar la rica diferencia y diversidad de la humanidad. Vimos expresión cultural estimable únicamente en las naciones productoras de enormes edificaciones (obeliscos, pirámides y catedrales) o dotadas de gran capacidad de agresión militar. Tampoco entendimos la crueldad padecida por los trabajadores cautivos que erigieron los grandiosos portentos arquitectónicos. Walter Benjamín nos recuerda que "no hay documento de la civilización que no sea al mismo tiempo un testamento de la barbarie" (1979: 560). Maynard Solomon lo glosa recalcando que: "las posesiones culturales de la humanidad, los más altos logros del espíritu, nacieron *intra feces et urinas* de la opresión de clase" (1979: 547). En la escuela perdimos acceso al saber que resumen las palabras de Benjamín y Solomon. Se nos socializó para identificamos con los conquistadores, los amos, los de arriba, aunque descendiéramos de los vencidos, los esclavos, los de abajo.

III. Dominicanidad y genocidio

Informada por la lógica imperial, la voz narratoria en el *Enriquillo* de Galván deja incuestionado el sistema colonial genocida que siguió a la conquista, aún cuando objete casos individuales de indignidad cometidos por españoles contra aborígenes. Nunca vistas de manera sistémica, las crueldades de los amos en el libro se explican como desviaciones atribuíbles a la conducta particular de tal o cual funcionario o soldado. La barbarie queda legitimada, dándosele vigor a la noción de que la conquista europea en las Américas fue un gesto de bondad. Pero la violencia genocida desatada contra los residentes originarios de las Américas carece de justificación. Nada de lo que se ha creado en la región desde el 12 de octubre de 1492 hasta el presente podrá jamás compensar la sangre derramada en el proceso de la colonización. ¿No debemos condenar crímenes que ocurrieron hace tantos siglos? Ya lo dijeron Diógenes Céspedes, Frank Moya Pons y muchos otros: legitimar el crimen de ayer es autorizar el de hoy y allanar el camino para el de mañana. Se puede afirmar con confianza, por ejemplo, que los celebrantes de la bestialidad colonial que se apandillaron en tomo al proyecto del *Faro a Colón* en el 1992, son, en pocas palabras, enemigos de la humanidad. Esa calaña se identificó con la masacre del 1937 en la frontera, aupó el asesinato masivo de 1962 en Palma Sola y, de hacérseles políticamente necesario, aniquilaría hoy a cualquier sector marginado de la población que desafíe el *statu quo.*

El *Enriquillo* de Galván brinda un modelo que atenta contra el sentido pleno de la justicia y la libertad. La obra idealiza y ennoblece la figura del cacique Guarocuya, confiriéndole una estatura moral superior a la de los indios que no fueron, como él, domesticados por la educación española. La novela propone una caracterización que desmerita a los habitantes primigenios de la isla que no se españolizaron, lo cual tiende a restar reproche al genocidio desatado en su contra en la vida real. Para enaltecer a su protagonista, a Galván le fue preciso higienizarlo, puesto que el Guarocuya histórico había terminado convertido en un brazo militar del régimen colonial. Sus servicios a las autoridades coloniales incluyeron la persecusión y captura de indios alzados y negros cimarrones para devolverlos al estado ignominioso de la esclavitud. El novelista bien podía haber dado el papel central a un Tamayo, guerrero anticolonialista comprometido con el ideal de la libertad, es decir, a un personaje que no requiriera higienización. ¿Cómo explicar, entonces, la preferencia del escritor? A mí me persuade esta respuesta: "Galván era un Enriquillo a la moderna," como apunta Pedro Mir en *Tres leyendas de colores* (1978: 166). De hecho, Galván encabezó la estratagema que entregó la soberanía dominicana a España en el año 1861. El tipo representado por Enriquillo y por Galván no se debe a una patria. Su estirpe aún se pasea altiva entre nosotros. Comprometido primordialmente con el poder, relación sin la cual no concibe la posibilidad del bienestar material, usa su liderazgo para desorientar a la población con el fin de preservar su privilegio. Miente sobre el pasado y sobre el presente, predica odio étnico y desfigura la imagen cultural de su pueblo si eso avanza su agenda personal.

IV. Los dominicanos y el contranacimiento

Galván y García interpretaron lo dominicano como una extensión inconsútil de la experiencia sociocultural de Occidente. Todavía hoy, desde las páginas de *El Siglo,* un triste literato capitalino difunde la insostenible tesis de nuestra correspondencia con la cultura occidental. Las puntualizaciones de Kamau Brathwaite, el gran poeta de Barbados, instruyen mucho sobre las cosas que nos distancian de Occidente. Una de ellas es Occidente mismo. Un caribeño no puede considerarse hijo de la tradición occidental como podría un francés, un italiano o un inglés. La presencia occidental en esta parte del mundo irrumpe con genocidios, plantaciones, esclavitud y expoliaciones. El término

"Renacimiento" enmarca un período de genial y abundante producción arquitectónica, pictórica, literaria y escultórica en varios países europeos. Pero la conducta de los europeos en el Caribe durante ese mismo período de tiempo marca una especie de "Contranacimiento".

A nuestra región no le tocó Leonardo da Vinci dándole las últimas pinceladas a su *Mona Lisa* ni Giovanni Pico della Mirándola exaltando la dignidad del ser humano. Le sobrevino el lúgubre drama de Cristóbal Colón y sus secuaces desbarrigando indios y estuprando indias. Occidente se expresó como constructor sembrando de catedrales e iglesias a innúmeras ciudades europeas, pero en Quisqueya se tornó destructor demoliendo templos e imágenes tainas, primero, e incinerando ciudades durante las "desvastaciones de Osorio," después. En Florencia, Miguel Angel terminaba de esculpir su impresionante *David* cuando Occidente, en el Caribe, se regodeaba en la muerte a través de la matanza de Xaragua por Frey Nicolás de Ovando y sus huestes europeas. A la vez que se gestaba el verso, en España, de San Juan de la Cruz y, en Francia, el de Pierre de Ronsard para engalanar la lírica occidental, el verbo europeo se abocaba a formular, en las Antillas, las técnicas del suplicio contra los esclavos fugitivos. Una ordenanza de la época estipula que el negro alzado, si no regresa voluntariamente al cautiverio en un plazo de veinte días, "que le sea cortado un pie" y que si su ausencia se prolonga por veinte días más "que incurra el dicho esclavo en pena de muerte, la cual le será dada de horca", según trascribe Deive (1989: 282).

En Santo Domingo, como en el resto del Caribe, Occidente experimentó una metamorfosis que resultó en la ruptura antes que en la continuación de las tradiciones culturales del "Viejo Mundo". La estadía en la isla de figuras destacadas de las letras europeas como Tirso de Molina, Bernardo de Valbuena y Alessandro Geraldini no justifican la percepción de que nuestra tierra, por más que se insista en llamarla "Atenas del Nuevo Mundo," fuera durante la colonia una extensión cultural de Europa. En este suelo había demasiadas condiciones intrínsecas al hábitat y se dieron demasiadas circunstancias particulares a la transacción colonial. No hay razón alguna para pensar que fuimos ni somos la misma cosa que los europeos. Naturalmente, ni los franceses, ni los españoles, ni los alemanes han compartido nunca esa confusión de algunos de nuestros publicistas. Ellos no solamente se saben distintos de nosotros, sino que apelan a la hostilidad para recordárnoslo. Véase la discriminación que sufre nuestra gente en España y otras partes del continente, sobre todo en los últimos años en que una xenofobia rampante permea el aire de esos lares. Las vejaciones sufridas por el dominicano Lorenzo Valdez López, quien, según crónica de *Rumbo* (Feb. 27, 1996), se ha querellado contra el Estado de Alemania ante la Corte Internacional de Justicia de la Haya, Holanda, insinúan el poco interés de Europa en reciprocar los amorosos votos de parentesco que algunos de nuestros columnistas persisten en profesarle.

V. España y la dominicanidad

Como apunta Moya Pons en *Elpasado dominicano*, José Gabriel García vió al pueblo dominicano "como un reducto hispánico que había quedado abandonado en medio del Caribe desde hacía varios siglos" (1986: 254-55). Es decir, el llamado "padre de la historia" no reconoció ruptura entre lo español y lo dominicano. Esa visión, cabe señalar, todavía perdura entre los herederos ideológicos de García. De ahí que en su libro *Colón, precursor literario* Joaquín Balaguer afirme que con el nombre del Almirante se inicia "la historia de la literatura dominicana" (1974: 9). El concepto recurre en la serie Biblioteca de Clásicos Dominicanos, publicada por la Fundación Corripio bajo la dirección del laureado poeta Manuel Rueda. Allí, Cristóbal Colón, Gonzalo Fernández de Oviedo y Bartolomé de las Casas, junto a otros cronistas españoles del principio de la colonia, reciben el rango de "precursores" de la literatura y el pensamiento dominicanos. El mulato Luis Julián Pérez, un nostálgico funcionario de Trujillo, llega en *Santo Domingo frente al destino* a la acrobacia de tornar el anexionismo en un gesto de autoafirmación patriótica. Según él, la clase gobernante del siglo pasado "propició la vuelta a España de la nación para convertirla en una provincia del Reino, última y decisiva batalla ganada por la hispanidad en nuestra isla, y a la cual se debe, sin duda, el mantenimiento del pueblo dominicano con sus señaladas características" (1990: 89). Para los dominicanos, asevera Julián Pérez, siempre importó más "el sentimiento de la hispanidad que el sentimiento de independencia" (p. 89).

La tradición que iguala lo español a lo dominicano siempre trae su rabia antihaitiana. Julián Pérez narra la masacre de miles de haitianos y sus descendientes para el 1937 en la frontera, sin duda uno de los más horrendos crímenes que registra la historia. Sin embargo, lejos de execrar el espeluznante acto, el ínclito mulato se solidariza con el gestor del genocidio. Trujillo, explica el añorante funcionario, alertó a los haitianos, pero ellos no hicieron caso. El Jefe, entonces, no tuvo más remedio que cumplir con su deber patrio: "Trujillo asumió toda la responsabilidad histórica, y los dominicanos que defendieron el honor de la República... no hicieron otra cosa que cumplir con su deber patriótico que les honraba y hacía merecedores de la gratitud de sus conciudadanos" (p. 99). Quizás no resulte superfluo añadir que el libro de Julián Pérez apareció bajo el sello editorial de una de las instituciones de educación superior más prestigiosas de la República Dominicana que la presentó al público lector con esta fanfarria: "La Fundación Universitaria Dominicana, Inc. y la Universidad Nacional Pedro Henríquez Ureña se complacen en patrocinar la segunda edición de esta importante obra escrita por el destacado jurista y hombre público dominicano don Luis Julián Pérez". Es decir, desde la cúspide institucional de nuestra academia se celebra y promueve el genocidio.

VI. Nuestros verdaderos progenitores

Los portavoces de la antigua cosmovisión historiográfica han narrado el devenir nacional como un idilio desprovisto de conflictos internos, obviando las tensiones que emanaron de la fricción entre distintos sectores de clase. Sus relatos recogen sólo las contrariedades atribuíbles a fenómenos naturales, como ciclones, sequías y plagas, o a la actuación de fuerzas externas, sean ataques de piratas o invasiones extranjeras. Pero sabemos ya que el pueblo dominicano "como es en realidad" no emerge sino de la tensión, los conflictos y el choque entre fuerzas en pugna. Nosotros poseemos una personalidad cultural definida debido precisamente a la manera peculiar como en nuestro suelo se interrumpió el hilo hispánico. Sin la discontinuidad no existe la dominicanidad. Por no entender eso, García menospreció en su *Compendio* algunos episodios conflictivos que desarreglaban su visión de la continuidad ibérica.

García subestima, por ejemplo, la rebelión de los esclavos en el ingenio Nueva Isabela, propiedad de Diego Colón, en diciembre de 1522. Dedicándole apenas un par de párrafos, el historiador relata el episodio como un mero contratiempo enfrentado por el Gobernador Don Diego durante su mandato. Puesto que, para él, Don Diego y los funcionarios del régimen colonial eran nuestros únicos ancestros, no había que reparar largamente en la insurreción. No era más que un paréntesis, una inconveniencia narrativa, tal como insinuaría luego Fray Cipriano de Utrera en *Santo Domingo: Dilucidaciones históricas* al descartar los alzamientos en la historia colonial dominicana como "alteraciones del orden público" (1995:281). Así, García resume la derrota de los rebeldes, diciendo que volvió a reinar "la calma en las poblaciones" (1968,1:100). Queda claro que para él los negros, siendo ya la mayoría para 1522, no formaban parte de "las poblaciones" cuya trayectoria su *Compendio* se proponía trazar. Su obra buscó a los progenitores del pueblo dominicano estrictamente en la minoría blanca que gobernaba la colonia.

Desde una perspectiva más inclusiva, la rebelión de 1522 aportó un cimiento vital a la configuración de lo que sería el pueblo dominicano. El arrojo con que esa comunidad oprimida intentó tirar las cadenas, inmolándose en pos de la dignidad humana, alumbró el camino que habría de seguir nuestra población en su lucha sempiterna contra una clase gobernante vampírica. Desgraciadamente, la visión esclavista del pasado dominicano se impuso, cautivando la imaginación de nuestra *intelligentsia*. Hasta un descendiente de esclavos como Ramón Marrero

Aristy, a quien por vínculo racial y extracción de clase le tocaba identificarse con los esclavos antes de con los amos, se ciñó a la visión de García sobre la rebelión del ingenio Nueva Isabela. Ello queda claro en *La República Dominicana: Origen y destino del pueblo cristiano más antiguo de América* (Marrero Aristy 1957,1: 81-82). Este es un libro en tres tomos sin más virtud que la constancia en los halagos a Trujillo no obstante la enjundia que le atribuye Héctor Pérez Reyes en un legajo de nostalgias trujillistas y falsificaciones históricas titulado *Mis dominicanos* (1995, II: 59).

El más vehemente heredero ideológico de García fue sin duda Bernardo Pichardo, cuyo *Resumen de historia patria* se convirtió en el catecismo mediante el cual el régimen de Trujillo inició a varias generaciones de escolares en el credo de la dominicanidad. Vale mencionar el uso que hace Pichardo de un alzamiento de negros libertos en la capital para el 1802. Los alzados buscaban subvertir el ignominioso régimen colonial. Sin embargo, a pesar de la justeza cristalina de su causa, el historiador se regodea en el triunfo de los opresores: "pero fueron sometidos por el bizarro don Juan Barón, heredero del valor legendario de la raza castellana que, al través de los tiempos y de cruentas vicisitudes, conservamos con orgullo sus descendientes, nosotros, los dominicanos" (Pichardo 1969: 64). Juan Barón y la minoría gobernante que él representaba troncharon la resistencia anticolonialista y facilitaron la entrada a Santo Domingo del ejército francés, el que inmediatamente restauró la esclavitud que el año anterior Toussaint Louverture había abolido. Es decir, Barón obstaculizó perniciosamente las aspiraciones democráticas de las clases populares en nuestro suelo. Pero eso no impidió que Pichardo instara a sus jóvenes lectores a identificarse con los opresores y desechar el ejemplo libertario legado por los insurrectos.

El *Resumen* de Pichardo mantuvo su vigencia hasta mucho después de la muerte de Trujillo. En el 1969, durante el régimen de "los doce años," apareció una segunda edición, preparada por Emilio Rodríguez Demorizi, que reanudó su presencia en el discurso oficial. Luego el *Resumen* cedió el paso a la *Historia de Santo Domingo* por Jacinto GimBernard, quien rumió la ideología de García y Pichardo. Al narrar la dominación haitiana, por ejemplo, GimBernard se detiene a destacar, entre los infortunios padecidos por los dominicanos durante los 22 años de la unificación, el "empeño" aprobioso de Jean- Pierre Boyer de "ennegrecer la población dominicana y destruir la cultura de que había hecho gala" (GimBernard 1971: 235). Es decir, GimBernard presenta la negritud como opuesta a la dominicanidad y como ente potencialmente destructor de la cultura dominicana. Vaya a saber el efecto desastroso que esa inicua doctrina debe haber tenido en la psiquis de la mayoría de los estudiantes negros y mulatos que debían consumir su obra como libro de texto oficial. Meses atrás, el ex-rector universitario Franklin Almeyda Rancier, en el calor de la contienda electoral, inventó una receta cultural que niega a "los negros puros" el nexo con nuestra nacionalidad. No mucho después, en el mismo fragor proselitista, el comentarista literario y catedrático Bruno Rosario Candelier, un mulato otrora inofensivo, advirtió sobre el peligro de elegir negros descendientes de los esclavos de la isla. El profesor estima que ellos, por vínculos sanguíneos y "reflejos culturales", albergan, "empotrada en su espíritu", una herencia de resentimiento, venganza y violencia (Rosario Candelier 1996: 5). He ahí a tribunos del evangelio cultural con que se ha intentado amodorrar a nuestra población. Esas voces, desde García hasta el presente, han causado el trastorno mental de cada negro o mulato nuestro que hoy, gorjeando palabras suicidas, se haga eco de esquemas negrofóbicos.

VII. La independencia y la raza

José Gabriel García silenció el levantamiento de los negros de Monte Grande, ocurrido en las inmediaciones de Santo Domingo el 28 de febrero de 1844, al día siguiente de la declaración de la Independencia. Dicha rebelión, con Santiago Basora a la cabeza, emplazó a los líderes del recién fundado gobierno a definir de inmediato la política racial que implementaría la República Dominicana. Tal magnitud alcanzó la insurrección que las figuras principales de la Junta Central Gubernativa, incluyendo al Presidente Tomás Bobadilla y al Vicepresidente Manuel Jimenes, detuvieron sus labores independentistas para trasladarse de inmediato al campamento de los alzados con el fin de negociar. Pues estaba en juego si la población negra y mulata, es decir, la gran mayoría del pueblo, daría o negaría su apoyo al Estado recién fundado. Para apaciguar a los rebeldes, los trinitarios debieron demostrar que la naciente República rompía definitivamente con la tradición esclavista. De ahí salió un decreto del 1 de marzo de 1844 reafirmando para siempre la abolición de la esclavitud en el territorio dominicano. La rebelión de Monte Grande, humanizó entonces, la política racial del Estado dominicano, imprimiéndole el principio de la libertad plena y la pluralidad social. Los montegranderos, a fuerza de presión, democratizaron el concepto de la nación dominicana. Vetilio Alfau Durán vió en los sucesos de Monte Grande "acaso la epopeya más gloriosa que ha librado una raza sufrida" poseída del ideal supremo de "¡La igualdad humana!" (Alfau Durán 1994: 395). Excluir, por tanto, a la mayoría negra y mulata del pasado o del presente nacional equivale a desfigurar la base misma de la dominicanidad.

Por eso duele tanto el titular "Apresan votante por negro" del matutino *Listín Diario* el pasado 17 de mayo (1996). La crónica correspondiente, firmada por Ana Mitila Lora, narra el percance sufrido el día anterior por el dominicano Miguel de la Rosa Santana al sufragar en la primera vuelta de las elecciones presidenciales de su país. Sucede que la "piel oscura" del ciudadano preocupó a los delegados del partido oficial, quienes apoyados por "uno de los delegados del Partido de la Liberación Dominicana," se apresuraron a cuestionar al sufragante. El personal de seguridad acto seguido detuvo a De la Rosa "para fines de investigación," se le hizo hablar "para comprobar si se trataba de un haitiano o un dominicano," se cotejaron sus señas personales con el padrón electoral y, tras establecer que el individuo llenaba todo requisito legal, se aceptó como válido su voto. El referido incidente reveló que en este "fluvial país" la negrura puede hacer a una persona sospechosa de extranjeridad. ¿Cómo es posible esto, precisamente en la cuna de la presencia negra en el hemisferio occidental, en la arena de la primera insurrección de esclavos negros en las Américas, en el lugar donde se escenificó la gesta de Monte Grande?

VIII. Los caminos de una dominicanidad menos ficticia

La respuesta a las interrogantes anteriores hay que buscarla en la vigencia que ha preservado en nuestra sociedad el discurso definidor instaurado por la *intelligentsia* del siglo XIX. Sus adeptos actuales han seguido rechazando al grueso de nuestro pueblo al construir su imagen de la nación. Han seguido privilegiando a una élite de blanquitos de clase alta y educación europeizante como representantes de la nacionalidad. Dada la escasez de blanquitos, la atención de nuestros doctos se ha concentrado en llorosas ponderaciones sobre nuestras pérdidas de capital humano en distintas crisis a lo largo de nuestra historia. Gimen al evocar la gente "de primera" que abandonó esta tierra a raíz del Tratado de Basilea en el 1795, a la llegada de Toussaint Louverture en el 1801 y al acontecer la unificación con Haití en el 1822. En sus historias literarias Pedro Henríquez Ureña, Abigail Mejía, Max Henríquez Ureña, Joaquín Balaguer y Néstor Contín Aybar tejieron patéticas jeremiadas sobre las familias blancas y cultas que se nos fueron. Nuestros doctos, pues, se dejaron seducir por las ausencias y por las carencias al intentar explicarnos. Nisiquiera una voz tan influyente como la de Juan Bosch parece haber hecho suficiente merma en la obsesión de los voceros oficiales de la dominicanidad al privilegiar las pérdidas y ausencias en el devenir nacional. El estadista y escritor en su *Composicion social dominicana* desaconsejó la nostalgia por lo que nunca fue, declarando la gente que no pudo irse como "la raíz de la nacionalidad", sin la cual "no habría hoy el pueblo dominicano". Necesitamos enaltecer esa sobriedad de Bosch y afirmar militantemente el rostro de la gente que se quedó, ese variopinto pueblo dominicano "como es en realidad".

Para lograr esa autoafirmación cultural necesitaremos salvar tres obstáculos conceptuales que obstruyen el encuentro con nosotros mismos. Primero, hay que purgar la negrofobia del discurso público sobre la cultura y la identidad dominicanas. No propongo combatir al racismo en el plano conceptual. El racismo, como entidad irracional, se muestra impermeable a todo razonamiento lógico. Nótese el cinismo en la invitación del órgano palaciego *El Siglo* a miembros de la intelectualidad capitalina para ponderar el racismo en la sociedad dominicana, "si ello es cierto" que existe (8-7-1996). Con el sentimiento antinegro en una sociedad poblada mayoritariamente por descendientes de africanos no hay manera sensata de dialogar. Nadie que se respete derrochará ni tiempo ni energía en sensibilizar a tozudos negrófobos y menos cuando sus desquiciadas filas incluyan a negros y mulatos. No procuremos, pues, convertirlos. En la privacidad de su hogar, quien quiera ser racista que lo sea. Lo que la población debe impedir es la prédica de credos racistas en el aula escolar, en los libros de texto y en los medios de prensa. Y eso se impide a la mala. Nuestro pueblo debe castigar a aquellos que atentan contra la salud mental de la ciudadanía, retirarles la impunidad de que han gozado hasta ahora.

En segundo lugar, hay que implorar a nuestros intelectuales que desistan del vicio de elevar al rango de teoría fundacional las falacias sobre la identidad escritas por pseudopensadores como Manuel Arturo Peña Batlle. Intelectual sobrevalorado, Peña Batlle no hizo un aporte significativo al entendimiento de la experiencia dominicana. Escrita principalmente bajo la compulsión de legitimar la tiranía a la cual servía como amanuense, su obra enturbió la reflexión sobre el pasado nacional. Predicó el odio antihaitiano, racializó la cultura, sobreestimó la hispanidad y fortaleció la negrofobia, en desmedro de la población predominantemente negra y mulata del país. Sorprende, por tanto, que surjan hoy intelectuales mulatos y jóvenes como Juan Daniel Balcácer identificados fervorosamente con la etnología peñabatllista. En un prólogo a los escritos del connotado autor, Balcácer se adhiere a la teoría cultural de Peña Batlle, proclamándose defensor de su obra y su persona.

Encuentro plausible la hipótesis del colega Francisco Rodríguez de León que interpreta existencialmente la predilección de nuestros doctos por Peña Battle. Es decir, a ellos no les seduce realmente la prosa, ni la erudición, ni la profundidad —poco descomunal en todo caso— del hiperelogiado ensayista, sino el drama del intelectual en su relación con el poder. Es empatía más que admiración. Peña Batlle quiso estar y no estar con la cruenta dictadura, prestarle su servicio sin asumir faenas proselitistas y disfrutar de altos rangos oficiales sin deponer su pretendida independencia, ondulaciones espirituales que el poder sencillamente no tolera. Nuestros doctos han visto su actual semblante reflejado en aquel espejo. Ellos hoy, como Peña Batlle ayer, saben, con Hamlet, que "algo está podrido en el Estado de Dinamarca" y logran astutamente torear el poluto orden de cosas, aparentando desacuerdo a la vez que preservan la relación cordial con un régimen que ha garantizado su acceso al bienestar y a la visibilidad. Tanto ayer como hoy, esa quejumbrosa condición existencial hace prácticamente imposible que el intelectual trabaje y luche "para que esa historia cambie", como pide Céspedes, o que funja como "perturbador del *statu quo*", el papel que le asigna el ensayista Edward W. Said (Céspedes 1996: 6; Said 1994: x).

El otro gran obstáculo que aleja a nuestra clase instruida del pueblo dominicano "como es en realidad" es la aversión por lo híbrido. La vieja *intelligentsia,* desvinculada social y culturalmente de su pueblo, hilvanó un discurso definidor plagado de imprecaciones en torno a la composición racial de la población. Trozos proverbiales de textos provenientes de la primera mitad del presente siglo achacan nuestro subdesarrollo a la mezcla racial. De la confluencia de españoles, indios y negros durante la colonización, según ellos, surgió una mixtura caracterizada por lo peor de cada uno de sus componentes. En esa hibridez de nuestro origen étnico residen "los gérmenes corrosivos que han impedido un desarrollo de civilización efectiva y prolífica," dice Federico García Godoy en *El derrumbe* (1975: 55). Ese fatalismo étnico no podía menos que conducir a la configuración de la ontología de la desgracia que todavía nos persigue. Adictos a la elusiva noción de la pureza, nuestros intelectuales rara vez han superado el desencanto que en ellos provoca la mescolanza de nuestro ser. De ahí la proliferación entre ellos del discurso negativo al ponderar lo criollo, lo autóctono, así como su pasión por las culturas europeas, en las que al parecer encuentran la homogeneidad que requiere su alma.

El sancocho, por ejemplo, constituye una de las más altas expresiones del genio culinario de la humanidad. Su encanto remite a "la pródiga multiplicidad de ingredientes dispares", como ha dicho James Gaffney en la revista *América* (mayo 2,1994). Su sabrosura afirma la riqueza de nuestro sincretismo cultural. Sin embargo, la pintora María Aybar no halla en esa comida más que desorden y confusión. "En nuestro país solemos confundirlo todo, por ello nuestro plato nacional es el sancocho," asevera la artista al refutar "un escrito irreverente", el cual ella ha descartado atribuyéndole "olor a sancocho" (Aybar 1995: 6). Estamos, pues, ante la soberbia de una clase instruida que se siente superior a la población y la cultura dominicanas. Similar apego a la tradición que define lo nacional como desventura reflejan las palabras del literato León David, cuyo texto de introducción a la obra pictórica de Tito Cánepa externa la amargura de tener que gastar sus días "en un país primitivo como el nuestro, en que la mente no se ha podido cultivar ni tampoco pulir ni refinar el gusto" (David 1984: 18). Ese juicio infausto nace de una mentalidad obstinada en celebrar lo puro. En una cultura como la nuestra, diferenciada por la hibridez, tales ideas no evidencian otra cosa que la incapacidad de entender y amar al pueblo dominicano "como es en realidad".

IX. La nueva intelligentsia

Naturalmente, todas estas consideraciones sobrarían de haberse insertado en el discurso público la erudición producida desde finales de los 60 por una generación de académicos abocada a rectificar la imagen vigente de la nación, la raza y la cultura dominicanas. Desde el oportuno volumen de Franklyn Franco *Los negros, los mulatos y la nación dominicana*, hasta los textos de Carlos Esteban Deive sobre la vida cimarrona y los esclavos rebeldes, han pasado dos décadas de constructiva actividad bibliográfica. Poseemos ya un cuerpo de conocimientos forjado por historiadores, sociólogos, antropólogos y literatos de avanzada con base para inaugurar una visión democrática, nativizada, auténtica de la dominicanidad. Existe un arsenal conceptual con qué desplazar la teoría eurocéntrica, negrofóbica y elitista de la experiencia nacional. Sucede, sin embargo, que mientras la nueva *intelligentsia* corregía el rostro cultural de la nación, el gobierno, la prensa y las demás instituciones que modulan percepciones seguían en manos de los paladines del trujillato. Entonces, el nuevo saber se enclaustró. Se circunscribió a la cátedra, a los congresos académicos y a cenáculos de lectores iniciados. Simultáneamente, el discurso cultural decimonómico enarbolado por el trujillismo siguió adueñándose de las aulas escolares y perpetuándose en las mentes de nuestros jóvenes. Parecería, pues, que en términos de concientizar a la población no dimos grandes pasos. Si reparamos en que hoy, en el año 1996, la negrura del ciudadano dominicano Miguel de la Rosa Santana puede hacerlo sospechoso de extranjeridad y ganarle vejámenes, debemos por fuerza admitir que apenas nos movimos.

En gran medida, hoy estamos peor que veinte años atrás. Pues para entonces reinaba en círculos progresistas de la sociedad dominicana una gran pasión por las ideas. Aunque a veces asidos a nociones apriorísticas de la verdad, había muchos intelectuales dispuestos a correr riesgos en la lucha epistemológica, lo cual les dio protagonismo en el plano del discurso, infundiendo a veces cierto grado de timidez en los herederos ideológicos de García, Pichardo y Peña Batlle. Mas hoy, por el contrario, una minoría conservadora, adscrita a la imagen de la nación dominicana promovida por la dictadura, ha logrado prácticamente monopolizar el discurso público en lo concerniente a la identidad cultural. Menos por talento y más por fogosidad, así como por el apoyo recibido del gobierno y sus adláteres, esa camada ha alcanzado la hegemonía ideológica en el debate sobre lo nacional. Quienes hoy le explican al pueblo el significado de la dominicanidad desde los medios masivos de comunicación son alabarderos del régimen como Miguel Angel Velázquez Mainardi y los voceros impetuosos de la Unión Nacionalista. No son ya reputados cientistas sociales como Dagoberto

Tejeda Ortiz, José del Castillo y Roberto Cassá, quienes han profundizado, respectivamente, en la religiosidad popular, las inmigraciones y la clase trabajadora. Desde su embravecida vanguardia, los voceros del poder han desterrado a la nueva *intelligentsia* de la palestra pública y se han apropiado del liderazgo en el plano del discurso cultural.

X. El poder de nombrar

En el *Génesis* Dios le otorga Adan al don terrible de dar nombre a las cosas, convirtiéndolo así en virtual amo de la Creación. Quien nombra determina en gran medida nuestra percepción de lo nombrado. Cuando ponderamos el asunto de la identidad cultural dominicana, debemos enfrentarnos al hecho inescapable de que el poder de nombrar está en manos enemigas, en sectores refractarios a nuestra complejidad. Las huestes aguerridas de la regresión mantienen el control sobre la definición de la dominicanidad. Los continuadores de la depravación trujillista son quienes se yerguen altivos a dictaminar el sentido que para nosotros debe tener la *nación* y la *patria*. El drama electoral pasado hizo patente los malabarismos del descaro. Un anciano Jefe de Estado, el mismo mandatario cuyo gobierno aplastó en 1960 el ideal patrio que encarnaban las hermanas Mirabal, auspició un "frente patriótico" para contrarrestar el "peligro" que pesaba sobre la nacionalidad dominicana. Podría decirse que con el triunfo electoral del "frente" se enseñoreó la definición oficial trujillista de *patria* y *nación*.

El discurso cultural que se promueve desde el poder, aun con lejanía de la verdad, siempre aventaja a los discursos competidores. Sólo hay que ver el alcance masivo que en los últimos años lograron los planteamientos "nacionalistas" del ex-presidente Joaquín Balaguer o del Cardenal López Rodríguez. El anterior primer mandatario, no obstante deberle su prolongada estadía en el poder a la ayuda de negros fieles como el Mayor General Enrique Pérez y Pérez, llegó en *La isla al revés* al descarrío de atribuir el subdesarrollo del país al ennegrecimiento de la población producido por la cercanía con Haití.

Partiendo de esa misma visión, Balaguer ha convidado de vez en cuando a la ciudadanía a preservar "lo dominicano," lo que en su peculiar racialismo implica *blancura.* Ha invocado con frecuencia la "amenaza" haitiana, la "fusión" y los demás males que seguirían a la elección José Francisco Peña Gómez, afro-dominicano de herencia haitiana elegido como candidato de la oposición. No importa cúan insensatas, todas las lucubraciones del caudillo han adquirido inmediata proyección nacional. Los periódicos principales han donado sus portadas para destacarlas. El ejército de periodistas alimentado por fondos palaciegos, "los muchachos de Guaroa," epíteto usado por un conocido articulista para referirse al personaje del gobierno encargado de recompensar a los columnistas y reporteros amigos del régimen, se ha hecho vigoroso eco de ellas. Con los vastos recursos del Estado para disponer a su antojo, el ex presidente superó las posibilidades de cualquier contendiente en la pugna epistemológica para imponer una visión determinada de la dominicanidad.

El Cardenal, por su parte, se adhirió a una visión afín con la concepción cultural balagueriana. El prelado ha dirigido entidades como el Patronato de la Ciudad Colonial y la Comisión Oficial para la Celebración del Sesquicentenario de la Independencia Nacional. Su vasta influencia se extiende por los periódicos, las divisiones de la Secretaría de Educación, Bellas Artes y Cultos, así como de otras instituciones estatales encargadas de costear la publicación de libros y diseminar conocimientos sobre la cultura dominicana. Su autoridad religiosa y su influencia política lo convierten en un muro de contención contra cualquier discurso progresista que se empeñe en soslayar la noción antigua. El historiador José Chez Checo, o cualquier otro de los académicos que laboran bajo la égida cardenalicia, podrá alegar independencia de criterios, pero hay razón para dudar que el jerarca eclesiástico permita la difusión de una teoría de la cultura dominicana reñida con el discurso oficial (Chez Checo 1996:30). Propongo, como prueba, revisar la lista de publicaciones de las instituciones del Estado sobre las cuales Monseñor López Rodríguez ejerce influencia para ver si se ha colado uno solo de los autores que durante los pasados 25 años han intentado contrarrestar la visión decimonónica y trujillista de la nacionalidad.

XI. Cultura política e identidad

Al dominio ejercido por los adalides del poder sobre la difusión del saber cultural, añádase la capacidad de los políticos para imponer un modelo de conducta tallado a su medida. El comportamiento de nuestros estadistas, candidatos presidenciales y funcionarios gubernamentales contribuye a estimular formas específicas de interactuar con la nación. Lo que las nuevas generaciones reciben de sus mayores a través de la praxis cotidiana tiene mayor valor de socialización que el ideario contenido en "las notas gloriosas" del himno nacional o en los manuales de moral y cívica. La conciencia nacional, antes del discurso, se cimenta en la acción. Cien tomos de historia, antropología o letras sobre los deberes patrios y los valores nacionales difícilmente competirán con el ejemplo dado por un solo mandatario. Cuando un presidente sube ilegalmente a la dirección del Estado y, en vez de caerle el peso de la ley, a lo Richard Nixon, logra gobernar a sus anchas y reelegirse dolosamente repetidas veces, con la adulación mercurial de periodistas, empresarios, mitrados y letrados, su ejemplo se torna objeto de emulación. Si la ilegalidad, al quedar impune, acarrea prestigio y bienes materiales, se impondrá como aceptable. Cada trepador, cuya conducta arribista le permita usurpar un lugar de relieve en la sociedad, ayuda a dar vigencia al credo de la sagacidad y a desanimar las aspiraciones de honestidad que puedan albergar los ciudadanos.

Por ejemplo, el Presidente Balaguer, encubrió el crimen y se mofó de la ley, en numerosas ocasiones. Rompió promesas y traicionó aliados. Ese comportamiento, sin embargo, le ayudó a sostener el mando absoluto por varias décadas y usufructuar de la prestidigitada admiración que el poder evoca en el alma de seres sin grandeza. "A mí particularmente, esta figura me deslumbra," dice de él el diputado perredeista Tony Raful, quien hasta llega a proclamarlo "civilista," exculpándolo de no haber asumido nunca "los costados despóticos del trujillismo como maquinaria terrorista" (Raful 1996:12,14). Ojalá no le duela demasiado ese parecer de Raful a la porción considerable de la población dominicana reducida a la viudez o a la orfandad por la violencia desatada contra disidentes durante el funesto régimen de "los doce años". La admiración que el poder inspira explica, además, el surgimiento de todo un folklore santificador de las patrañas cometidas por el ex presidente. Sus veleidades subieron al rango de genialidad política. Así, una vida pública repleta de improbidad se tornó seductora como modelo viable de conducta política. Dada la fascinación de dicho modelo, difícilmente podrán los dirigentes jóvenes, miembros de una generación amamantada por la vieja cultura política, resistir su fuerza embrujante.

En el actual panorama, con la nueva intelectualidad neutralizada por el poder y un periodismo justificador de las innoblezas del régimen, nos faltan entonces bases concretas para vislumbrar el ocaso del modelo balagueriano de cultura política. La prédica del bien público tiene asidero sólo cuando la sociedad no premia lo contrario. Y desgraciadamente nuestra población ha vivido inmersa en un orden de cosas que recompensa la vileza. Se sabe, por ejemplo, que los funcionarios del gobierno rara vez han tenido que demostrar eficiencia ni seriedad para preservar sus cargos. Con la lealtad incondicional al Presidente ha bastado.

La población dominicana actual, testigo ocular del hurto impune y del soborno oficializado, creció en un ambiente en el cual la fuerza se ha elevado siempre sobre la justicia y los más elementales principios democráticos. Por tanto, que nadie explique la longevidad del caudillo reformista en el ejercicio del poder aduciendo su legendario conocimiento de "la sicología del pueblo dominicano". La abundante evidencia histórica demuestra, más bien, que el actual envilecimiento de la sociedad dominicana se debe a una construcción en la que él ha fungido como destacado arquitecto. Nuestro pueblo ha padecido 66 años de uso sistemático de la violencia y la extorsión contra todo valor de decencia que pueda restarle hegemonía al Estado autoritario y personalista que nos ha acaecido. Por ejemplo, el ordenador de Lomé y dirigente reformista Angel Lockward durante las pasadas elecciones quedó sin empleo y fue expulsado de su partido por atreverse a externar una opinión distinta a la del Jefe supremo sobre el rumbo que debería seguir el partido en el futuro inmediato. Cuando el próximo representante de esa organización política, o de cualquier otra, reprima el deseo de disentir, por importante que pudiera ser su juicio para el bien de la entidad, su reticencia de ninguna manera respondería a una variable ancestral que modula la "sicología" colectiva de la ciudadanía. Sencillamente habrá aprendido su lección: si usted quiere triunfar en el sistema autoritario vigente, no se permita el lujo de contradecir al líder. Entonces, que el primer mandatario conozca y sepa manipular esa "sicología," un estado anímico que su régimen ha instituido, no tiene mérito alguno. No hay misterio en recoger los frutos de la cosecha que uno mismo ha sembrado.

XII. Democracia, cultura y dominicanidad

Las consideraciones anteriores conducen irremediablemente a la conclusión de que en la sociedad dominicana no puede darse una discusión sobre la cultura nacional y la identidad al margen del comportamiento de los políticos y los paladines del poder que a final de cuentas controlan el discurso público. Una conversación constructiva tendría que dar paso al cuerpo de conocimientos que cuestiona el saber legado por la intelectualidad decimonómica sobre la dominicanidad. Tendría que darse un orden social que no vea esa nueva erudición como una amenaza. Hoy, con el ascenso al gobierno central de un liderazgo joven inaugurado el 16 de agosto de 1996, contemplamos la posibilidad de que la ideología trujillista comience a perder vigencia. Divorciándose de la conducta típica del viejo régimen, los nuevos líderes podrían permitir la anulación de las teorías falsificadoras que hasta ahora, con el apoyo del Estado, han opacado el conocimiento de lo dominicano y han fomentado el desprecio de la población por lo verdaderamente suyo.

Cada modificación positiva en la conducción del Estado por el gobierno que preside Leonel Fernández estaría llamada a repercutir favorablemente en el establecimiento de una visión liberadora de la identidad cultural dominicana. El nuevo Presidente deberá achicar la potestad de su investidura para ayudar a la sociedad a despresidencializarse. Cooperar en la disminución de sus propias atribuciones garantizaría que quien lo sustituya el próximo cuatrenio herede una menor posibilidad de poder absoluto y que dentro de varios períodos presidenciales veamos el fin del sistema autocrático. Para contribuir a institucionalizar el país, el Presidente tendría que dar pasos como los siguientes: desestimar el culto a su persona; preferir aliarse a colaboradores capaces y con entereza en vez de a incapaces totalmente sumisos; privilegiar la ley por encima de la fuerza, la verdad por encima de la mentira, el respeto por encima del abuso; eximirse de comprar la prensa aunque tenga que rechazar centenares de ofertas de periodistas infames con plumas en venta; expulsar de la nómina palaciega a los pregoneros del escarnio que desde lucrativos programas televisivos han hecho carrera difamando a desafectos del gobierno; exigir de sus funcionarios un mínimo de tolerancia para que una simple diferencia de opinión no le gane a un ciudadano el más enconado ostracismo; mostrar sensibilidad ante el anhelo de justicia y las aspiraciones democráticas de la ciudadanía; y auspiciar un estado de derecho que posibilite la integración popular y plural del variopinto "pueblo dominicano como es en realidad".

XIII. Estado, iglesia y valores espirituales

Cierto es que para democratizar la sociedad dominicana habremos de fomentar la separación de los poderes gubernamentales de tal manera que legisladores, Presidente y jueces respondan a esferas diferenciadas de autoridad, supervisándose y limitándose entre sí. Mas, por urgente y básica que nos parezca dicha separación, en vano la perseguiríamos sin antes lograr su requisito: la separación de la Iglesia y el Estado. Entre nosotros, los jerarcas del clero se confunden con estadistas, aparte de que acompañan al primer mandatario en los actos oficiales con indefendible frecuencia. Protagonistas del discurso público en todos los temas, presiden todas las comisiones habidas y por haber y acaparan una porción descomunal del espacio político. Malversando los parámetros de la fe, a veces se han prestado a apoyar, obstruir o quitar gobiernos. Ayudaron a derrocar al Presidente Juan Bosch en el 1963. Durante el trujillato, con el liderazgo abominable de Monseñor Ricardo Pittini, quien dulcificaba al tirano dedicándole misas y encariñándolo con el diminutivo de "Rafaelito," se enlistaron en las fuerzas de la infamia. Durante la pugna electoral pasada, el Cardenal de Santo Domingo apareció por televisión —brotadas las venas del cuello, ojos salidos de sus cuencas y el rostro rojo de virulencia— profiriendo improperios contra desafectos del gobierno.

Cuando un purpurado se echa en sus ungidos hombros la tarea de descartar como "fábula" todo cuanto guarda la memoria colectiva de la ciudadanía sobre fraudes electorales tan recientes como los del 1990 y el 1994, queda claro que la mitra ha devenido palaciega. Se ha cambiado a Dios por Mamón. Se ha dañado la Iglesia y se ha vulnerado el Estado. El amor a Dios en las alturas y en la tierra a los humanos probos hace urgente el divorcio. Una alta autoridad esclesiástica no debe invertir sus homilías en filípicas contra individuos o partidos de la oposición. Cuando lo hace, su condición se reduce a la de un desaforado militante gobiernista, restándole respeto a su propia investidura. Internarse en la arena política como activista sectario implica, también, incurrir en las sinuosidades y contradicciones típicas de los políticos que se baten en el mercado electoral. De ahí las maromas espirituales que la población dominicana tuvo el pesar de presenciar en las acciones y posiciones del ínclito Cardenal.

Por un lado, su eminencia reverendísima se excede en beatería frente a unos infelices sin vivienda que ocupan templos católicos para guarecerse. Les dispara férvidas amonestaciones y los tilda de "chusma".

Por el otro lado, hace anuente silencio ante la profanación perpetrada por su aliado Marino Vinicio Castillo, alias "Vincho", al desplegar la imagen de Jesús como soporte legitimador de un programa televisivo consagrado a la difamación vulgar de personas contrarias al gobierno. Hablamos del mismo Castillo quien, como hace poco recordó *Rumbo,* hizo sacrilegos servicios hacia el final de la dictadura. El entonces diputado Castillo, cual locuaz cocuyo de la cordillera, protagonizó en la Vega actos de agresión contra Monseñor Francisco Panal, un clérigo que se había enemistado con el Jefe por criticar las injusticias el régimen. Es decir, ayer "Vincho" se condujo impíamente y hoy hace otro tanto sin la más mínima queja del más alto guardián de los símbolos católicos en el país.

El día 10 de agosto de 1994 el Cardenal firmó el Pacto por la Democracia, acuerdo que recortaba el período presidencial y excluía al entonces Presidente Balaguer de competir en las elecciones del 1996. El convenio se dió debido a la crisis nacional suscitada por el fraude electoral cometido por el partido oficial. El periodista Juan Bolívar Díaz narra los pormenores del criminoso proceso en su libro *Trauma electoral* (1996), una obra cuyo autor tendrá que comerse "hoja por hoja" según la horripilante amenaza proferida ante las cámaras de la televisión por el mencionado "Vincho". El "Pacto" aseguró la estadía en el poder, así fuese por solo dos años, del cuasi-nonagenario estadista. Por eso había que firmarlo. Pero tan pronto el caudillo ocupó de nuevo el mando, se desató una campaña "patriótica" para desconocer el Pacto y extender el mandato del criminoso Balaguer hasta el 1998. La voz del Cardenal tronó en denuncias contra el "imperialismo yanqui", supuesto propulsor del acuerdo según las consignas "nacionalistas" que se oyeron. Entrevistado por *El Diario-La Prensa* durante un viaje a Nueva York para enero de 1996, el clérigo instó a la violación del Pacto. En vista de que dicho convenio seguramente evitó al país un baño de sangre, la provocación del prelado reflejó una escasa preocupación por la posible tragedia nacional. Luego se hicieron inevitables las elecciones de 1996 y Monseñor Nicolás de Jesús López Rodríguez modificó la prédica. Las encuestas anunciaban que la abstención de los votantes beneficiaría al candidato desafecto del régimen. Entonces el Arzobispo arrancó con fervor, urgiendo a la población a lanzarse masivamente a las urnas. Es decir, se sumergió en el más profundo coleteo moral.

Hay que separar la Iglesia del Estado, no sólo para ahorrarle a los creyentes el espectáculo desolador de ver a sus líderes espirituales reducidos a ayudantes de campaña y auxiliares de políticos. La separación tiene además hondas implicaciones para la posibilidad de la democracia. Pues un país con presunta libertad de cultos no puede darse el lujo de identificarse exclusiva y plenamente con una religión en particular. Los dominicanos han desarrollado modalidades distintas de interactuar con lo inefable y entrar en comunión con el Altísimo. Nadie que realmente crea que "Dios es amor" y que todos somos hijos del Creador podrá al mismo tiempo perseguir a humanos que adoren a la divinidad de forma distinta a la suya. Nuestra espiritualidad se expresa a través de la adoración a los símbolos cristianos —católicos igual que protestantes— así como de la predominante religiosidad popular de origen africano o afrocaribeño. Se requiere apertura democrática, conciencia de nuestro sincretismo cultural y magnanimidad para tratar con humana delicadeza los dispositivos de la fe en la sociedad dominicana. Sacar la mitra del Palacio podría ayudar a ponemos más cerca del reinado de la igualdad y de la prudencia.

XIV. Los límites de la esperanza

Con la salida del palacio del caudillo reformista se ha abierto un hito de esperanza. Podría iniciarse de una vez por todas la postergada destrujillización de la sociedad dominicana. El nuevo gobierno podría detener el bloqueo del Estado contra la renovación del discurso cultural. La necesidad de aferramos a la esperanza, sin embargo, no debe hacernos incautos. Clavar los linderos de una nueva cultura política no es cosa chiquita. Se ha demostrado ya la eficacia del dolo para lograr y mantener el poder. Nadie ignora la efectividad de la violencia y la extorsión para alcanzar metas políticas. Se sabe a ciencia cierta que no importa cómo se logre el poder, los elogios y las condonaciones lloverán a cántaros. ¿Qué motivación tendrá, entonces, el nuevo gobierno para distanciarse de un modelo político demostrablemente exitoso? Además, la imposición por la fuerza del sentido trujillista de la nacionalidad dominicana, definida primordialmente por el odio antihaitiano y la negrofobia, puede todavía blandirse para evocar fidelidades "patrióticas" en ciudadanos culturalmente enajenados. ¿Por qué deshacerse de una reserva ideológica que pudiera resultar útil en contiendas electorales futuras? ¿Si desaparece la negrofobia y el odio antihaitiano, cómo podría uno convocar "frentes patrióticos" en los años venideros? He ahí nuestro dilema: pedir a nuestros políticos que abandonen una práctica que ha sido fructífera para sus congéneres. Se trata de una petición espinosa. Es pedirles trillar senderos desconocidos. Es pedirles, incluso, arriesgarse a perder el mando.

Carecemos, pues, de un imperativo pragmático que ofrecer al nuevo liderazgo político como incentivo para abrazar un modelo de conducta ajeno al ejemplo de sus mayores. Debemos apelar, entonces, a la conminación moral. Ninguna exaltación de la dominicanidad que se aferre al oscurantismo trujillista tendrá jamás asidero en la conciencia de gente de buena voluntad. Toda valoración de la patria deberá enaltecer la igualdad racial y de género, la libertad de expresión y de cultos, la consideración por los humildes, el respeto por los trabajadores y la solidaridad con los desheredados, vengan de Villa Mella, de Washington Heights o de Jacmel. La nacionalidad dominicana deberá enarbolar valores humanísticos y girar inexorablemente en tomo al eje de la dignidad humana. La gente sabe que las prédicas de odio y la depravación racista no hacen ningún bien a la nación dominicana. De no descontinuarse la abusiva distorsión, el pueblo dominicano agotaría su caudal de paciencia. Nuestra gente, que es tranquila pero no imbécil, conoce bien la trayectoria de los voceros del "dominicanismo" puesto en boga por el conservadurismo oficial. Su casta ideológica está vinculada a hechos que demuestran poco amor por nuestro pueblo. Su *curriculum vitae* incluye la barbarie del trujillato, la matanza de Palma

Sola, la destrucción de la democracia con el golpe militar de 1963, las viudas y los huérfanos de "los doce años," la temible "banda colorá", el éxodo forzado de más de un millón de ciudadanos, los apagones, la insalubridad, la quiebra de las industrias del Estado, la recurrencia del fraude, el desfalco al erario y la constante violación de la ley desde arriba, para no alargar la lista. Su historial los denuncia como incontestables enemigos del pueblo dominicano. Nadie pisoteó nunca los valores de la patria como ellos. ¡No, no son patriotas ni serán jamás desagraviables!

La agresión racial que sufrió Miguel de la Rosa Santana al intentar votar en las elecciones del pasado 16 de mayo muestra la forma concreta que puede asumir la pugna epistemológica en torno a la dominicanidad. Esa bofetada a nuestra negritud, la que alcanzó publicidad por ocurrir en el colegio electoral adonde le correspondía sufragar al entonces Presidente de la República, sintetiza los múltiples casos de similar indignidad propiciados por los atrincherados continuadores de la doctrina étnica trujillista. Para esa recua de *orcopolitas,* como les llamara Duarte (1994:24), la sociedad no ha rebasado la estratificación racial de los tiempos de la colonia: ellos, un puñado de blanquitos e indecisos mulatos arriba, definiendo la nacionalidad, y la inmensa mayoría de la población de descendencia africana y multiracial abajo, padeciendo las consecuencias. Mas, dicho suscintamente, la negrofobia, en tanto cuanto ultraja a la mayoría de los dominicanos, es fundamentalmente antipatriótica. Casos como el de De la Rosa muestran la vulnerabilidad del pueblo frente a la violencia desatada por sus enemigos. Pienso que el día menos pensado el pueblo responderá con una violencia proporcional. Y esa respuesta impulsará la nativización de lo dominicano con una profundidad insospechada hasta para el más perspicaz de nuestros académicos.

Referencias

Alfau Durán, Vetilio. "Cómo acabó la esclavitud en Santo Domingo: El suceso de Monte Grande". En *Vetilio Alfau Durán en Clío:*

Escritos (II). Ed. Aristides Incháustegui y Blanca Delgado Malagón. Santo Domingo: Gobierno Dominicano, 1994: 361-396.

Aybar, María. "En tomo a un escrito irreverente". *El Siglo,* 23 octubre, 1995: 6.

Balaguer, Joaquín. *Colón, precursor literario.* 2da. ed. Santo Domingo: Sin sello editorial, 1974.

Benjamin, Walter. "Theses on the Philosophy of History". *Marxism and Art: Essays Classic and Contemporary.* Ed. Maynard Solomon. Detroit: Wayne State University Press, 1979. 559- 561.

Céspedes, Diógenes. "La precaria libertad (LXXXII)". *El Siglo* 12 enero, 1996: 6.

Chez Checo, José. "José Chez Checo: Del Patronato de la Ciudad Colonial a la Sociedad de Bibliófilos". Entrevista por Clodomiro Moquete. *Vetas,* año II, no. 16 (febrero 1996): 30- 31.

Confucio. *The Analects (Lun Yü).* Trad. D.C. Lau. Harmondsworth, Middlesex: Penguin Books, 1979.

David, León. *Cánepa.* Santo Domingo: Galería de Arte Moderno, 1988.

Deive, Carlos Esteban. *Los guerrilleros negros: Esclavos fugitivos* v *cimarrones en Santo Domingo.* Santo Domingo: Fundación Cultural Dominicana, 1989.

Duarte, Juan Pablo. "Ideario de Duarte". En *Vetilio Alfau Durán en Clío: Escritos (II).* Ed. Arístides Inchaústegui y Blanca Delgado Malagón. Santo Domingo: Gobierno Dominicano, 1994: 23-31.

García Godoy, Federico. *El derrumbe.* Prólogo de Juan Bosch. Santo Domingo: Editora de la UASD, 1975.

García, José Gabriel. *Compendio de la historia de Santo Domingo.* Vol. 1, 4ta. ed. Santo Domingo: Publicaciones ¡Ahora! C. por A., 1968.

Gimbernard, Jacinto. *Historia de Santo Domingo.* Santo Domingo: Offset Sardá, 1971.

Julián Pérez, Luis. *Santo Domingo frente al destino.* 2da. ed. Santo Domingo: Fundación Universitaria, Inc./Universidad Nacional Pedro Henríquez Ureña, 1990.

Marrero Aristy, Ramón. *La República Dominicana: Origen y destino del pueblo cristiano más antiguo de América. Vol. 1.* Ciudad Trujillo: Editora del Caribe, C. por A., 1957.

Mir, Pedro. *Tres leyendas de colores: Ensayo de interpretación de las tres primeras revoluciones del Nuevo Mundo.* 2da. ed., Santo Domingo: Editora Taller, 1978.

Moya Pons, Frank. *El pasado dominicano.* Santo Domingo: Fundación J.A. Caro Alvarez, 1986.

Pérez Reyes, Héctor. *Mis dominicanos.* Vol. 2. Santo Domingo: Sin sello editorial, 1995.

Pichardo, Bernardo. *Resumen de historia patria.* 5ta. ed. Colección Pensamiento Dominicano. Santo Domingo: Julio D. Postigo, C. por A., 1969.

Raful, Tony. "Palabras para un texto crítico de historia reciente". Prólogo a *Lecciones de trujillismo y balaguerismo para el discipulado.* Por Ismael Hernández Flores. Santo Domingo: Sin sello editorial, 1996: 11-14.

Rosario Candelier, Bruno. "Carta abierta a Macio Veloz Maggiolo". *El Siglo,* 24 junio, 1996: 5.

Said, Edward W. *Representations of the Intellectual.* New York: Pantheon Books, 1994.

Solomon, Maynard. "Walter Benjamín." *Marxism and Art: Essays Classic and Contemporary.* Detroit: Wayne State University press, 1979: 541-547.

Utrera, Fray Cipriano de. *Santo Domingo: Dilucidaciones históricas.* Santo Domingo: Secretaría de Estado de Educación Bellas Artes y Cultos, 1995.

ENTREVISTA
Ghetto, literatura y dominicanidad en Nueva York[11]

Por Clodomiro Moquete

Clodomiro Moquete. - Quiero comenzar nuestra entrevista hablando de tí. ¿Qué haces en Nueva York? ¿Cómo llegas allá? ¿Por qué diablos estás en Nueva York?

Silvio Torres-Saillant.- ¿No podemos comenzar hablando de *Vetas*? Permíteme hablar de *Vetas.*

CM.- Bien.

STS.- Te quiero felicitar porque *Vetas* es, para mí, un proyecto que cambia mucho el panorama literario en la República Dominicana. Viene a suplir una necesidad existente de una especie de suplemento cultural *como es debido.* Los franceses dicen *comme il faut. Como es debido* quiere decir que se distingue de los anteriores, los cuales normalmente han cometido el gran pecado de abocarse a masajear el ego del director. En suplementos culturales de periódicos encuentras que el trabajo de fondo casi siempre es del mismo editor, lo cual es una barbaridad, y eso explica de alguna manera su fracaso y su respectiva desaparición.

[11] Versión retocada de una entrevista aparecida en Vetas, año IV, no. 27 (febrero de 1997): 16-21.

Vetas promete quedarse porque el editor ha descubierto que también se demuestra talento y se gana mérito en la difusión del trabajo de otros, en la divulgación de la cultura y la creatividad de la sociedad de la cual se es parte. Crear foros para difundir la obra de tus semejantes y fomentar la reflexión sobre la cultura, el pensamiento y las artes de tu gente es en sí super meritorio. El editor que logra eso tiene razón demás para sentirse satisfecho sin tener, además, que escribir los artículos principales de la publicación. También me parece que *Vetas* aventaja a otros en que no está ligado inextricablemente a un grupúsculo de personas que se creen artífices de la cultura dominicana y que, al ser siempre los mismos, tienden a decir siempre lo mismo, perdiéndose por tanto la variedad y el interés. De ahí que hayan desaparecido tantos de esos suplementos y que, dicho sea de paso, su desaparición haya causado tan escasa lamentación.

¿Cómo llego a Nueva York? Más que llegar soy traído por mi madre en el año 1973, como parte del gran flujo migratorio, el gran éxodo dominicano que comenzó a mediados de los sesenta. Mi madre vio en la salida del país la única posibilidad de garantizarle una vida más o menos decente a sus hijas e hijos. Ya residía allí mi hermana mayor Melania que le facilitó el viaje a mi madre, quien a su vez se fajó como una tora a crear las condiciones materiales para poder traernos al resto de nosotros. Nos trajo y ahí comienza mi vida en Nueva York.

CM.- ¿De dónde eres?

STS.- Soy natural de Santiago de los Caballeros. La parte consciente de mi niñez discurrió en los barrios de Pueblo Nuevo y el Ensanche Bolívar.

CM.- Dice Frank Moya Pons que los dominicanos descubren allá en la diáspora que son negros. Aquí, en el país, seguro que tú eras, antes de viajar a Nueva York, un *blanco de la tierra,* pero allá descubriste que eres un negro.

STS.- Sí, bueno, los dominicanos descubren algo importante sobre su fenotipo. Sin desmentir la observación de Moya Pons, yo preferiría decir que los dominicanos allá adquieren un vocabulario con el cual referirse a su negritud. Los dominicanos, en términos generales, no son locos. No es que desconozcamos la piel que nos arropa la carne. La gran mayoría de nuestra población tiene cinco sentidos y, al verse en el espejo, la vista le indica el contraste de sus facciones en comparación, digamos, con la mayoría de los escandinavos. Uno se da cuenta de su diferencia palpable con relación al fenotipo de la gente que carece de nuestra conexión con ancestros africanos de tez oscura y facciones negroides.

En los Estados Unidos nosotros adquirimos un vocabulario con el cual referirnos a nuestro fenotipo y descubrimos las implicaciones políticas de afirmar su diferencia somática con respecto a otros grupos, especialmente el grupo dominante que por muchas generaciones ha devengado el privilegio que se desprende de su blancura. Allá uno encuentra el vocabulario porque hay una larga historia y una realidad social que lo han creado.

CM.- No como aquí, que somos *indios, jabaos.*

STS.- A mí me parece que el término *indio* también pide que se le vea con mayor complejidad. Estamos ante un vocablo capaz de incluir una amplia gama de tonalidades en el color de la piel. Se usa igual para describir a una persona de piel super clara con el pelo un poco rizo que a una persona de tono retinto. Es un término completamente flexible que le permite realmente a uno no tener que referirse explícitamente a su negritud. No es fácil aceptarse como negro en una sociedad donde una intelligentsia malsana —léase desde José Gabriel García, pasando por Manuel Arturo Batlle y llegando a su vulgar epígono Joaquín Balaguer, para culminar en nuestros días con el afro-dominicano Manuel Núñez— lleva más de un siglo entregada, con el aval del Estado, a la faena constante de estigmatizar todo lo concerniente a la herencia africana. En esas circunstancias, hay poco estímulo para que nuestra gente afirme su negritud. Y como no somos tan tarados como para declararnos blancos, el vocablo "indio" viene como anillo al dedo para uno esquivar el estigma de la negrura a la vez de ubicarse fuera de la blancura. Este juicio lo saco de mis multiples conversaciones con el historiador y diplomático Alfonso Múnera Cavadía, ex Vicerrector de Investigaciones de la Universidad de Cartagena y reciente Secretario

General de la Asociación de Estados del Caribe. Cartagenero profeso y confeso además de intérprete genial de experiencia negra en el Caribe colombiano, Alfonso se mofa de la perplejidad que a algunos provoca el rumor de que "los cartageneros no quieren ser negros," dicho esto acerca de los pobladores de la misma ciudad que ha figurado en encuestas internacionales como uno de los lugares del mundo donde la gente se siente mejor. Alfonso no tiene pelos en la lengua: "¿Sabes por qué, Silvio? Porque los cartageros no son pendejos. Con todo lo que los 'ilustrados', sobre todo mirando a la costa desde el centro andino, han predicado por tantas generaciones para infamar la presencia negra en la región, ¿quién se se respete va a querer ser eso?" Es posible, pues, que para nosotros lo indio represente una zona de identidad ambigua que le permite a la persona asumir su diferencia con respecto a lo blanco sin tener que exponerse conceptualmente a entrar en la negrura, que constituye la línea de fuego donde se concentra la más intensa ofensiva del discurso racista de nuestras élites empecinadas en definirnos sin poder amarnos como somos.

Sí, en los Estados Unidos uno encuentra un vocabulario que ha sido producido por una historia racial, una historia de confrontación que ha resultado en una política identitaria en la que la afirmación de su diferencia constituye una bandera de lucha para los estigmatizados. Allá eso tiene un valor político claro por tratarse de una sociedad donde ha existido opresión racial de manera abierta, donde se ha excluido a poblaciones debido a su "raza" de manera frontal, por vía de prácticas sociales a veces avaladas por leyes promulgadas para viabilizar dicha exclusión. El Norte, "brutal que nos desprecia," nisiquiera procuró el disimulo que permite la ideología del mestizaje para sostener el orden de supremacía blanca, como ha ocurrido en "nuestra" América. Lógico es, pues, que la gente en el Norte desarrolle la afirmación racial como un recurso capaz de combatir la exclusión racista de manera frontal. Entonces, es cierto que allá para nosotros, de hecho, cambian las cosas racialmente hablando.

CM.- Y se puede tener también una visión muy distinta de lo que es aquí la identidad, la dominicanidad.

STS.- Claro. Por ejemplo, una de las cosas que se le presentan a uno como inmediatamente obvias es que no somos lo que nos enseñaron en los libros de historia patria, en los que se nos dijo que éramos descendientes de don Nicolás de Ovando. Allá automáticamente se nos deshace ese espejismo. Allá comenzamos a repensar lo que quiere decir ser dominicano y automáticamente queda claro que no es ser español. Más bien es el no ser español, muy contrario a lo que dice el literato capitalino Enriquillo Sánchez, quien recientemente equiparó la búsqueda de la dominicanidad con el hispanismo (cf *Vetas* IV.25 [1996]: 9).

CM.- ¿Cómo lo ves entonces en el contexto internacional?

STS.- Lo dominicano es algo muy específico. Es el producto de una historia de quinientos años, una historia muy específica ocurrida en este lugar del mundo con condiciones que le son inherentes.

CM.- Perdón: ¿cuáles son? Aparte del escudo, la bandera y la otra bandera que es el arroz con habichuela y carne, ¿cúal es la dominicanidad fuera de esos símbolos?

STS.- No, es que la dominicanidad no está en la bandera, ni está en el himno, ni está en el arroz, la habichuela y la carne. Está en el hecho de que hemos convivido de una forma determinada por quinientos años en un ambiente específico de una tierra específica, que hemos sufrido angustias específicas y hemos tenido conflictos específicos durante el curso de cinco siglos. De ese largo proceso ha surgido una subespecie, nuestra porción de la familia humana, la dominicana, que está ahí marcada por una compleja experiencia colonial y una vida republicana problemática. Muchos de nuestros choques corresponden inclusive a esa misma dominicanidad, porque la identidad nacional no está exenta de tropiezos, ni está exenta de dolores. Hay que buscarla en la historia, en la difícil convivencia que nos ha hecho más o menos similares. Lo que nos hace a tí y a mí similares es también lo que nos distingue de un argentino o un chileno.

No es la bandera, obviamente, porque la bandera la tiene todo el mundo, aparte de que los himnos casi siempre cantan lo mismo. En términos generales se trata de textos guerreristas que en el fondo dicen muy poco sobre la gente. Los himnos y las banderas podrán definir a un Estado y no a una nación, al menos cuando hablamos de nación como marco de referencia de la identidad de un pueblo.

CM.- ¿Cómo existe actualmente la dominicanidad en Nueva York?

STS. Los dominicanos cuando llegamos a los Estados Unidos descubrimos que caemos en un espacio de alteridad con respeto al sector dominante de la sociedad norteamericana, es decir aquel que sienta las pautas culturales, las pautas políticas, las pautas sociales. Nosotros entendemos que no somos anglosajones. No coincidimos con la idea establecida de lo *americano* y ocupamos una especie de margen social, cultural, político, económico. Allá existe igual que acá la obsesión de un dicurso nacionalista que se empecina en ver la población a través de un lente homogenizador en pugna rabiosa con la evidencia empírica de la demografía concreta que siempre ha estado ahí en su variopinta, heterogénea, dispar, multiple y diversa composición social.

Una vez adquirimos conciencia de nuestra alteridad, comenzamos a tratar de articularla. Comenzamos por aprender lo que *no* somos. La realidad nos lo enrostra. Comenzamos a afirmar la dominicanidad antes de entender su significado. De hecho, quizás se pueda decir que para nosotros allá se torna más concreta la noción de dominicanidad puesto que se pone a prueba en la práctica al ejercerse diariamente en su relación con varios polos de diferencia. Allá tenemos ocasión de constatar de qué manera diferimos de los puertorriqueños, otros caribeños, los afroamericanos, los asiáticos, los grupos indígenas de los Estados Unidos y demás segmentos de la población norteamericana con los que nos rocemos.

CM.- ¿La colonia dominicana se identifica como colonia dominicana en Nueva York? ¿O está dispersa?

STS.- Bueno, déjame decirte que ya nosotros no usamos el término *colonia dominicana*. El término *colonia* se usó en la era de Trujillo, cuando también lo usaba la población boricua de Nueva York. El término tuvo vigencia hasta finales de los años sesenta o hasta principio de los setenta, cuando comenzó a tener auge la palabra *comunidad*. Claro que todavía está por discutirse si realmente nos cabe el vocablo *comunidad*, pero podemos decir que hay suficiente cohesión entre los miembros de la población dominicana, con todo y sus conflictos internos y sus divisiones, como para que pueda dársenos el nombre englobador de comunidad. Hay que usar el término, claro está, sin la presunción de que estamos describiendo una población homogénea y armónica en lo concerniente a ideología, intereses económicos, proyectos personales, visión del futuro, o formas de relacionarnos con la República Dominicana. No obstante lo antes dicho, ya los dominicanos han comenzado a reunirse en cuadros, en movimientos, en frentes políticos y sociales, para avanzar causas, agendas específicamente dominicanas.

La elección de un concejal dominicano, es decir un miembro del Consejo Municipal de la ciudad de Nueva York, significa mucho para los dominicanos en Nueva Y ork. No menos importante fue la elección a finales del año 1996 de un nuevo legislador dominicano, Adriano Espaillat, que ganó un escaño en la Asamblea del Estado de Nueva York. Yo asistí a su juramentación y fue realmente un espectáculo conmovedor ver un auditorio con capacidad para unas quinientas personas repleto de gente mayormente dominicana reunida para celebrar el hecho de que habíamos logrado colocar a un asambleista en la legislatura estatal. Tal parece que hay renglones en los que sí estamos abrazando causas comunes.

CM.- ¿Cómo se plantean ustedes allá la identidad, la dominicanidad?

STS.- Cuando los dominicanos allá nos plantearnos la dominicanidad, la reflexión sobre la identidad, se nos hacen patentes aspectos de ese asunto que en muchos casos aquí en la República Dominicana han quedado fuera de la reflexión. Nuestra mirada diferente se refleja en el tipo de difusión cultural que hace el Instituto de Estudios Dominicanos de la Universidad Municipal de Nueva York.

Para nosotros es sumamente importante, cuando hablamos de la dominicanidad como objeto de reflexión, plantearnos el papel de la gente ordinaria, de la gente común; trascender aquella historia de las grandes familias. Pensamos que el pueblo dominicano no está compuesto sólo de las grandes familias, así se llamen Duarte, así se llamen Mella, así se llamen Sánchez, o lo que sea.

El pueblo dominicano está compuesto de mucha gente innombrada en la historia. A nosotros nos interesa reflexionar sobre esa parte del pueblo que por su condición de desventaja social no despierta el interés de los historiadores. Las cosas aquí han comenzado a cambiar, naturalmente. Nos interesa también la cuestión genérica puesto que vivimos en un lugar donde se habla de cuotas sociales.

Un supervisor no puede pedir los servicios de *una secretaria,* por ejemplo, en un anuncio en el periódico. Pues, al decir *secretaria*, está excluyendo a los solicitantes varones. En Norteamérica la gente se preocupa por la cuestión de la exclusión por género. Eso hace que nosotros al pensar en los dominicanos nos preocupemos por cuál ha sido el papel de la mujer. Nos interesa también sobremanera el papel de los negros, la gente de herencia africana, es decir, el 90% de la población dominicana; nos interesa una historia que no se limite a narrar las peripecias del 10% de la población. De ahí, por ejemplo, que cuando pensamos en la independencia dominicana, recordamos no solamente lo que aconteció el 27 de febrero en la Puerta de la Misericordia, sino también lo que ocurrió en Monte Grande horas después cuando negros y mulatos se levantaron y exigieron ser incluidos en la agenda nacional de la naciente república. Nos interesa también la obra de los trabajadores. Todo eso. Vas a notar cuando nos visites que al nosotros planteamos la identidad, la dominicanidad, incluimos ingredientes que normalmente quedan fuera del planteamiento cuando el mismo se hace aquí. Hago excepción, claro, de casos muy notables, casos dignos, de historiadores y cientistas sociales con conciencia que han tratado de actualizar el discurso sobre la dominicanidad pero que no lo han logrado satisfactoriamente porque el poder ha estado siempre en manos de los enemigos del replanteamiento que esa visión implica. El poder de dar vigencia a una idea de los que somos ha quedado en manos de los promotores de una visión excluyente, elitista y enajenante de nuestra nacionalidad.

CM.- Hay dos temas que vamos a tratar, uno es la universidad y otro es la literatura, que están relacionados en tu caso. Podríamos comenzar por la literatura y como estamos hablando de dominicanidad y de identidad, ¿cómo se está manifestando eso en la literatura dominicana en Nueva York?

STS. Realmente hay dos etapas principales en el surgimiento de lo que pueda considerarse una literatura dominicana en los Estados Unidos. Primeramente, como yo trato de argüir en un trabajo reciente, ha habido escritores dominicanos en los Estados Unidos por lo menos desde finales del siglo pasado. De hecho, hay una parte importante de la obra de dominicanos célebres, como Pedro Henríquez Ureña, que fue producida en los Estados Unidos. Hay suficientes escritos tempranos de dominicanos en Norteamérica como para que nosotros comencemos a hablar de una prehistoria de la literatura dominicana en Nueva York, que data por lo menos desde finales del siglo pasado.

CM. Además de Pedro Henríquez Ureña, ¿qué otro nombre?

STS - Recordemos que los primeros textos importantes de Pedro Henríquez Ureña son producidos en Nueva York, donde él estudió a partir del 1901. Está la hermana de Pedro, Camila Henríquez Ureña, que también invirtió más de 20 años en los Estados Unidos trabajando como educadora y como ensayista. Su obra escrita en Norteamérica está todavía sin recopilar. La obra de Camila que se conoce es la producida en Cuba; la parte norteamericana hay que exhumarla todavía.

Tienes gente como Fabio Fiallo cuyo libro *Cuentos frágiles* apareció en Nueva York y si sigues por ahí, encontrarás muchos textos que vieron la luz por aquel tiempo en la ciudad. Hay mucho que buscar por ahí no solamente dentro de la literatura creativa, sino también en otras zonas de la escritura, como el panfleto *Yo también acuso* de Carmita Landestoy, que fue publicado en Nueva York para 1946. A partir de 1991, yo comencé a publicar algunos trabajos encaminados a recuperar la memoria de esa presencia literaria temprana de dominicanos en Norteamérica, es decir, la escritura dominicana en los Estados Unidos previo a la diáspora.

La primera presencia de dominicanos en los Estados Unidos ocurre más bien como fenómeno político o como fenómeno individual. Siempre hubo el exilio político de gente que se iba al Norte para que tal o cual caudillo no le arrancara la cabeza. Pero hubo también individuos que se iban a Norteamérica a buscar nuevos o mejores horizontes, movidos por una voluntad individual.

A partir de la década del 60 se da el gran fenómeno político y social que dio origen a nuestra diáspora actual. Primero acontece la muerte del horrible dictador, que facilita la emigración, que incrementa la capacidad de los dominicanos de salir del país. Posteriormente se aumenta el acceso a los Estados Unidos a través de la ley de emigración de 1965 que realmente nos permitió ingresar al territorio norteamericano en números antes insospechados. Disminuye la capacidad de sobrevivencia en la República Dominicana para personas que no tenían las destrezas que comenzaba a exigir la economía dominicana al iniciarse la gran restructuración económica en los sesenta, cuando se achican la agricultura y los otros renglones de producción que dan cabida a la mano de obra sin destrezas. Aquel intento de industrializar al país requería de trabajadores que tuviesen mayores aptitudes y la sociedad no había preparado a la gente para ese cambio. Entonces la gente quedaba condenada al desempleo, a ese gran desempleo perpetrado principalmente por la administración del funesto Balaguer a raíz del año 1966, cuando retoma la dirección del Estado por si mismo después de haber sido presidente títere de la tiranía trujillista. Todos esos elementos juntos se combinan para causar el gran éxodo de los dominicanos.

Entonces la gente comienza a salir ya no por voluntad individual, sino movida por fuerzas mayores. También se da, digamos, la diversidad social de la gente que salía. Ya no era el que podía debido a algún tipo de privilegio social. Ahora salía todo el mundo. Es decir, ahora podía y debía salir la gente de abajo. Esa salida de la gente de abajo le confiere al fenómeno su matiz sociológico principal ya que esa movilización es la que engendra la diáspora dominicana como la conocemos hoy.

CM.- Creo que has hecho un buen enfoque para darle soporte a lo que es nuestro tema, la literatura.

STS.- La literatura de la diáspora tiene su raíz en la segunda etapa de la presencia dominicana en los Estados Unidos. A finales de los setenta comienzan ya a aparecer escritores dominicanos con asiento en Nueva York. Comienzan a publicar a través de los periódicos, escribiendo primordialmente en español, mediante órganos dirigidos específicamente a la comunidad dominicana, incluyendo diarios y revistas de aquí, de la República Dominicana, y con ese activismo comienza la literatura dominicana en Nueva York, la literatura dominicana en los Estados Unidos como la conocemos hoy, producto de la diáspora, con textos distintos a los escritos de autores dominicanos anteriores en los Estados Unidos. La distinción que parece importante hacer comienza ahí, a finales de los setenta.

En términos generales es una literatura de ghetto que está presa por la Guardia de Mon, está producida en el margen para ser consumida por los habitantes del mismo. Son pocas las figuras nuestras de la escritura dominicana en Nueva York que han trascendido ese margen.

CM.- Vamos a hablar de Junot Díaz, Julia Alvarez y de otros escritores, además, que quizás están haciendo un buen trabajo y no tienen la difusión pública de esos.

STS.- La literatura dominicana en Nueva York, en los Estados Unidos, está hoy en un buen momento. Está en un buen momento porque ya hemos comenzado a ver contundentes resultados del esfuerzo de una generación. Tanto en inglés como en español, ya comenzamos a hacer la diferencia con casos específicos. Son pocos todavía, pero son significativos y voy a hablar solamente de las figuras estelares. La razón por la cual hago eso es que tenemos mucho talento. En nuestra comunidad literaria hay mucha gente con talento, hay mucha gente trabajando afanosamente, hay mucha gente con plena dedicación y con gran promesa. Pero no hay manera de saber adónde va a llegar ese esfuerzo y ese potencial.

Tenemos la barrera del idioma. Hay que escribir en inglés para usted poder insertarse en el mercado norteamericano. Hay que escribir en inglés o hay que lograr que la obra llegue en inglés. El mercado de los latinos en español, es decir de los latinos escriben desde Norteamerica, no es autosuficiente. Todavía es mucho más fácil para un escritor desde América Latina conseguir que lo lean en español en Estados Unidos que para un escritor hispano de New Jersey o Boston que escribe en español conseguir que lo lean allá.

Entonces tenemos ese obstáculo que le dificulta el camino a la comunidad de escritores que producen su obra en español. En nuestro caso se dio el fenómeno particular de *Los que falsificaron la firma de Dios.* Viriato Sención escribió en Nueva York y vino a presentar la obra en el mercado de su tierra natal, logrando aquel éxito inaudito. Luego eso tuvo la repercusión conocida. Una vez logrado en la tierra natal, su éxito rebotó hacia el Norte. De ahí que hoy la obra exista en una edición en inglés. Esa es la situación. Viriato es un caso especial.

Se está dando el caso en que ya hay una comunidad de dominicanos que escriben en inglés. Tenemos esos dos grandes ejemplos de escritores dominicanos que han entrado de manera extraordinaria en el mercado norteamericano. Uno es el de Julia Alvarez que ya es una *bestseller,* una mujer escritora destacada en la literatura norteamericana por las obras que todo el mundo conoce. Su última obra titulada *¡Yo!* acaba de salir en este mes.

El otro es Junot Díaz, quien después de haber publicado un par de cuentos en revistas literarias importantes de los Estados Unidos, se encontró una agente literaria genial que descubrió su talento, descubrió que la escritura que este joven producía era algo muy especial. Se fue con un manuscrito de Junot a las grandes editoriales y lo logró vender en una subasta en la cual había seis firmas editoriales, principales todas, peleándose por el manuscrito de Junot. Obviamente se lo vendió al mejor postor, que fue a la firma "Putnam".

El contrato que firmó Junot incluye una serie de ingredientes significativos, incluyendo traducciones a seis idiomas. Conozco a gente que ha leído ya la colección de relatos *Drown* en la versión publicada en holandés. Hay dos traducciones al español, una para España, con todos los peninsularismos de lugar, y una "buena", para la República

Dominicana y, creo que, para Latinoamérica, la cual he visto y me parece que va a tener una buena recepción aquí. Y así sucesivamente. De hecho, en inglés hay dos ediciones también, la norteamericana y la inglesa, o sea que estamos ante un fenómeno editorial impresionante. El hecho de que ya en la literatura norteamericana la experiencia dominicana comience lentamente a figurar en forma notable en la imaginación literaria es para mí un gran logro. Y menciono esos porque son los que han roto con los obstáculos que les cierran todavía el camino a los otros.

CM. En la Universidad de la Ciudad de Nueva York diriges el Instituto que estudia la realidad dominicana, ¿cuál realidad? ¿Qué hace el Instituto?

STS.- Para hablar del Instituto primero hay que hablar de la inserción de los dominicanos en la industria académica, por así decirlo. A mediado de los ochenta comienzan algunos docentes dominicanos a penetrar los sistemas de educación superior públicos en los Estados Unidos, sobre todo los miembros de la diáspora. Siempre hubo dominicanos que, por su condición de clase, por su buena formación, por haberse preparado bien y haber adquirido grados en universidades de prestigio, sobre todo en el extranjero, estuvieron en capacidad de ser vistos como buenos por una que otra universidad norteamericana para emplearlos en una plaza. Eso siempre sucedió. Eso básicamente se puede combinar con aquello que hablábamos de la voluntad individual que les permitía a ciertas personas lanzarse al Norte y prosperar.

Luego la diáspora dominicana, una vez establecida, comienza a parir, a parir no solamente en sentido literal, es decir, a reproducirse biológicamente, si no a parir voces. Nuestra gente va a la escuela, se gradúa y comienza a dar profesionales y a dar personas con aspiraciones intelectuales, individuos con deseos de convertirse en catedráticos en la sociedad que los formó, la sociedad norteamericana.

Comienzan los dominicanos a pujar por entrar en el mercado académico norteamericano y comienza a insertarse gente como Daisy Cocco de Filippis, que es una de nuestras más dinámicas representantes en el sistema de educación superior público en la ciudad de Nueva

York. Luego, se distinguen otras personas, como la socióloga Ramona Hernández. Entre los pioneros debemos colocar a Francisco Rodríguez de León, conocido hoy en la República Dominicana como el autor de la importante obra *Balaguer y Trujillo: Entre la espada y la palabra,* y a otro educador llamado Francisco Chapman, quien se fue de Nueva York hace muchos años. Esa presencia de voces dominicanas dentro de la academia nos pone inevitablemente a pensar en la realidad dominicana. Nos preguntábamos cómo era posible que siendo la comunidad dominicana un grupo tan significativo numéricamente en la población neoyorkina solamente hubiera tres o cuatro de nosotros impartiendo docencia en la universidad pública. Sobretodo en vista de que en la mayoría de los recintos universitarios donde había un buen número de estudiantes latinos, la mayor parte era de origen dominicano. Es decir, si estábamos proveyendo los clientes para la universidad, no se explicaba que no tuviéramos profesionales ofreciendo servicios de enseñanza.

Vimos lo difícil que se le hacía a un maestro incluir temas dominicanos en sus clases, por razones diversas. La más común era la ausencia de libros de referencias y otros materiales de consulta que les permitiera a los estudiantes ir a la biblioteca a investigar un tema dominicano, sobre todo en inglés, y a veces ni siquiera en español. Como tú sabes, la República Dominicana carece de una industria del libro que se respete. Es muy difícil que los libros dominicanos lleguen a los Estados Unidos. Aquí no se publica para la exportación. Los libreros dominicanos, como están en la mayoría de los casos subsidiados por el gobierno, no tienen que demostrar eficiencia como industriales reales, con capacidad de competir en el mercado nacional e internacional. Esa deficiencia de nuestros libreros se combina con otros factores, incluyendo el que somos un grupo de inmigración reciente a los Estados Unidos, para explicar la falta de fuentes que agobiaba a los estudiantes interesados en investigar algún asunto de la experiencia dominicana. Estábamos ante una calamidad.

Eso, pues, nos planteó la urgencia de hacer algo. Dijimos: aquí lo que hace falta es crear un mecanismo que, desde la universidad pública, la que nos da mayor acceso, nos pueda ayudar a tratar de llenar ese vacío. En el año 1990, nos sentamos con la Canciller Ann Reynolds, recién elegida en esos momentos como la autoridad máxima del sistema universitario de CUNY (siglas en ingles de Universidad Municipal de Nueva York). Avalados por colegas educadores afroamericanos y puertorriqueños, fuimos adonde ella como una coalición a presentarle varios puntos.

A ella le interesó muy especialmente esta realidad dominicana que le describimos. Se asombró muchísimo de que nuestra capacidad para influir el curriculum fuese tan pobre, sobre todo cuando ya entendía nuestra significación numérica en el sistema como clientes universitarios. Eso hizo que ella le abriera las puertas al proyecto y comenzamos a discutir, a diseñar, a cavilar la manera de llevar esto a cabo. Tener el aval de ella nos ayudó y al cabo de tres años ya teníamos conformado un Instituto de Estudios Dominicanos de la universidad en condición de incorporarse institucionalmente dentro del sistema universitario. Logramos la aprobación oficial de la Junta de Síndicos, el cuerpo principal que rige gubernativamente a la universidad, y hoy el Instituto es un hecho. Como parte integral de la universidad, el Instituto de Estudios Dominicanos existe, con sede en City College, que es uno de los recintos principales de la Universidad Municipal.

¿Qué hacemos? La función del Instituto consiste, primero, en la producción de conocimientos sobre la experiencia dominicana, que para nosotros incluye la experiencia dominicana en general, tanto la de la tierra natal como la de la diáspora, la experiencia de los dominicanos que se van y la de los que se quedan, cosa que se debería emular aquí, donde a veces se habla del destino dominicano como si no existiera esa gran diáspora nuestra.

Una tarea es la producción del conocimiento que no existía y otra la difusión de ese conocimiento, difusión que nos hemos propuesto realizar a través de conferencias, de publicaciones y de campañas por medio de la prensa. Muestra palpable de ese esfuerzo de difusión fue que publicamos la primera historia dominicana importante en inglés en los Estados Unidos desde que en el año 1928 Sumner Welles publicó la suya. Hablo de *The Dominican Republic: A National History* (1995) por Frank Moya Pons. Con eso, pues, llenamos un vacío bibliográfico de cerca de 67 años. Nos empeñamos en lanzar esa publicación al constatar que cuando los jóvenes, tanto dominicanos como no dominicanos, querían estudiar un tópico de historia dominicana tenían que irse a fuentes del siglo XIX, y ha llovido demasiado para seguir tolerando eso. Eso muestra cuán fundacional es nuestro trabajo porque estamos lidiando con cosas puramente básicas, con llenar vacíos en áreas fundamentales. Todavía no estamos incursionando en proyectos conceptualmente complicados. No estamos lidiando con cuestiones demasiado abstractas todavía porque la urgencia, la necesidad de que haya materiales básicos, está todavía ahí demasiado patente.

CM.- Silvio, se nos agota el tiempo, pero hay una pregunta que está fuera de todo esto y tiene que ver con lo que hemos tratado en otra parte de la entrevista. ¿Qué significa no tener la perspectiva de regresar definitivamente al país?

STS.- Bueno, a mí me parece que eso se aprende. Uno aprende a no tener la perspectiva de regresar sin que eso produzca angustia. Para eso hay que ser de origen pobre. Los pobres siempre han tenido que estar dispuestos a ir adonde su realidad los tire, por lo tanto, no es nada nuevo en ese sentido.

CM.- ¿No hay ni un dolín?

STS.- Bueno, hay un famoso adagio que usaban los romanos que decía *Ubi pane ibi patria,* donde está el pan, ahí esta la patria. Uno no se va a morir de hambre. Hay que poder comer y poder mandar a los hijos a la escuela y garantizar que a uno no se le muera un muchacho de una simple disentería por la precariedad de los servicios médicos públicos. Recuérdate que aquí la gente que se respeta no usa los servicios médicos públicos. Tener escuelas y hospitales funcionales es más importante que tener el acceso a una mata de coco debajo de la cual poder sentarse a coger sombra y a regodearse con estar en su tierra, aparte de que cuando uno se va a los Estados Unidos, sobrevive el trauma migratorio y logra convertirse en una persona que produce lo suficiente para sostenerse, para reproducirse materialmente, entonces se le hace mucho más fácil acceder a esa mata de coco porque uno puede venir cada vez que su realidad se lo permita, digamos una vez al año si así lo desea.

La patria no se pierde, uno la lleva consigo. Ahora que se ha dado la ley de la doble ciudadanía existe aun otra forma de que los dominicanos que carecen de la perspectiva de regreso puedan consolidar su estadía permanente en el exterior sin que eso implique necesariamente una separación de la tierra natal. Perdona que me alargue tanto.

CM.- No, no, soy yo quien te lo permito.

STS.- Siéntete en la libertad de cortar en cualquier momento.

CM. *Vetas* es una revista en la que somos muy libres de hacer lo que nos da la gana.

STS.- Quiera Dios que se pueda preservar esa condición de independencia, tan escasa por estos lares.

CM.- Lo podemos si nos ponemos de acuerdo. Mira, tú hiciste un trueno grandísimo hace algún tiempo en más de una ocasión en la revista *Rumbo* y tenemos que hablar de eso porque aquí otros tronaron y creo que el paréntesis o el trueno no ha quedado cerrado. ¿Cuál es tu posición acerca de la literatura? ¿Debe ser crítica la literatura, debe necesariamente reflejar la realidad que duele? ¿Cuál debe ser la posición del intelectual en una sociedad como la dominicana?

STS.- Me parece que hay ahí dos preguntas distintas. A mí me parece que una cosa es el papel de la literatura y otra cosa es el papel de los intelectuales. Los intelectuales son una cosa y otra la literatura. Los intelectuales son pensadores públicos. Los escritores de obras literarias son artistas individuales que se enfrentan con el drama de un papel en blanco y una pluma y que con el conocimiento de su oficio y una imaginación buena, pueden sacar cosas muy valiosas a partir de la interacción de la individualidad artística con su medio y con la tradición dentro de la cual operan. Eso es una cosa que respeto. Algunos resultados salen muy buenos, otros pésimos, pero es un oficio que, en términos generales, yo respeto.

Pero esos truenos a los que aludes no hablaban sobre literatura. Si mencionaban a personas que aquí son figuras literarias es porque en el país siempre ha habido una relación de incesto entre la intelectualidad y quienes hacen arte literario. Aquí los artistas literarios son también los teóricos y son los críticos y lo son todo, porque generalmente la todología es un mal nacional tan grave como la perenne "crisis" energética.

De lo que se hablaba era del papel de los intelectuales frente al Estado. Se hablaba de que el intelectual debía ubicarse, debía reconocer a quién representaba, y si usted era un intelectual cortesano que estaba comprometido con defender la agenda del Palacio, usted estaba bien si hacía eso bien. ¡No le llamo intectual a eso, pero si usted lo hace abiertamente no tengo problema con usted! Tengo problemas con los que no se identifican como eso, sino que se creen, se jactan de ser, conciencia crítica y al final terminan siendo unos grandes colaboradores de un Estado abusivo y, en términos generales, terrorista. Esa es básicamente mi preocupación.

CM.- ¿Y qué haces en tu comunidad para que eso no sea así?

STS.- Alertar, alertar. Yo pienso que...

CM.- Yo digo desde el punto de vista del intelectual que debe producir literatura.

STS.- ¿Qué yo hago en mi comunidad? ¿La comunidad dominicana de los Estados Unidos, quieres decir?

CM.- Sí, sí, sí, y la nuestra también.

STS.- Yo en los Estados Unidos, por ejemplo...

CM.- Lo que yo quiero saber es con qué fuerza moral haces esta crítica.

STS.- ¿Con qué fuerza moral? Ah, precisamente con la fuerza moral derivada de que a mí se me considera un intelectual. Se me tiene como intelectual, no se me tiene como poeta, ni como pintor. Soy una persona que trabaja con ideas para reflexionar sobre la sociedad. Entonces, una vez se me tiene como eso, tengo que tratar de estar lo más cerca posible de lo que pienso que es el deber de la persona a quien se le tiene como eso. Sigo el modelo martiano, que se expresa claramente en aquel famoso ensayo titulado "Nuestra América" que habla de la falsa erudición. O sea, el haber leído muchos libros y haber llenado muchas cuartillas, así sean miles y miles, no tiene mérito en sí. No tiene absolutamente ningún mérito en sí. El mérito solamente surge en la medida en que eso que uno lee o que escribe se conjuga constructivamente con la realidad de la cual uno se beneficia.

Hablo de estos columnistas que les deben su reputación, le deben su prestigio social, al hecho de que tienen una palestra pública. Pienso que lo menos que se le puede pedir a esa gente es que también cumpla el servicio público que implica haber aceptado este privilegio. ¿Qué me da a mí la ascendencia moral para eso? Oh, que me considero un ciudadano con una inquietud, una preocupación por el bien público y que cuando veo que las personas llamadas a contribuir con una criticidad son los que están, digamos, obstruyendo la criticidad, me da mucha rabia. Esos pseudointelectuales realmente cometen una gran traición contra la patria, aparte de que, al darles ejemplo negativo a los jóvenes, también son pervertidores de menores. ¿Qué me da ascendencia? La condición de verme como ciudadano. Le oí decir una vez a Frank Moya Pons algo que me gustó y es que hay momentos en que el intelectual debe recordarse de su condición de ciudadano.

Antelación: sobre la perspectiva diáspora

Los ensayos recogidos en este tomo pretenden abordar algunos aspectos de la compleja realidad dominicana actual a partir del análisis del discurso público, la interpretación de las relaciones de poder y la evaluación del pensamiento de las élites. Una parte de ellos enfoca el drama dominicano como se vive en la diáspora y otra pondera la dinámica social en la tierra natal vista desde la diáspora.

Me parece útil adelantar un par de consideraciones acerca de "El retorno de las yolas", el texto extenso que le da el título a toda la colección. Este y "Contrapunteo de la diáspora y el Estado" permanecían inéditos hasta el momento su inclusión junto a textos ya publicados en la primera edición de esta compilación publicada originalmente en el 1999 bajo el mismo título de hoy, *El retorno de las yolas: Ensayos sobre diáspora, democracia y dominicanidad.* El título del texto más extenso, el cual institula también al volumen completo, requiere explicación por tratarse de una frase que a mi parecer sirvió de espina dorsal a la primera edición del libro y que, con la inclusión del nuevo ensayo "El futuro dominicano: Contrapunteo de la diáspora y la intelligentsia nacional", adquiere quizás mayor relevancia para el entendimiento de la visión que informa el conjunto de escritos aquí compilados. Su título me lo sugirió *El retorno de los galeones* (1930), obra en que Max

Henríquez Ureña señalaba la paradoja del modernismo, el "movimiento" que "llevó su fuerza renovadora de América a España", a aquella imperial Iberia que había venido a la región con sus poderosas naves durante la conquista (Henríquez Ureña 1963: 25).

De manera comparable, mi texto se refiere al fenómeno no menos paradójico de los dominicanos residentes en el exterior que hoy pretenden conversar de igual a igual con la misma sociedad que los expulsó hace más de cindo décadas del territorio nacional. Escribí el ensayo a partir de notas que había usado en una ponencia presentada en el congreso internacional "La República Dominicana en el Umbral del Siglo XXI", celebrado en la Pontificia Universidad Católica Madre y Maestra en julio de 1997. Ya que brinda una explicación desde adentro acerca de la experiencia de la diáspora y contextualiza el "aire amonestador" evidente en mis reflexiones sobre los "problemas nacionales", dicho ensayo quizás da a la totalidad del volumen una coherencia conceptual y una unidad temática que de otra manera no tendría.

Tengo la impresión de que el factor unificador de estas páginas y probablemente su mayor aporte al conocimiento de lo dominicano es el de enarbolar sostenidamente una mirada desde la perspectiva de la diáspora. De hecho, el ensayar un discurso concebido desde un punto de vista diaspórico fue lo que le ganó celebridad a mis escritos sobre la intelectualidad dominicana cuando aparecieron en *Rumbo* a partir del 1994. No hay que pensar que se debiera a la novedad de mis planteamientos ya que el repudio al obsceno maridaje entre los intelectuales y el poder cuenta con una larga prosapia en nuestro hemisferio. En el 1930, en el marco de un discurso dirigido a los jóvenes, el pensador argentino Aníbal Ponce declaraba que "mientras el intelectual aguarde una dádiva, aspire a un favor, cuide una prebenda, seguirá revelando todavía en la marcha insegura y en la voz cortesana el rastro profundo de la antigua humillación" (Ponce 1975: 381). Luego, el uruguayo Angel Rama hizo la arqueología de la *ciudad letrada* en Latinoamérica, extrayendo de los orígenes coloniales la herencia de complicidad entre los doctos y la estructura gobernante en la región. Desde aquel tiempo, cuando los letrados componían "el anillo protector del poder y ejecutor de sus órdenes", Rama les siguió el rastro hasta nuestros tiempos en que a menudo se les ha visto aclimatados a la función de amanuenses de grotescos caudillos tanto civiles como militares (Rama 1984: 25, 167).

Asimismo, para citar por lo menos a un autor del patio, el puertoplateño Rufino Martínez, pensando en intelectuales de la calaña de Manuel Arturo Peña Battle, destacó el patrón de conducta predominante entre los miembros de la *intelligentsia* dominicana. Afirmó que, a pesar de las posturas liberales que pueda haber abrazado en sus comienzos, el intelectual criollo casi siempre acaba "sosegadamente acomodado en un asiento del conservadurismo de la derecha. Su actitud final es no creer en la patria, si así lo piden los intereses del hombre práctico ya divorciado de los ideales" (Martínez 1996: 165-66). En fin, con precedentes de la talla de Ponce, Rama y Martínez, que en sí no ofrecen más que un muestreo mínimo de un universo mayor, no hay forma de atribuirles novedad a los juicios vertidos en ensayos tales como "La oblicua intelectualidad dominicana" y otros de similar factura y tono. Por lo tanto, sorprende el impacto que tuvieron mis modestas palabras. A juzgar por la multiplicidad de voces favorables, adversas, neutrales o ambiguas que directa o indirectamente respondieron al llamado que hacían mis planteamientos, se puede decir que la esfera intelectual del país recibió una sacudida inesperada.[1]

Estoy convencido de que lo que sacudió fue el aspecto de la prédica en cuestión la cual puede atribuirse a la perspectiva diaspórica. Cuando un detractor me tildó de "francotirador de nuevo cuño", me endilgaba un epíteto certero puesto que aludía no sólo a la distancia objetiva que me separaba del mundo intelectual nacional, sino también a mi condición de voz desautorizada por lo advenediza. A la misma vez, apuntaba precisamente a los elementos causantes de la irreverencia, el atrevimiento y hasta el irrespeto que se pudiera encontrar en mis textos. Yo hablaba desde la orilla, desde el margen intelectual, desde el predio de la otredad a la que la clase media criolla relega a los que han tenido que emigrar. Se trataba de una voz de la diáspora devaluada que pretendía emplazar a la intelectualidad respetable de la tierra natal. "¿Con qué derecho?", gruñeron ofendidos los unos. "¿De dónde salió éste?", celebraron boquiabiertos los otros. No hay duda de que la ubicación del hablante en la posición del *outsider* marcó indeleblemente la textura crítica de mi discurso. Eso se ilustra en rasgos tan básicos como el de poner nombres y apellidos a los pecadores a la hora de señalar pecados. La descortesía o "atroz falta de elemental elegancia" que me imputó un literato capitalino corresponde a la perspectiva diaspórica que no le debe lealtad al *decorum* del orden imperante. Al no depender del medio para ganarse la vida, el *outsider* puede permitirse evaluar la sociedad haciendo uso del grado necesario de irrespeto sin el temor de cerrarse puertas.

De la disposición a hacerles exigencias a los notables del país, con tal de establecer si realmente merecen respeto, se desprende también una renuencia a aceptar acríticamente a los ministros, literatos, publicistas y funcionarios a quienes les ha caído en sus manos el monopolio intelectual sobre el concepto de la nación y la definición de la dominicanidad. Desde la perspectiva diaspórica hay razón de más para juzgar a los beneficiarios del prestigio espúrio, así como para repudiar con virulencia toda teoría de la nación dominicana que pretenda menospreciar a los de abajo. La perspectiva diaspórica desautoriza, por ejemplo, la noción perversa de la nación puesta en boga por los escribas del trujillato y mantenida con vigencia en el discurso público hasta nuestros días debido a la larga y perniciosa vida política de Joaquín Balaguer y otros siervos del tirano. Erigida sobre la burda distorsión histórica y una negrofobia vulgar, la visión balagueriana de la nación sigue ocupando espacio impunemente en los diarios y los demás medios de prensa en el país. De ahí la importancia, para la diáspora, de voces como la del poeta Blas Jiménez, vigoroso promotor de la herencia cultural de la mayoría negra y mulata de la población dominicana, quien se ha empeñado en oponer una alternativa a la falsificación balagueriana, como lo hace ver un profesor de la Universidad de Tennessee, en un artículo reciente (Handelsman 1998).

Vienen al caso las declaraciones dadas por el presidente del Partido Revolucionario Dominicano (PRD), Enmanuel Esquea Guerrero, en tomo a la necesidad de implantar el *jus sanguinis* como requisito de ciudadanía y así evitar que "todo el que venga y nazca aquí sea dominicano pura y simplemente, porque somos un país amenazado por una invasión de un país vecino, y si no reglamentamos eso, prontamente la descendencia dominicana será mayormente haitiana" *(El Siglo,* 27 de mayo de 1998, p. 8). El desear invalidar el *jus solis* con el fin de detener la supuesta haitianización del país apunta hacia una preocupante convergencia entre polos ideológicos que antes parecían distantes. Presumiblemente el PRD, como fuerza política liberal, no se suscribía al antihaitianismo rampante de los continuadores de Trujillo en el escenario político nacional. Pero en la inquietud nacionalista de Esquea Guerrero nos encontramos de nuevo con la ya familiar prédica que intenta amedrentarnos acerca de la bastardización de la "raza dominicana". Esa prédica concibe la infusión de un agente étnico externo —léase "negro"— como equivalente a la destrucción de la nacionalidad. Ya la idea de la "invasión" se conocía en la prosa de Balaguer, escritor de dotes menores que, rumiando la fenomenología racial de Peña Battle, logró influir más que aquel debido a su largo dominio del poder (Balaguer 1949: 25, 135)[2]. También el Führer, en su libro *Mein Kempf, (Mi lucha)* había imputado a los judíos y a los negros la intención de socabar la pureza racial del pueblo alemán (Hitler 1971: 324). La preocupación por impedir que la sangre haitiana contamine a "la ascendencia dominicana" aleja a Esquea Guerrero de la tradición liberal y lo emparenta ideológicamente con lo más recalcitrante del conservadurismo ultraderechista.

Ojalá no acierte el amigo que hace poco me comunicó la corazonada de que seguramente ahora, con el fallecimiento del líder perredeísta José Francisco Peña Gómez, aquel extraordinario dominicano de origen haitiano a quien los liberales criollos habían aceptado como su principal guía político, la dirigencia del PRD haya perdido la fuerza moral que la mantenía distante del antihaitianismo conservador. Es decir, la muerte de Peña Gómez puede haber liberado a mucha gente de la necesidad de ocultar el antihaitianismo trujillista con el que quizás siempre se sintió medularmente identificada. Pero independientemente de cómo se transforme la hasta ahora liberal ideología racial del PRD, de lo que cabe poca duda es que la visión conservadora estará condenada a entrar en riña con la perspectiva diaspórica. Y no hay que ir muy lejos para encontrar la razón.

Sencillamente, el típico miembro de la comunidad dominicana residente en el exterior no tiene ni el "perfil griego" ni la tez blancuzca de un Esquea Guerrero. Por lo tanto, no tiene razón fenotípica para temer "pérdida" racial en un posible intercambio sanguíneo futuro con la comunidad de inmigrantes haitianos. El temor a que la piel dominicana del futuro se oscurezca no es una aberración que prospera en nuestra emigración. Además, a nuestra diáspora se le hace casi inevitable desarrollar sentimientos de solidaridad con la comunidad haitiana, no sólo porque la vemos como aliada en la lucha por la sobreviviencia en Norteamérica, donde la sociedad dominante no hace ninguna distinción entre un dominicano, un haitiano o un jamaiquino, sino también porque nosotros, como grupo socialmente marginal en los Estados Unidos, nos vemos retratados en la condición de impotencia que padecen los haitianos en la República Dominicana. En la diáspora, pues, el *cuco* haitiano, ese *bogeyman* ingeniado por los escribas del tirano, se desmadeja irremediablemente ante la necesidad de compenetración entre los emigrados de Quisqueya, de oriente y occidente.

La perspectiva diaspórica, entonces, se afinca en una teoría de la nación, un razonamiento sobre la dominicanidad, que interroga la versión oficial que se ha manejado en el discurso público criollo. Quizás una razón importante para eso sea el origen humilde de la mayoría de la gente que ha emigrado de la República Dominicana desde principios de los sesenta. Pues dada la diferenciación de clase de nuestra emigración con respecto al sector definidor de la dominicanidad, emerge una situación en la que tienden a chocar la condición de clase de los emigrados con la nación verbalizada por los de arriba. La diáspora rara vez se reconocerá en una imagen de la nación que sencillamente la excluya. Esta situación puede verse mejor a la luz de los planteamientos que en el 1980 hiciera el sociólogo Frank Bonilla a propósito de la realidad puertorriqueña. Este pensador de la diáspora latina en los Estados Unidos estudiaba el contexto en que la isla vecina se había convertido en "una proyección regional" de la economía norteamericana. Tierra firme e isla quedaban vinculadas en un espacio económico inconsútil que privilegiaba la movilidad de la mano de obra y del capital para beneficio siempre del último. Reflexionando sobre los "nuevos giros" que iba tomando "la relación objetiva clase-nación" en esas circunstancias, Bonilla se preguntaba si "en los sistemas de relaciones de clase que van tomando cuerpo a nuestra vista cabe a más largo plazo la nación en la forma hasta ahora conceptualizada" (Bonilla 1980: 164). Su cuestionamiento se basaba en la siguiente observación: "La acelerada internacionalización de la economía en escala global que se manifiesta en una circulación vertiginosa de mercancía, capitales y personas (fuerza de trabajo), significa una interpenetración, rotatividad y fusiones parciales de fracciones de clase de una y otra nación" (Bonilla 1980: 164).

Queda todavía por estudiar en qué medida la diáspora dominicana se esté constituyendo o incorporando "en nuevas formaciones de clase supranacionales", como lo supusiera Bonilla para el caso puertorriqueño (1980:167). Un examen exhaustivo deberá determinar cómo se configura la identidad social entre las distintas "fracciones de clase" que alberga la comunidad dominicana en los Estados Unidos. Hace falta saber, por ejemplo, cómo la diferenciación por clase de nuestra emigración —aun con la probable heterogeneidad de los distintos contingentes que convergen en su seno— fomenta o desaconseja la solidaridad para con los demás grupos étnicos con quienes los dominicanos comparten en Norteamérica la lucha por la sobrevivencia. Pero lo que ya resulta parcialmente constatable es el distanciamiento ideológico de la diáspora en cuanto a la ubicación de clase y la imagen de la nación que enarbolan las élites políticas y culturales en la tierra natal.

A mí me pareció ver esa coyuntura sociohistórica ilustrada dramáticamente en un brevísimo intercambio entre una voz de *aquí* y otra de *allá* en el marco del simposio "The Education of Dominicans" organizado por nuestra Daisy Cocco de Filippis en el recinto de York

College de la Universidad Municipal de Nueva York el 7 de abril de 1998. He aquí el *dramatis personae.* Por un lado, Josefina Báez, poeta y *performance artist* de la diáspora, moderaba un panel sobre el papel de las agencias comunales en el fortalecimiento de la comunidad dominicana en Norteamérica. Por el otro, Chiqui Vicioso, poeta de la tierra natal adscrita la Comisión Permanente de la Feria del libro dentro del Ministerio de Cultura de la República Dominicana, había venido como invitada al simposio y, habiendo hecho ya su presentación horas antes, ahora contribuía a enriquecer el diálogo desde el público.

Vicioso hizo una pregunta que Báez tomó para sí. La invitada quería saber si las agencias de servicios en la comunidad dominicana de Nueva York se habían planteado o estarían en condición de considerar el desarrollo de algún plan de intervención para lidiar con el número cada vez mayor de dominicanos deportados de los Estados Unidos, sobre todo por razones delictivas. Decía que dichos repatriados ejercían sobre el seno de la sociedad dominicana una grave presión para la cual ésta no estaba preparada. Puesto que el problema se originaba en Norteamérica, Vicioso consideraba que el liderazgo político y comunitario dominicano en ciudades como Nueva York estaba en mejor condición de hacer algo para ayudar a resolverlo. Báez, por su parte, contestó rápida y lacónicamente, dejando nítidamente claro que no entendía el problema de la misma manera. Reflejó una instintiva toma de posición diaspórica con respecto a la sociedad dominicana. Afirmó tajantemente que no puede pretenderse que lo que le llega al país desde la comunidad dominicana en el exterior pueda cedacearse tan cómodamente. Se trata de un *package* integral que incluye miles de millones de dólares al año en remesas para sustentar la economía nacional y una que otra inconveniencia social como la de aquellos repatriados que tengan antecedentes criminales. Si se acepta alegremente una cosa hay que buscar la manera de lidiar con la otra.

Báez habló consciente de su ubicación —románense negra con líneas ancestrales que la conectan con la clase obrera de los bateyes— y visualizó en Vicioso a una voz prominente de la élite intelectual correspondiente a un sector de la clase media en la República Dominicana.

Detrás de ese sentido de la diferencia en la ubicación social subyace una manera distinta de configurar la idea de la nación. Báez no podría sencillamente aceptar una imagen que presenta a la diáspora —no importa cuántos migrantes de retorno tengan un pasado criminal— como elemento disociador de la integridad de la nación sobre todo en vista de que el discurso oficial no ha reflejado ninguna compunción por el destierro de casi una quinta parte de la población dominicana. La nación imaginada por Báez difiere radicalmente de la que se alberga en la imaginación de Vicioso[3]. Las separa la perspectiva diaspórica. Aunque Vicioso viviera por muchos años en Norteamérica, no hay que confudir el exilio con la condición diaspórica. El exiliado regresa y se acomoda; el depatriado, no. Se lo impiden los dispositivos del recuerdo que atentan contra toda ilusión de armonía que armen los prestidigitadores encargados de presentar como válida la estabilidad de la nación.

Mi poco admirado Ernest Renán postuló en el siglo pasado "el olvido", el "error histórico" incluso, como "un factor esencial de la creación de una nación" (Renán 1947: 891). Ciertamente una persona negra que se levante todos los días recordándose del suplicio a que fueron sometidos sus ancestros durante la esclavitud o una persona que haya tenido familiares en Palma Sola para diciembre de 1962, cuando el Estado dominicano apeló una vez más al asesinato colectivo para imponer la visión oficial del orden ciudadano, y que se despierte cada mañana con esa memoria en la cabeza, se le hará difícil unirse armónicamente al concierto estatista de la nación. Se necesita olvidar. Pero el fenómeno migratorio que ha vivido el pueblo dominicano durante las últimas cuatro décadas ha disarticulado, para la diáspora, los mecanismos de canalización del olvido.

Actualmente, la sociedad dominicana sigue desplazando a grandes cantidades de seres humanos, cual cristales de azúcar, hacia playas extranjeras. Simultáneamente, el país se desborda en generosidad invitando al capital extranjero a enseñorearse sobre el territorio nacional. Durante su visita a la escuela secundaria George Washington High School, de Nueva York, en junio de 1998, el presidente Leonel Fernández dirigió a los estudiantes dominicanos un mensaje que, *inter alia,* decía: "cuando ustedes regresen a la República Dominicana van a encontrar muchas cosas de las que ustedes tienen aquí- *McDonald's, Burger King,* pizza que uno puede pedir por teléfono y recibirla a domicilio. Y todos los canales de televisión por cable. Todos los chicos allá pueden ver a los Chicago Bulls y los Utah Jazz igual que ustedes aquí." (Citado por Newman 1998)[4]. Por otro lado, no se sabe de ninguna medida encaminada a evitar que decenas de miles de compatriotas se sientan compelidos a dejar anualmente su cálido terruño en busca de asegurarse el bienestar material. ¿Cúal, pues, habrá de ser la relación entre clase y nación en esa situación que internacionaliza radicalmente la vida de la población? Este es el tipo de pregunta cuya respuesta la perspectiva diaspórica no da por sentada. El cuestionamiento permea hasta la médula misma de la meditación que abre el presente volumen y que se retoma en las paginas que cierran esta edición de *El retorno de las yolas.*

Notas

1. Por vivir fuera, no tuve acceso directo a las voces que se expresaron a través de programas radiales y televisivos, las que, según me informaron, no fueron pocas. De las que se expresaron a través de los principales órganos de la prensa escrita, pude colegir referencias o alusiones a mis juicios en las fichas siguientes, circunscritas a los dos años que duró mi participación activa en el debate nacional mediante las páginas de la muy memorable revista *Rumbo* dirigida a la sazón for el estimable Aníbal de Castro:
2. Me remito aquí a la edición en inglés, publicada sin sello editorial en 1949 en México, de *Dominican Reality (La realidad dominicana),* cuya versión en español había salido dos años antes. Aparte de que no tuve a mano la versión en español, importa citar la edición en inglés porque ilustra el fallido afán de Balaguer y otros escribas del trujillato por llevar sus ideas a un foro internacional. Por otro lado, de más está decir que el repudiable manifiesto negrofóbico titulado *La isla al revés,*

publicado en Santo Domingo en 1983, es una mera repetición de *La realidad dominicana*, como bien lo afirma Roberto Cassá en *Los doce años: contrarevolución y desarrollismo* (Santo Domingo: Editora Buho, 1991) 395.

3. Le hago concesión aquí al muy citado concepto de la nación como una "comunidad imaginada", puesto en boga por el politólogo irlandés Benedict Anderson en *Imagined Communities: Reflections on the Origin and Spread of Nationalism* (Londres: Verso & NLB, 1983) 15-16.

4. Debo aclarar que traduzco de la cita en inglés como apareció en el artículo del *New York Times*, aunque tengo entendido que el Presidente Fernández dio su discurso en español.

Referencias

Álvarez, Cosette. "Plumas hipotecadas." *El Nacional*, 16 noviembre, 1995: 10.

Aybar, María. "En tomo a un escrito irreverente." *El Siglo*, 23 octubre, 1995: 6.

Ayuso, Juan José. "Con Dios y con el Diablo o la intelectualidad maniquea: El subsector intelectual del sector informal." *Rumbo,* Año II, No. 95, 22 al 28 noviembre, 1995: 50.

Balaguer, Joaquín. *Dominican Reality: Biographical Sketch of a Country and a Regime. Trad. Mary Giland.* México: n.p., 1949.

Bonilla, Frank. "Clase y nación: Elementos para una discusión." En *Crisis y crítica de las Ciencias Sociales en Puerto Rico.* Ed. Rafael L. Ramírez y Wenceslao Serra Deliz. San Juan: Centro de Investigaciones Sociales, Universidad de Puerto Rico, 1980. 161-79.

Cordero, Margarita. "A propósito de un artículo." *El Nacional*, 28 octubre, 1995.

David, León. "Silvio Torres-Saillant: del desacierto a la ofensa," IV, *El Siglo***,** 3 febrero, 1996: 5C.

David, León. "Silvio Torres-Saillant: del desacierto a la ofensa," III, *El Siglo*, 27 enero, 1996:5C.

David, León. "Silvio Torres-Saillant: del desacierto a la ofensa," II, *El Siglo*, 20 enero, 1996: 5C.

David, León. "Silvio Torres-Saillant: del desacierto a la ofensa," I, *El Siglo*, 13 enero, 1996: 6C.

David, León. "La función del intelectual (Una respuesta al Sr. Silvio Torres-Saillant)", *El Siglo*, 21 octubre, 1995: 5C.

Handelsman, Michael. "Balaguer, Blas Jiménez y lo afro en la República Dominicana." *Secóla Annals* 29 (1998): 85-91.

Henríquez Ureña, Max. *El retorno de los galeones y otros ensayos.* 2da. ed. revisada y ampliada. Colección Studium no. 39. México, D.F.: Ediciones Galaxia y Ediciones de Andrea, 1963.

Hitler, Adolf. *Mein Kampf.* Trad. Ralph Manheim. Boston: Houghton Mifflin, 1971.

Jimenes Sabater, Maximiliano Arturo. "En defensa de Jimenes Grullón." *Rumbo*, Año II, No. 90 18 al 24, octubre, 1995: 2.

Lantigua, José Rafael. "El 'boom' bibliográfico y la polémica literaria: Principales acontecimientos literarios en 1995", sección Biblioteca, *Ultima Hora*, 31 diciembre, 1995: 30.

Lantigua, José Rafael. "Mi acento," sección Biblioteca, *Ultima Hora*, 5 noviembre, 1995: 2.

Mármol, José. "Más sobre los intelectuales ideológicos." *Hoy*, 23 enero, 1996:17.

Mateo, Andrés L. "¿Para qué sirven los intelectuales?" *El Siglo*, 31 octubre, 1995: 7.

Martínez, Rufino. *De las letras dominicanas.* Santo Domingo: Editora Taller, 1996.

Mejía, Marino. "Insensibilidad en la intelectualidad dominicana." *El Nacional*, (edición para Nueva York) 21 octubre, 1995.

Newman, Andy. "Manhattan Students Cheer Dominican President." *New York Times,* 11 junio, 1998.

Núñez, Manuel. "Sobre un juicio a los intelectuales." *El Siglo*, 4 noviembre, 1995: 5C.

Ponce, Aníbal. *Obras.* Colección Nuestra América. La Habana: Casa de las Américas, 1975.

Rama, Angel. *La ciudad letrada.* Hanover, NH: Ediciones del Norte, 1984.

Renán, Ernest. *Oeuvres completes.* Vol. 1. París: Calmann-Levy Éditeurs, 1947.

Sánchez, Enriquillo. "Poder de los intelectuales." *El Siglo*, 19 enero, 1996: 6.

Sánchez, Enriquillo. "El principio de autoridad y el carbono 14." *El Siglo*, 24 noviembre, 1995:6.

Sánchez, Enriquillo. "La desaparición de los intelectuales." *El Siglo*, 10 noviembre, 1995: 6.

Sánchez, Enriquillo. "El Roedor: Una apología interna." *El Siglo*, 25 octubre, 1995: 6.

Sánchez, Enriquillo. "Ser capitaleño." El Siglo, 27 octubre, 1995: 6.

Sang Ben, Mu-Kien Adriana. "Creo que soy yo." *El Siglo*, 24 octubre, 1995: 6.

Santos Rodríguez, Eloy. [Orlando Gil]. "Bloque de Notas." *Ultima Hora*, 31 mayo 1995:11

Santos Rodríguez, Eloy. "Bloque de Notas." 29 octubre, 1995: 11

Santos Rodríguez, Eloy. "Bloque de Notas." 10 diciembre, 1995: 11

Urbáez, Aristófanes. "La ballesta de León David." *El Siglo*, 12 enero, 1996: 7C.

Urbáez, Aristófanes. "Un admirador de Silvio nos escribe." *El Siglo*, 6 enero, 1996: 6C.

Urbáez, Aristófanes. "La agenda pendiente." *El Siglo*, 2 enero, 1996: 6C.

Urbáez, Aristófanes. "Silvio ataca de nuevo," IV, *El Siglo*, 30 diciembre, 1995: 7C.

Urbáez, Aristófanes. "Silvio ataca de nuevo," III, *El Siglo*, 29 diciembre, 1995: 7C.

Urbáez, Aristófanes. "Silvio ataca de nuevo," II, *El Siglo*, 28 diciembre, 1995: 7C.

Urbáez, Aristófanes. "Silvio ataca de nuevo," I, *El Siglo*, 27 diciembre, 1995: 7C.

Urbáez, Aristófanes. "El artículo de Torres-Saillant." *El Siglo*, 1 noviembre 1995: 7C.

Contrapunteo de la diáspora y el Estado

Cuán idónea pueda ser la relación entre la diáspora y su tierra natal dependerá de la manera en que los dominicanos de *aquí* y de *allá* logren modular la intervención del Estado en esa interacción. Conviene aquí repetir que vemos a la diáspora como una comunidad víctima de expulsión por una sociedad emisora inhóspita; es decir, como un conglomerado humano al cual el Estado en el país de origen le ha fallado. El origen social humilde del éxodo, lo hemos dicho, explica la antipatía de la clase media dominicana hacia sus compatriotas emigrados. Anteriormente, esa antipatía daba pie a "chistes y murmuraciones" que tornaban al "dominicano ausente" en "objeto de burla". Al regresar al país de vacaciones, recuerda Bienvenido Alvarez-Vega, a los "ausentes" se les ridiculizaba, atribuyéndoseles modales chocantes "por sus vestimentas estrafalarias o sobresalientes", o por la forma de hablar (1998: 18). Luego, la imagen del ausente evolucionó hasta criminalizarse en la figura del *dominican-york,* especie de azote de Dios a quien se le achaca una buena parte de los males nacionales.

La iconografía que condena a los dominicanos residentes en los Estados Unidos al plano irremediable de la alteridad ha cambiado algo, aunque su vigencia continúe aún. En primer lugar, la importancia de los emigrados como una fuente de ingresos para la sociedad emisora se ha hecho cada vez más patente, por lo que la clase media criolla, a regañadientes, ha tenido que reconocerle valor a esa gente despreciada. La inclusión de una ley de la doble ciudadanía en la reforma constitucional de 1994 impulsó una ininterrumpida cadena de gestos seductores dirigidos desde la República Dominicana hacia la diáspora. En septiembre de 1997 "el Senado aprobó de urgencia, en dos sesiones consecutivas, un proyecto de ley de protección de los derechos y prerrogativas de los dominicanos residentes en el exterior", el cual creaba programas destinados a velar por los intereses de dicha comunidad dentro y fuera del país y también creaba la Dirección General de Protección de los Dominicanos Residentes en el Extranjero (Germosén 1997). Dos meses después, el Presidente Fernández dio personalmente la bienvenida en el Aereopuerto Internacional de las Américas a los dominicanos que regresaban de visita al país durante las navidades. Alvarez-Vega interpretó el hecho "como una legitimación de la colonia dominicana residente en el exterior, específicamente en los Estados Unidos, como un reconocimiento de su valía y de su importancia por parte de las autoridades gubernamentales" (1998: 18).

Las mayores galanterías hacia los "ausentes" han venido de la legislatura. En el verano de 1997, el dirigente balaguerista Amable Aristy Castro, Presidente del Senado de la República Dominicana, asistió en Nueva York a una cena en su honor convocada por el hábil comerciante Fernando Mateo, en el Restaurante Mirage de Washington Heights. Allí el senador se comprometió "solemnemente" a conseguir "el derecho al voto en el exterior" para los emigrados "a más tardar en el año dos mil", según reportó entonces la edición neoyorquina del vespertino *El Nacional.* Meses después Peña Gómez y Balaguer, caudillos de los dos principales partidos de la oposición, recibieron en sus despachos al astuto Mateo, quien entonces se promovía como director de un llamado "Movimiento Pro Voto del Dominicano en el Exterior", y le "expresaron su apoyo al proyecto que permitirá que los dominicanos residentes en el exterior puedan ejercer el voto" (*Listín Diario,* Sept. 28,1997:5A). Luego, en octubre de 1997, la Cámara de Diputados envió delegaciones oficiales compuestas por representantes de los distintos partidos a varias ciudades norteamericanas y a Puerto Rico con el fin de recoger las inquietudes de la comunidad dominicana en torno a las medidas legislativas entonces bajo consideración en el Congreso Dominicano. La delegación que viajó a Nueva York, cuyas vistas públicas tuvieron lugar el 3 de octubre en el recinto de City College, CUNY, y dos días después en la Escuela Intermedia Salomé Ureña (I.S. 218), en Manhattan, afirmaron enfáticamente que ya existía un consenso en la legislatura del país acerca de la necesidad de otorgar a los dominicanos en el extranjero el derecho al voto.

La propuesta de extender el voto a los dominicanos en el exterior no ha dejado de suscitar controversia. El dirigente del Partido Reformista Angel Lockward, por ejemplo, recomienda cautela. Aconseja que el Congreso de la República cree una Secretaría de Estado de Ultramar para lidiar con los asuntos concernientes a los emigrados, quienes podrían disponer de por lo menos un senador y tres diputados elegidos estrictamente por la comunidad del exterior. Pero considera que darles participación en las elecciones presidenciales sería peligroso. A Lockward le preocupan las ventajas injustas de que goza la diáspora debido al "poder económico acumulado, en algunas ocasiones con malas artes, por los *dominican-yorks*", quienes "podrían tener un insano y gran peso en la elección presidencial". El vocero reformista asegura que esa intervención electoral advenediza provocaría un gran resentimiento entre los votantes del país y llega a conjeturar que "si las elecciones de 1986, de 1990, de 1994 hubieran sido decididas por los votos emitidos en el exterior, habríamos tenido una guerra civil" (Lockward 1997: 9A). Lockward no revela en qué consistiría el descontento de los compatriotas votantes en la tierra natal, pero se deduce de su alarmante advertencia que para él la participación de la diáspora en las elecciones presidenciales ofendería más que la más afrentosa trampa electoral, puesto que en el 1990 y el 1994 Balaguer se valió del fraude para desconocer de nuevo la voluntad popular sin que el insulto a la ciudadanía provocara "guerra civil" alguna.

En la comunidad dominicana de los Estados Unidos ha habido reacciones diversas a la posibilidad del voto en el exterior. El empresario y activista Nelson Camacho está entre los que ven en el proyecto una reividicación que la tierra natal les debía a los emigrados. Según palabras suyas que recoge el *New York Times,* la iniciativa "promete convertir a la comunidad de inmigrantes asentados en Nueva York en una poderosa fuerza electoral para el país de origen" (Sontag and Rohter 1997: Bl). Pero para Moisés Pérez, el director ejecutivo de Alianza Dominicana en Washington Heights, el proyecto de ley tiene sus bemoles. Estima que, si la medida implica que la comunidad se muestre menos entusiasta con respecto a la actividad política en la sociedad norteamericana, el resultado será contraproducente para el fortalecimiento político de la diáspora. Si, teniendo "recursos limitados", nos deshacemos de ellos para enviarlos "desproporcionadamente a la República Dominicana, no sólo a nuestras familias sino también a los partidos políticos, debilitaremos nuestra posición aquí", declara Pérez en una crónica de los periodistas Deborah Sontag y Larry Rother (1997: Bl). Por otro lado, el activo educador Anthony Stevens-Acevedo, aumentando el nivel de suspicacia, se pregunta si los legisladores tienen real conciencia del problema en cuestión. Estima que a la hora de implementar logísticamente el voto al dominicano habrá que enfrentar el dilema estadístico de si contar o no a documentados e indocumentados. De cuán exacto sea el conteo dependerá si a la comunidad se le asignará un grado de poder político, materializado en un número menor o mayor de legisladores, realmente proporcional al tamaño de la población dominicana en Norteamérica. Luego faltaría confiar, concluye escépticamente Stevens, en que "estos nuevos vientos de reconocimiento a los 'dominicanos en el exterior' tengan algo de honestos" (Stevens-Acevedo 1997).

Este tenso intercambio entre voces de la tierra natal y la diáspora ilustra la dificultad de extender la juridisción del Estado de una sociedad dependiente allende sus propios confines. En ambos lados del mar la idea del voto al dominicano residente en el exterior evoca inquietudes acerca del qué y el cómo. También vale la pena fijarse en el porqué, pues el debate no se da en el vacío. Se da en una coyuntura histórica en la que vemos al capital volverse cada vez más móvil en la búsqueda de mejores precios para la mano de obra semidiestra. La región del

Caribe se encuentra actualmente "atrapada en una economía política internacional con apenas dos opciones: 1) fomentar la salida de los ciudadanos para que estos envíen remesas y 2) estimularlos a que se queden para trabajar por salarios bajos en las áreas de turismo y el procesamiento para la exportación" (Segal 1998: 213). De ese contexto histórico regional se desprende el drama de atracción y repulsa que caracteriza a las relaciones de los dominicanos en el país de origen con respecto a la diáspora. Debido a la complejidad del fenómeno, los interlocutores en el diálogo despliegan más dudas que certezas.

De lo que no parece haber duda alguna es del marcado interés del Estado dominicano en delinear los términos del intercambio entre los de *aquí* y los de *allá* con el aparente propósito de mantener a los emigrados en su actual papel de sostén principal de la economía de la República. Quizás de ahí la decisión de llevar al Riverbank State Park de Nueva York la "lera Expo. Reforma Internacional" del 8 al 12 de junio de 1998 con el aparente fin de impresionar a los dominicanos de la gran urbe con los "resultados alcanzados en el primer año de trabajo" por la Comisión Presidencial para la Reforma y Modernización del Estado. El Estado dominicano no es el único ni el primero en querer sonsacar a su diáspora para satisfacer necesidades internas del país emisor. No extraña el que los emigrados tengan que "consagrar su lealtad a una causa particular" como un requisito para legitimar su vínculo patrio, como explica Yossi Shain, quien señala que a los miembros de una diáspora nacional de vez en cuando "se les pide, por partes de varios contendientes al poder, dentro o fuera de los contornos del Estado-nación, incluyendo en el régimen vigente en el país de origen, hacer votos de lealtad" (Shain 1989: 52). El Estado fascista que comandaba Benito Mussolini se ingenió una agencia especial destinada a "organizar" y a "proteger" a las comunidades italianas residentes fuera de Italia. Con esa medida el régimen procuraba ganarse el apoyo de los expatriados para mitigar la oposición antifascita en el extranjero (Shain 1989: 51). La agencia estatal dirigida a enamorar a la diáspora, fundada en 1927, se llamó "Direzione Generale degli Italiani all'Estero" (Dirección General de la Comunidad Italiana en el Exterior).

El Estado dominicano no ha articulado explícitamente su relación con la diáspora. Pero se puede colegir de sus gestos una economía política encaminada a modular la interacción de los dominicanos residentes en el exterior con la tierra natal. Hasta ahora la más sostenida conceptualización de esa relación se debe al historiador y economista Bernardo Vega en su condición de Embajador dominicano en los Estados Unidos con base en la ciudad capital de Washington. En agosto de 1997, durante un seminario convocado para evaluar el "impacto" de la diáspora en la economía del país emisor, el Embajador Vega pronunció un importante discurso en el que ponderó el papel influyente que la "comunidad domínico-americana" puede desempeñar en el diseño de una agenda bilateral norteamericana con relación a [la República Dominicana]" tal como las comunidades cubano-americana y judía han ayudado a formular la política norteamericana hacia La Habana y Tel Aviv (Vega p. 2).

Consciente del alto número de dominicanos que posee la ciudadanía norteamericana y está apto para ejercer el voto y presionar políticamente, Vega estima que los domínico-americanos pueden beneficiar decisivamente a su país de origen. El músculo político de que ya han hecho gala al elegir a legisladores dominicanos para puestos municipales y estatales bien podría canalizarse hacia una agenda encaminada a favorecer a "la madre patria", propone el Embajador, quien da testimonio de su propio esfuerzo pionero por redirigir la energía política de la diáspora. Dice: "En la Embajada dominicana en Washington hemos movilizado, creemos que, por primera vez, a docenas de grupos de domínico-americanos, organizados en asociaciones e instituciones privadas de la más diversa índole, en una campaña de envío de cartas a sus congresistas, buscando su apoyo para el proyecto de la paridad textil. Ese mensaje le cala a un congresista más efectivamente que lo que pueda decir el más locuaz embajador" (Vega p. 3). En vista del importante papel que los emigrados pueden desempeñar en Washington, como suerte de cabilderos a favor del país natal, Vega se enfrenta al reto de "cómo mejor organizar a esa comunidad, para que cada día tenga una creciente influencia política" (p. 5).

Vega desaconseja la fundación de un "Ministerio de la Diáspora," a la Haití, o la creación de una institución dependiente de organismos gubernamentales como la Embajada dominicana en Washington o el Consulado Dominicano en Nueva York, por considerar que esa vinculación —igual que el enlace directo con los representates de los partidos políticos dominicanos en los Estados Unidos— se disvirtuaría en la competencia política partidaria. Tarde o temprano caería en la dinámica proselitista que se desata con cada elección presidencial. Vega considera preferible que el Estado proceda a "organizar políticamente a los domínico-americanos" mediante una fórmula indirecta, "un proceso de autogestión, que surja y se desarrolle dentro de la propia comunidad". El gobierno dominicano puede brindar "algún apoyo, pero indirecto". Convendría, más bien, que el papel de orientador visible le toque a una organización hispana como el National Council of La Raza que tiene experiencia en el afán de navegar e influir en la política de Washington (Vega p. 6). En síntesis, el Embajador admite que la diáspora tiene ante sí su propia agenda de trabajo, en la que entran principalmente "los temas de migración y servicios sociales", pero que disfruta de una posición idónea para presionar también a Washington en aras de una política exterior que beneficie a "la madre patria" en asuntos importantes tales como "la paridad textil, el azúcar, la deuda externa y la promoción de inversiones privadas norteamericanas" (Vega p. 8).

Naturalmente, tan complejo es el contrapunteo de la diáspora y el Estado que se hace realmente difícil, para conceptualizar el futuro de esa relación, armar propuestas exentas de ambigüedades o inconsistencias. La propuesta de Vega entraña una ambivalencia irremediable: por un lado, la de querer estimular la "autogestión" en el colectivo de organizaciones domínico-americanas, de lo que se deduciría un deseo de asegurar su autonomía, y la de, por el otro, contar con que esa iniciativa organizativa reditúe beneficios políticos y económicos para el Estado dominicano, lo que supone la necesidad de garantizar el resultado mediante algún tipo de control. Al final de cuentas, no hay precedente de que el Estado ayude a una causa que no controla. La propuesta del Embajador sugiere una disyuntiva en la que la autonomía domínico-americana queda condicionada por la necesidad del Estado dominicano. Si la propuesta encierra como meta principal organizar a la comunidad domínico-americana para que desempeñe eficazmente el papel de cabildera del Estado dominicano en Washington, sería contradictorio abogar por la autonomía de la comunidad. En el fondo, lo que se busca es más bien estimular el tipo de "autogestión" que ayude a disimular la intervención de la mano gestora del Estado. Obrar con cautela y discreción podría crear la ilusión de respeto a la autodeterminación política de los domínico-americanos, a la vez que la diáspora pone y el Estado dispone.

El proyecto mismo de organizar a la comunidad dominicana en los Estados Unidos riñe con la observación del Embajador Vega en torno al avance político de la diáspora en los últimos años. La emergencia política de la comunidad, que, aparte de llevar a compatriotas a escaños legislativos a nivel municipal y estatal en Nueva York y New Jersey, comienza a ver a su gente escalar peldaños en el poder judicial, revela a un grupo étnico inmerso en su propio proceso de fortalecimiento político. La dinámica organizativa vigente de la diáspora hace a toda luz innecesaria la entrada, cual *deus ex machina*, del Estado dominicano para señalarle el camino de su propio fortalecimiento político. También valdría la pena preguntarse hasta qué punto se puede pretender aglutinar a los distintos sectores de la comunidad dominicana en los Estados Unidos alrededor de la necesidad de defender al Estado dominicano. ¿Merece el Estado dominicano que la diáspora lo defienda? Los miembros productivos de la diáspora son los sobrevivientes de una traumática expulsión perpetrada por el Estado a partir de los sesenta. A mi parecer, sería paradójico que los mismos expulsados de la tierra natal se brindaran luego a comparecer ante la legislatura norteamericana en calidad de cabilderos del mismo Estado que los expatrió.

Tampoco puede quedar sin examinar la presunción de que hay compatibilidad entre la agenda nacional de los dominicanos como grupo étnico dentro de la población norteamericana y la agenda del Estado dominicano como parte de un engranaje regional interesado en mejorar sus relaciones de mercado con el país rector en la región. Cabe recordar que el compromiso de la diáspora judía con Israel se debe a que ese país, tal y como lo conocemos hoy, fue imaginado y construido por la diáspora. Israel no expulsó a su gente. Más bien ha utilizado un precedente distante en la textualidad bíblica para ofrecerle una patria a gente que ha vivido por siglos en otras tierras. En cuanto al caso cubano, hay que tomar en cuenta que lo que ha caracterizado la relación entre la diáspora y el Estado ha sido la confrontación o al menos el diálogo tenso. Quizás nada haya aglutinado a la comunidad cubano-americana más firmemente que la oposición compartida al régimen castrista. Asimismo, lejos de suponer que la agenda nacional de los dominicanos en Norteamérica se vaya a consolidar alrededor del apoyo al Estado dominicano, me temo que sea el reconocimiento del trauma compartido de su condición diaspórica, la relativa desestatificación de su realidad, lo que al final de cuentas ofrezca la cohesión que necesita la comunidad dominicana en el exterior. Probablemente, la desconexión del Estado dominicano sea el requisito principal que exige la comunidad para consolidar su identidad como minoría étnica en los Estados Unidos. De ahí podrá depender que pueda eficazmente librar la batalla por la sobreviviencia y ejercer la debida presión en la sociedad huésped para hacerla sensible a las necesidades de los dominicanos en Nueva York, New Jersey, Rhode Island, Connecticut, Massachusetts y los demás estados que albergan a nuestra gente.

El emplearse a fondo en la tarea de defender al Estado dominicano podría distraer políticamente a la diáspora y hacerle mermar la concentración de energía organizativa que necesitará para vencer los aprestos que hoy dificultan su existencia en el país huésped. Baste mencionar algunos de los más graves. Hay la gran urgencia de rescatar a nuestros niños de los distritos escolares adonde les ha tocado asistir en los sistemas de educación pública en el nordeste de los Estados Unidos. Atrapados en programas reconocidamente perjudiciales para su formación intelectual en escuelas con un vergonzoso historial de rendimiento, como la secundaria George Washington High School o a las primarias que integran el Distrito Escolar No. 6 en el Norte de

Manhattan, nuestros niños y jóvenes reciben apenas una porción mínima de la formación académica que exigen de ellos las buenas universidades. No me refiero sólo a las pertenecientes a la prestigiosa *Ivy League* u otras instituciones de educación superior privadas sino también a las universidades públicas que cuidan su reputación. En una sociedad cuya economía se vuelca cada día más sobre las áreas más especializadas del sector terciario, la educación superior habrá de imponerse como boleto de admisión al mercado de trabajo.

Si nuestra gente no logra una formación universitaria competitiva, corre el peligro de quedarse fuera del espacio laboral que engendra la nueva economía norteamericana. Entiéndase que abogar por la inserción de la comunidad dominicana en el mercado de trabajo supone la meta de aumentar la calidad de vida del grueso de nuestra población. En la medida en que nuestra gente acceda a los empleos en números mayores se podrá disminuir nuestra presencia en la nómina de la beneficiencia pública, que en Nueva York ha alcanzado cimas estadísticas alarmantes (Ojito 1997: B7). En fin, pedir que los dominicanos puedan vender dignamente su fuerza de trabajo equivale a velar porque la sociedad norteamericana les respete sus derechos. En esto nos persuade el raciocinio del académico Philip Harvey de la Universidad de Princeton, quien nos recuerda el énfasis que la Declaración Universal de los Derechos Humanos del 1948 y otros acuerdos internacionales han puesto en la disponibilidad del empleo renumerativo como un derecho humano fundamental (Harvey 1993: 352).

La comunidad dominicana en los Estados Unidos padece los mismos males y las mismas carencias de las demás minorías étnicas provenientes del Tercer Mundo, con la agravante de que nuestra gente, por su inmigración reciente en comparación con otros grupos, todavía no domina algunos renglones básicos para su sobrevivencia. Carecemos de una infraestructura institucional capaz de canalizar constructivamente el talento y la energía con frecuencia inusitados, de nuestra comunidad. La multitud de varones jóvenes, fuertes y seguramente inteligentes que ociosamente se congrega por horas muertas en innúmeras esquinas a lo largo de avenidas como Broadway, Amsterdam y Saint Nicholas en

Washington Heights puede dar pie a una visión grimosa del futuro de nuestra comunidad. No contamos con bases institucionales para orientar a los desempleados o colocar a nuestra gente en áreas determinadas del mercado de trabajo, como hacen otros grupos étnicos que controlan campos como la construcción, la docencia o renglones específicos de la esfera laboral gubernamental. Hay una ausencia casi total en la diáspora de opciones educativas para personas adultas con necesidad de actualizar sus destrezas y faltan estructuras capaces de promover la expresión artística de la comunidad. Faltan mecanismos que apoyen el teatro, las artes visuales y el trabajo intelectual avalado por la necesaria erudición a fin de que nuestra experiencia llegue a tomarse en cuenta en los diálogos y debates multiculturales que afloran con frecuencia en la palestra pública de la sociedad norteamericana.

Sofocados por el hacinamiento, los jóvenes en los vecindarios dominicanos carecen de espacios físicos amplios donde congregarse sanamente para sus prácticas deportivas o para desarrollar actividades recreativas en general. Combínese eso con la escasez de viviendas y la sobrepoblación. Washington Heights, por ejemplo, supera en densidad poblacional a todos los demás vecindarios de Nueva York. La creación de un segundo destacamento policial para la zona (*Precinct 33)* obedeció a que los efectivos del destacamento original *(Precinct 34)* tenían a su cargo una población dos veces mayor que la vigilada por el destacamento promedio de la ciudad. Asimismo, en el año lectivo 1992-93, la única escuela secundaria de Washington Heights operaba a un 153% de su capacidad, mostrando la más alta taza de sobrepoblación en todo el sistema escolar neoyorquino (Hernández, Rivera-Batiz y Agodini 1995: 10). Esa carencia de espacio físico vital encuentra una quejumbrosa correspondencia en la falta de holgura económica de nuestra gente. Según datos extraídos del censo de población de 1990, un 36% de la comunidad dominicana en Nueva York vivía por debajo del nivel de pobreza (ibíd. p. 49). El censo del año 2000 seguramente dé a conocer niveles adicionales de precariedad debido al efecto combinado de la ley de inmigración de 1996 y la reforma al programa de beneficencia pública que han hecho más rígidos los criterios de eligibilidad para los usuarios potenciales de servicios sociales. Hay que esperar alguna reducción en el acceso a los servicios de salud subsidiados por fondos públicos sin que haya un proporcional aumento en los ingresos, ya que al final de los 90 la taza de desempleo entre nuestra gente mantenía su infausto ascenso.

La diáspora tampoco ha evolucionado hasta la fase en que la colectividad pueda sacar provecho de sus más notables casos de éxito individual. Pienso en qué tendrá que suceder para que la fama alucinante del dominicano Oscar de la Renta pueda traducirse en una mayor apertura del campo de las modas a compatriotas aspirantes a modistos. Me pregunto cómo lograr que la afortunada carrera literaria de nuestra Julia Alvarez incremente la receptividad de las grandes editoriales norteamericanas para con los manuscritos de jóvenes talentosos de origen dominicano que escriben en inglés como Annecy Báez, Nellie Rosario y Angie Cruz. En otras palabras, me interesaría saber si podemos aspirar a que cada talento individual que triunfe, sea en la academia, en los negocios o en el arte, cumpla con el acuerdo tácito de hacer camino al andar para que otros compatriotas con talento comparable y menor suerte puedan también penetrar. El éxito, por ejemplo, de nuestro relativamente pequeño sector empresarial, el que se ha hecho célebre gracias al liderazgo de grupos pujantes como la Asociación Nacional de Supermercados, alcanzará un mayor significado en la medida en que veamos una correlación entre la prosperidad de la élite comercial y el crecimiento del mercado de trabajo en los vecindarios dominicanos. Cada nuevo millonario dominicano importará sólo si su capital se invierte en iniciativas que contribuyan a reducir el desempleo que nos aqueja, dándole así visos de colectividad a lo que de otra manera no pasaría de ser una bienaventurada hazaña personal.

No menos retador es el trecho que nos queda por trillar en el plano estrictamente político. Hasta el momento hemos tenido a varios funcionarios de origen dominicano que han sido elegidos en cargos públicos y esto ha creado un precedente importante cuyo simbolismo seguramente habrá alimentado el entusiasmo de nuestra gente por participar en la vida política norteamericana. Los más conocidos de ellos, Kay Palacios, ex-regidora de New Jersey; Guillermo Linares, actual regidor de Nueva York, y Adriano Espaillat, asambleísta estatal de Nueva York, han hecho más palpable el sueño de los compatriotas que puedieran aspirar a puestos electivos en los Estados Unidos. Pero inmediatamente se impone la pregunta sobre cómo asegurar que el ascenso de tal o cual domínico-americano individual, aparte del valor simbólico ya mencionado, genere concretamente un creciente fortalecimiento político de nuestra gente. Un mayor poder político se manifestaría en la capacidad de influir en procesos sociales y económicos en los espacios que habitamos y en el poder de coerción que nos permita amedrantar a muchos que impunemente se dan a la tarea de difamarnos como comunidad. Nada más que nuestra debilidad política actual explica la violencia de los dos artículos de primera plana firmados por Larry Rohter y Clifford Krauss el 10 y 11 de mayo de 1998 en el *New York Times.* Sin titubeo alguno, los autores achacan a la comunidad dominicana el papel protagónico en proliferar el narcotráfico a través de la nación norteamericana. Igual explicación tendría la facilidad con que diversos autores en varios libros que han visto la luz últimamente explotan gratuitamente el supuesto liderazgo criminal de la comunidad dominicana. El más reciente, *Wild Cowboys* (1997), de la autoría de Robert Jackall, apareció bajo el sello editorial de la prestigiosa Universidad de Harvard.

La comunidad dominicana en los Estados Unidos, aparte de las desventajas hasta aquí señaladas, sufre la condición de pariente pobre frente a los otros grupos minoritarios. Como grupo inmigrante relativamente reciente, la comunidad a veces se queda fuera de la agenda económica, política y social que diseñan sus hermanas y hermanos latinos y afroamericanos, haciéndonos sentir a veces que llegamos demasiado tarde, cuando ya se habían repartido todas las porciones del pastel. Nuestra interacción con los puertorriqueños, mexicanos y cubanos, los grupos que dominan la agenda hispana en Norteamérica, se ha dificultado con la pérdida de terreno político y social sufrida en los últimos años por esas comunidades. Durante los 60 y los 70, con el advenimiento de la ley de los derechos civiles contra la discriminación, la medida conocida como "acción afirmativa" para promover la diversidad racial, étnica y de género, así como la política de "admisión abierta" para garantizar el pleno acceso a la educación superior por parte de grupos antes excluidos, las comunidades hispanas se beneficiaron de medidas legislativas derogadas con el fin de subsanar la estela de desigualdades padecidas por las minorías. Luego cambió de nuevo el clima político en los Estados Unidos. Durante los 90, con el éxito arrollador de los republicanos en las elecciones congresionales, estatales y municipales a través del país, sobrevino un ambiente ideológico conservador.

Marcado por el liderazgo durante los 90 de Newt Gingrich, autor del *Contract with America,* el nuevo orden de cosas redefinió el compromiso del Estado con las clases desposeídas. La filosofía política liberal puesta en boga por la administración de Franklin Delano Roosevelt (1933-1945), que le concedía "derechos económicos" a toda la población, cayó en desuso a nivel nacional, llevando a los legisladores demócratas a distanciarse de su anterior liberalidad a fin de ajustarse al conservadurismo de los nuevos tiempos. El ambiente político reinante dio cabida a prédicas en contra de los inmigrantes dentro de una retórica primordialmente anti-humanística. Lógicamente, los hispanos sufrieron serias mermas en las oportunidades que habían disfrutado hasta los 80 y para los dominicanos la piña se puso particularmente agria. Pues la estrechez económica exacerbó la competencia inter-étnica por recursos que se achicaban progresivamente y los dominicanos, al ser un grupo con escaso poder de presión, llevaron la de perder. De hecho, atravesamos una situación tan incómoda que a veces las iniciativas de fortalecimiento político encabezadas por dominicanos han causado recelo en determinados líderes de otros grupos latinos que interpretan cualquier ascenso social de nuestra gente como una pérdida de espacio para los suyos. Asistimos a una coyuntura que en muchos casos torna en celosos competidores a nuestros aliados naturales, grupos de cuyo legado la comunidad dominicana se benefició inicialmente. Los grupos que ayer nos dieron la bienvenida, hoy nos ven como amenaza. Puesto que esa tensión en las relaciones con los otros hispanos puede cerrarnos las puertas a importantes áreas de trabajo, fondos estatales y escaños electivos, no puede siquiera pensarse en una agenda nacional dominicana en los Estados Unidos que no articule alguna estrategia para lidiar con el asunto.

En fin, los domínico-americanos enfrentan tantos y tan serios problemas que deberán concertar el mejor esfuerzo de todo su capital humano para tan sólo salvar los obstáculos que asedian su sobrevivencia física y moral. Después de concentrar su inteligencia y su energía en esa urgente tarea, dudo que a la diáspora le sobre vigor y entusiasmo para atender a las premuras del Estado dominicano en sus relaciones con los Estados Unidos. A menos, que la diáspora esté dispuesta a descuidar sus propios aprestos en la sociedad huésped, sacrificándose una vez más por "la madre patria", no le veo viabilidad a la propuesta del Embajador Vega de "organizar a los domínico-americanos" para bien del Estado dominicano. Me parece más productivo el diálogo de la diáspora con el Estado dominicano en función de otro tipo de discurso, del que también se ha hecho eco el Embajador Vega. Sucedió en la "Mesa Redonda Nacional" convocada por la Fundación Nacional Domínico-Americana para discutir la posibilidad de conformar una agenda de superación destinada a fortalecer a la comunidad dominicana a lo largo de la nación norteamericana. Con la asistencia de activistas, políticos, comerciantes y educadores dominicanos procedentes del Nordeste, de La Florida, de Washington y de Puerto Rico, la reunión se celebró el 6 de diciembre de 1997 en el Hotel Sheraton Biscayne de Miami. Como expositor en el encuentro, el Embajador Vega caracterizó como una rareza su participación en el diálogo: un representante del Estado dominicano en una discusión sobre el futuro de la diáspora. Haciendo gala de un equilibrio y una prudencia sin precedentes en los juicios hasta entonces externados por los diplomáticos del país al ponderar asuntos relativos a los dominicanos residentes en el exterior, el Embajador significó que el Estado dominicano debía circunscribirse al papel que la diáspora le asignara. "Yo vengo aquí a que ustedes nos digan cómo es que ustedes desean que nosotros participemos en el desarrollo de su agenda nacional", dijo el diplomático en una de las partes de su alocución.

La perspectiva prudente de ese segundo discurso de Vega, del cual cito de memoria, ofrece mayores posibilidades para el diálogo puesto que acierta a darle a la diáspora la voz cantante en la confección de su propia agenda. Al concederle esa autodeterminación está reconociendo implícitamente la opción que tiene la comunidad de condicionar la inclusión del Estado dominicano y hasta de excluirlo totalmente. En vista de los avances tecnológicos en las telecomunicaciones y de la movilidad transnacional que permite a tantos compatriotas mantenerse activos casi simultáneamente igual en el país de origen que en el país huésped, seguramente la diáspora no pueda por ahora practicar una escisión profiláctica que estirpe toda ligazón con el Estado dominicano. Tenemos casos singulares, aunque significativos, como el de Alexis Gómez Rosa, un poeta cuya carrera literaria en las últimas décadas se ha desarrollado en Nueva York, pero que se las ha arreglado para mantener su nombre y su obra vigentes en los círculos literarios de Santo Domingo. Por otro lado, viene al caso el proyecto *Dominicanos 2000,* un movimiento encabezado por jóvenes nacidos o criados en Norteamérica que se han propuesto configurar una agenda de superación para la comunidad domínico-americana en el próximo siglo concebida estrictamente desde la perspectiva de la juventud. Entre las unidades organizativas de que se compone el movimiento, los coordinadores de *Dominicanos 2000* han incorporado un comité para lidiar específicamente con la tierra natal. Se trata, a mi parecer, del reconocimiento de una inevitable interdependencia entre los dominicanos de aquí y los dominicanos de allá.

Existe, además, un incentivo profundamente político y adecuadamente ideológico para evitar la desvinculación total del Estado dominicano. Se trata, sencillamente, de no caer en "complicidad inadvertida con el poder del capital transnacional que, desde su base en determinada nación, exhibe una conducta resueltamente antinacional y antiestatista" (Tólólyan 1996: 5). En ese sentido, la diáspora dominicana debe cuidarse de hacerle el juego a la lógica antiestatista puesta en boga por la supremacía capitalista de las naciones tecnocráticas que integran el Grupo de los Siete (G7). Debemos ser cautos con el "proyecto transnacional" de inhabilitar al Estado y a la nación de cada sociedad en el Tercer Mundo. Especialmente, debemos permanecer alertas con respecto a las debilidades derivadas de nuestra propia condición existencial. Pues, como "personas transnacionales", tendemos, como bien ha insinuado Tólólyan, a tolerar fenómenos y conceptos generalmente apreciables para las diásporas, "como la heterogeneidad y la movilidad", a la vez que, paradójicamente, aspiramos a la seguridad que podría garantizar un Estado fírme en la sociedad receptora (Tólólyan 1996: 5).

Naturalmente, no se puede desdeñar cuánto tiene de apreciable la condición diaspórica. De ella pueden aprender la sociedad de aquí y de allá acerca de "la posibilidad humana de vivir, incluso de prosperar, en los regímenes de multiplicidad que cada día más caracterizan a la condición global" ha dicho Tólólyan, quien añade que: "El poder desestatificado de las diásporas reside en su conciencia realzada de los riesgos y las recompensas de poder corresponder a esferas múltiples", así como en la tensión a veces inherente a "las paradojas de esa correspondencia" (1996: 7-8). La amplitud conceptual que se desprende de la condición diaspórica, en la que el individuo alcanza su ubicación ontológica al margen del marco definidor exclusivo de este o aquel Estado-nación, provee el ambiente propicio para una concepción de nuestra identidad radicalmente desprovista de todo etnocentrismo.

Finalmente, hay que tomar en cuenta que, independietemente de los deseos del Estado dominicano, la mayor motivación que podría tener la diáspora para colaborar con él sería la de canalizar hacia el país de origen parte de la amplitud conceptual, la sabiduría y la sensibilidad que ha generado la condición diaspórica en nuestra comunidad. Al Estado le interesaría que la diáspora interviniera en áreas relativas a la "agenda bilateral de los Estados Unidos con relación a la República Dominicana" en lo que respecta específicamente a "la paridad textil, el azúcar, la deuda externa y la promoción" de inversiones norteamericanas, entre otros asuntos de interés para "la madre patria". Pero a la diáspora quizás lo que le interese sea ayudar en la tierra natal a rediseñar la relación entre el pueblo y el Estado o a combatir los prejuicios culturales o a mitigar el autoritarismo en los distintos renglones de la sociedad o a erradicar el culto al poder en los medios de comunicación. Es decir, más que involucrarse en transacciones de mercado, que no lograrían más que escalar el apoyo económico que ya la comunidad extiende al país mediante las voluminosas remesas, la diáspora probablemente encuentre más halagüeño tener la oportunidad de usar su reserva intelectual para bien de la "madre patria".

Desde el exterior, la diáspora podría transmitir a la tierra natal un capital cultural de incalculable valor para impulsar la impostergable modernización de la sociedad dominicana. Los domínico-americanos bien podrían desempeñar la función de centinelas de la democracia y la justicia social en la tierra natal. El contacto con una realidad política distinta de la criolla y la intimidad con otras soberanías han ampliado, sin dudas, el sentido de los derechos humanos y la ciudadanía plena en la conciencia de la comunidad dominicana en el exterior. En ese sentido, los emigrados nuestros, igual que los cubanos, los haitianos y otros desterrados, bien podrían transmitir a sus compatriotas en la tierra natal las herramientas culturales, políticas y sociales adquiridas en una lucha sin cuartel por mantener la identidad étnica en el exterior. Se trata, en suma, de un legado de constructiva afirmación de la dominicanidad que, como afirma una colega cubana refiriéndose al caso de su comunidad, "puede resultar valiosísima para países cuyo sentido de la identidad se va desgastando a medida que los mercados que ofertan productos culturales uniformes abarrotan el globo terráqueo" (Torres 1995: 235).

La colaboración entre la diáspora y el Estado dominicano, pues, brindaría una oportunidad para mejorar la calidad de la comunicación entre los de *aquí* y los de *allá*. La tierra natal se enteraría de esa manera de cómo la diáspora está creando una cultura dominicana y difudiéndola hacia puntos cada vez más lejanos del planeta. Esa producción cultural, dada al margen de la supervisión del Estado, ha enriquecido notablemente los linderos de la dominicanidad. "Yo quiero crear una pintura que sea netamente dominicana," declara entusiasta la pintora Charo Oquet desde su taller en Miami Beach, donde labora desde hace años después de un largo peregrinaje personal y artístico (Facundo 1997: 2E). Tenía dos años cuando su familia viajó con ella a Nueva York y había transcurrido ya la adolescencia cuando regresó a Santo Domingo. Pasó luego a Inglaterra, desde donde se dirigiría a Nueva Zelandia, para después radicarse de nuevo en los Estados Unidos. Hoy mueve apasionada su pincel convencida de que "tiene que haber un arte que sea puramente de nosotros" (Facundo 1997: 2E). De igual manera, los escritores de la diáspora que han alcanzado éxito internacional han llevado la reflexión sobre lo dominicano a confines terrestes cada vez más remotos. Al escribir en inglés, hurgando en las posibilidades expresivas de ese idioma, esos artistas literarios no sólo ensanchan el alcance geográfico de la experiencia nuestra, sino que, también, valiéndose de los recursos intrínsecos de otro código lingüístico, profundizan en zonas antes inexploradas de la dominicanidad.

Desde la perspectiva de un discurso reivincador feminista, la académica Daisy Cocco de Filippis ha hecho una labor de exhumación que obliga a la historiografía literaria dominicana a reordenar la tabulación de los textos nacionales, consignándole una mayor presencia a la escritura de las mujeres desde Manuela Aybar hasta el presente diaspórico. Similarmente, el escalpelo cortante que la prosa narrativa de Viriato Sención ha aplicado a la reproducción literaria de la realidad política dominicana ha expandido, con felices resultados, los niveles de criticidad en la ficción criolla. Estas y otras voces, como la de ciertos ensayos combativos publicados por *Rumbo* sobre la intelectualidad del país en su relación nefasta con el poder, dan evidencia adicional del aporte singular que la diáspora dominicana está apta para hacer a la vida política, artística y social del país de origen si se le reconociera como una fuente no sólo de transacciones y remesas, sino también de cuerpos de conocimientos, de ideas y de objetos estéticos. El contrapunteo de la diáspora y el Estado dominicano podrá prosperar ciertamente, pero sólo en la medida en que se le entienda de manera compleja. Los dominicanos residentes en el exterior son sobrevivientes de una peligrosa travesía. De alguna manera —viajáramos ya por yola efectiva, ya por yola metafórica— todos somos yoleros. Colaborar formalmente con el Estado y la sociedad civil del país emisor implicaría un retorno, pero no un retorno con miras a recuperar el hogar perdido, sino uno que buscaría valerse del lente transnacional para vigilar desde afuera el acontecer nacional. Con el acceso a esa mirada transatlántica, la diáspora seguramente se afanaría por exigir la mejoría del sistema social. Pediría que el Estado lo haga más llevadero para las clases desposeídas, más receptivo de la diversidad cultural, más igualitario y más eficiente, de tal manera que, en un futuro, se pueda evitar, quizás, la perpetración de otros destierros.

Referencias

Alvarez-Vega, Bienvenido. "Los dominicanos ausentes recibidos por el Presidente". *Hoy* 9 de enero de 1998. 18.

Facundo, Marcia. "Una pintora y la convergencia de varias corrientes". *El Nuevo Herald*, Domingo, 25 de mayo de 1997. Sección E. 1-2.

Germosén, Pedro. "Para proteger a los dominicanos". *Hoy* 18 de septiembre de 1997.

Harvey, Philip. "Employment as a Human Right." *Sociology and the Public Agenda*. Ed. William Julius Wilson. Newbury Park: Sage, 1993.351-374.

Hernández, Ramona, Francisco Rivera Batiz y Roberto Agodini. *Dominican New Yorkers: A Socioeconomic Profile, 1990. Dominican Research Monographs*. New York: CUNY Dominican Studies Institute, 1995.

Jackall, Robert. *Wild Cowboys: Urban Marauders and the Forces of Order*. Cambridge, Massachusetts: Harvard University Press, 1997.

Lockward, Angel. "El voto en el exterior con prudencia." El *Listín Diario* 26 septiembre 1997b: 9A.

Ojito, Mirta. "Dominicans, Scrabbling for Hope; As Poverty Rises, More Women Head the Households." *The New York Times*. December 16, 1997. Section Bl, 7.

Rohter, Larry y Clifford Krauss. "Dominican Drug Traffickers Tighten Grip on the Northeast". *The New York Times* 11 de mayo de 1998: Al, B8.

Rohter, Larry. "Dominicans Allow Drugs Easy Sail." *The New York Times*. 10 de mayo de 1998: Al, A6.

Segal, Aaron. "The Political Economy of Contemporary Migration." *Globalization and Neoliberalism: The Caribbean Context*. Ed. Thomas Klak. Lanham: Rowman & Littlefield Publishers, 1998. 211-226.

Shain, Yossi. *The Frontier of Loyalty: Political Exile in the Age of the Nation-State*. Middletown, Connecticut: Wesleyan University Press, 1989.

Sontag, Deborah, and Larry Rohter. "Dominicans May Allow Voting Abroad". *The New York Times* 15 de noviembre de 1997: B1.

Stevens-Acevedo, Anthony. "Más sobre los dominicanos emigrados y el 'voto en el exterior'." *Hoy* 30 de septiembre de 1997.

Tólólyan, Khachig. "Rethinking Diaspora(s): Stateless Power in the Transnational Moment." *Diaspora: A Journal ofTransnational Studies*. 5.1 (1996): 3-36.

Torres, María de los Angeles. "Encuentros y encontronazos: Homeland in the Politics and Identity of the Cuban Diaspora." *Diaspora: A Journal of Transnational Studies*. 4.2 (1995): 211-238.

Vega, Bernardo. "El papel político de los dominicanos residentes en los Estados Unidos." Charla pronunciada durante el seminario La Comunidad Dominicana en los Estados Unidos y su Impacto en la Economía Nacional, organizado por Despradel & Asociados y el Centro de Estudios Internacionales, Hotel Lina, Santo Domingo, 7-8 agosto de 1997.

Postfacio

La diáspora y el futuro dominicano aquí y allá[12]

I. Ser y saberse diaspórico

Al año siguiente de salir a la luz *El retorno de las yolas: ensayos sobre diáspora, democracia y dominicanidad* (1999) recibí una congratulación memorable de la inestimable colega cubano-americana Virgina R. Domínguez, la destacada antropóloga adscrita a la Universidad de Illinois, cuando coincidimos como ponentes en un congreso sobre la población latina en los Estados Unidos realizado en la Universidad de Harvard. Al enterarse de la publicación del libro, Virginia alabó mi "valentía". Ya antes de publicarse el tomo, el entrañable compatriota Juan Bolívar Díaz me había llamado "valiente" al encontrarnos en un lujoso hotel de Manhattan durante una recepción convocada por las autoridades consulares y diplomáticas del gobierno dominicano en New York con fines de dar al presidente Leonel Fernández Reyna la ocasión de saludar a personas representativas de la comunidad

[12] "El futuro dominicano: contrapunteo de la diáspora y la *intelligentsia* nacional", ensayo publicado en Revista *Estudios Sociales: Investigación Social que Hace Historia*, año 50, vol. XLI (septiembre-diciembre 20180): 109-152.

dominicana de la ciudad en los inicios de su primer período como jefe de Estado.

Juan Bolívar había venido de Santo Domingo como parte del equipo de prensa encargado de cubrir el itinerario oficial del mandatario. Yo figuraba entre los invitados seguramente por estar a la cabeza del Instituto CUNY de Estudios Dominicanos, institución que desde el 1991 había organizado eventos memorables en torno a la figura de Juan Bosch, incluyendo las actividades que culminaron en el grado de doctor *honoris causa* conferido por City College en 1993 al venerado escritor y estadista, todo lo cual nos puso —a colegas como Ana García-Reyes, Ramona Hernández, Anthony Stevens-Acevedo y a mí— en contacto relativamente frecuente con los miembros del Comité Político del Partido de la Liberación Dominicana que integraban la comitiva que solía acompañar a Bosch en sus viajes.

Para la fecha de la actividad en Manhattan con el presidente Fernández ya mi colaboración con la revista *Rumbo* como columnista invitado tenía dos años de edad. Ya mis esporádicos artículos me habían merecido respuestas prolijas de figuras notables de la intelectualidad criolla, como el connotado León David, enfebrecido adepto de Joaquín Balaguer, quien llegó a juzgarme “desacertado” y “ofensivo” en cuatro entregas consecutivas de su larga y ancha página en el fenecido periódico *El Siglo* con miras a refutar el mensaje de mi ensayo “La oblicua intelectualidad dominicana”. Allí yo avanzaba la tesis de que una buena parte de nuestros intelectuales “beneméritos” disfrutaba de un prestigio fraudulento y de una respetabilidad inmerecida, tesis que yo procedía a demostrar dando ejemplos concretos y citando por nombre a las personas involucradas. Como periodista capaz y lector bien informado, además de escribir una columna regular en *Rumbo*, Juan Bolívar estaba al tanto de la reputación que yo me venía ganando en mis trifulcas con la *intelligentsia* nacional. Y recuerdo muy bien que al asignarme el mote de “valiente” se estaba refiriendo al más reciente ensayo mío aparecido en *Rumbo* para la fecha de nuestro encuentro en la recepción presidencial, es decir, “La identidad cultural como batalla: hacia una visión nativa de lo dominicano”, un texto tan luengo como los de León David que la revista publicó en dos entregas para octubre de 1996.

Pienso que Juan Bolívar me consideró "valiente" porque el referido artículo cerraba con una sección titulada 'Los límites de la esperanza' en la que yo hacía un llamado a las nuevas autoridades que acababan de empuñar las riendas del Estado a que tuvieran la valentía moral de desvincular su praxis de los preceptos e instintos del trujillismo cultural que Balaguer había auspiciado y las administraciones del Partido Revolucionario Dominicano habían dejado intactos. A la vez de conminarlos a hacer lo posible for ayudarnos a eliminar el bloqueo que había impedido la urgente democratización de la sociedad, desnormalizando el autoritarismo, el personalismo, la desigualdad y el culto al líder, mis palabras también advertían sobre lo tentador que sería dejar las cosas tal y como estaban para servirse con la cuchara grande de una praxis social que les había redituado frutos políticos cuantiosos a sus predecesores. Les recordaba que, en vista de la oferta seductora de ir a lo seguro —beneficiándose del orden social depravado que promueve el trujillismo cultural—, les tocaba a ellos decidir en qué lado moral de la historia querían quedar parados y expresaba excepticismo acerca de si podrían vencer la tentación de sencillamente aferrarse al *statu quo*. Quizás para Juan Bolívar el hecho de que mi escrito estuviera exigiendo y advirtiendo a un gobierno presidido por un jefe de Estado cuyo líder era alquien con quien yo había compartido amenamente en varias ocasiones me hacía merecedor del calificativo "valiente" de manera particular porque me suponía un cierto grado de consistencia, cualidad tan escasa en la vida partidista en la que se acostumbra a justificar en el aliado aquello que se condena en el contrario.

Cuando para el año 2000 la admirada antropóloga Virginia R. Domínguez me atribuyó la virtud de la "valentía" por publicar el año anterior *El retorno de las yolas* su elogio no venía motivado por la verticalidad de los juicios expresados en el tomo ni por la intrepidez que pueda implicar el señalar pecados y nombrar pecadores en una sociedad donde la independencia de criterios y el juicio crítico se castigan. Ella se estaba refiriendo más bien a un atrevimiento de tipo profesional. Le pareció admirable, por lo arriesgado, el que yo, profesor de literatura en el Departamento de Inglés de mi universidad, invirtiera mi tiempo, energía y pasión en un libro ajeno al campo de estudios al que se esperaba que yo contribuyera y dentro del cual se me juzgaría a la hora de repartir privilegios o lauros. Por lo general, en la academia norteamericana uno escala profesionalmente, logra ascenso de un rango al otro, recibe aumento gradual de sueldo y eleva su prestigio en la industria académica dependiendo de cuánto uno descuelle en el área de estudio para la cual se le ha empleado. Como los saberes que pueblan las ramas de estudio en las universidades son inmensos, resultando humanamente poco realizable que una misma persona logre igual nivel de pericia en muchos de ellos, la academia divide los saberes en disciplinas y subdisciplinas a la vez de crear foros para configurar areas interdisciplinares. No se estila, por ejemplo, que una persona solicite un puesto docente basada en credenciales que la retraten como poseedora de una suerte de mega-omni-erudición. La persona que mejor puede enseñar la escritura dramática del teatro ateniense para la época de Esquilo, Sófocles y Eurípides rara vez será la misma con las mejores credenciales para enseñar la poesía anglófona de las excolonias británicas de Africa o la prosa historiográfica china durante el reinado de la Dinastía Han.

El Departamento de Inglés que alberga mi puesto de docente no incluye el área de estudios dominicanos como parte del currículo que dicha unidad oferta a los estudiantes que toman sus clases. Es decir, yo no avanzo los intereses del departamento que me emplea al publicar un libro, por demás en español, sobre los intríngulis de las relaciones sociales y la vigorosa vigencia del trujillismo cultural en mi tierra natal. Por lo tanto, no puede esperarse que me hagan una fiesta cada vez que a mí se me antoje expresarme por escrito en torno al problema alucinante de unas élites que insisten en gobernar a una población que desprecian en un país del Caribe que a mí me importa mucho pero que les dice muy poco a mis colegas en el Departamento de Inglés. Dichoso debería considerárseme, de hecho, por no recibir represalias de parte de mis colegas por dedicar una parte considerable de mis horas productivas a unos afanes culturales y políticos que no avanzan la agenda curricular de mi unidad académica.

Tanto en la Universidad de Syracuse como en mi cargo anterior, cuando laboraba en la Universidad Municipal de Nueva York (CUNY), yo he podido vivir una doble vida en el plano intelectual. Por un lado, escribiendo primordialmente en inglés, he atendido a los saberes prioritarios para las instituciones que me emplean y, por el otro, comunicándome en español, he cultivado aquellos que hacen falta para intervenir en los debates nacionales del suelo que me vio nacer invíteseme o no a la mesa de la conversación. La gente que me lee tiende a conocerme solo a partir de una de las facetas de mi escritura. Un paralelo conocido lo brinda el caso de Noam Chomsky (salvando las distancias), quien ha podido ejercer su especialidad de lingüista, por un lado, mientras, por el otro, ha sostenido activa la línea de investigación que le permite mantener la crítica constante al imperialismo colonialista del Occidente cristiano. Igual suerte no tuvo una valorada colega puertorriqueña con ideales independentistas especializada en la literatura medieval ibérica quien obtuvo su primera plaza en un Departamento de Lenguas Romances de tendencia tradicionalista. Cuando sus superiores se enteraron de que ella también cultivaba el interés en la literatura puertorriqueña contemporánea, le advirtieron con gravedad sobre las consecuencias adversas de la "distracción" que ese otro interés podría significar para sus posibilidades de ascenso y de seguridad laboral. Movida por su apego al estudiantado de su campus, el cual estaba ubicado en la ciudad donde más deseaba vivir, mi colega se transó por la admonición de sus superiores. Se dedicó a aumentar sus credenciales de medievalista mediante agudas publicaciones y docencia capaz hasta que obtuvo los ascensos y la permanencia en su rango profesoral en el número de años normal para ese proceso. Desde entonces, ya con mayor control de sus opciones, la colega ha practicado su especialidad de medievalista paralelamente con su afán en diseminar saberes sobre la literatura puertorriqueña. Con la glosa anterior explico el elogio venido de Virginia Domínguez al saber de *El retorno de las yolas* como equivalente profesional del ámbito sociopolítico que llevó a Juan Bolívar a prodigarme similar halago.

El lugar que ocupa *El retorno de las yolas* en el corpus de mis escritos, los que han venido al mundo en el contexto de la doble vida intelectual antes mencionada, en gran medida dramatiza la complejidad del tema predominante en los ensayos que conforman el tomo. Las piezas responsables de dar a la colección su mayor grado de unicidad giran en torno a la reflexión sobre el pensamiento de la diáspora dominicana, sobretodo de aquella parte de la misma a la que se le puede atribuir el haber experimentado lo que Louis Althusser llamaría una ruptura epistemológica con respecto a la arena política y el espacio cívico de la sociedad dominicana (Althusser 1969, 13). Mi uso circunscribía el término diáspora a aquellas personas que, por la longitud, naturaleza o profundidad de su estadía en determinada sociedad receptora (privilegiando a la norteamericana debido a mi mayor familiaridad con ella), habían trascendido la condición *exílica* del "dominicano ausente" que tiende a vincular toda esperanza de realización con el anhelado momento de su regreso al cálido terruño ancestral. Para el sujeto diaspórico, el compromiso con los orígenes, con eso que se llama *el pueblo dominicano*, opera como un resorte de identidad étnica y herencia cultural que le sirve de asidero para mejor ubicarse con respecto a los otros grupos que integran el colectivo nacional en la sociedad adonde le haya tocado vivir. Su lealtad hacia lo dominicano no supone un respaldo automático a cuanto provenga del gobierno que en determinado momento controle las riendas del Estado dominicano. Tampoco supone necesariamente la aspiración de algún día regresar a "su" país para quedarse.

A menudo la persona diaspórica se siente ligada a su pueblo en sentido desterritorializado, es decir, sin tener que ubicar su ligazón en la geografía nacional de la República Dominicana. Desde la identidad diaspórica la dominicanidad es portátil. La persona la lleva albergada en su propio cuerpo, en los registros del recuerdo y en la imaginación, tal como la tortuga que, según Gloria Anzaldúa, lleva su hogar entero en el caparazón (Anzaldúa 1999, 43). Es decir, en el mejor de los casos, su noción de la dominicanidad no le viene recetada por los galenos ideológicos del Estado. Debido a la autonomía moral que su lucha por la igualdad puede haberle despertado en otras latitudes, más bien puede llegar a querellarse con las acepciones excluyentes que los portavoces del Estado se empecinan en privilegiar al definir tanto la identidad como la pertenencia. En el mejor de los casos, la persona que mira su realidad binacional mediante un lente diaspórico se mantendrá en guardia, alerta ante el abuso que venga desde el poder contra sectores diferenciados de la población, igual en la tierra de ascendencia que en la sociedad de residencia. Al haberse mostrado capaz de labrarse el pan en otra sociedad y hacérsele innecesario rendirle pleitesía a la oficialidad dominicana, la diáspora no tiene por qué eximirse de externar públicamente su diferencia de pareceres con respecto a las autoridades del país de origen. En ese sentido, los portavoces o aliados de la oficiliadad —igual las voces palaciegas que las de publicistas civiles que desde su sitio extramuros validan sin mancar toda apetencia del régimen— deben lidiar con el hecho de que no les asiste el monopolio sobre los temas de la identidad nacional y la pertenencia. Las voces de esos compatriotas que viven, laboran y votan en otro lugar a menudo insisten en pronunciarse, afirmando con altivez su condición de interlocutoras en el debate sobre los problemas nacionales.

II. La diáspora y el trujillismo cultural

En una breve sección de *El retorno de las yolas* titulada "Antelación: sobre la perspectiva diaspórica", el texto penúltimo de la edición original, opté por presentarme como ente representativo de la porción de la emigración dominicana que miraba nuestra realidad a través de un lente diaspórico; en esta edición, pp. 287-302 A modo de confesión, me presuro a declarar lo consciente que estoy de la arena movediza que transito al formular mis consideraciones. El respeto a los lectores y a uno mismo exige algún gesto de admisión de la osadía implícita en la tarea de toda persona que se lance a generalizar sobre el pensamiento y la conducta de toda una colectividad. Aparte de confesar que no hay ciencia ni erudición capaz de conferir real autoridad a quien se aventure en empresa tan agalluda, valga reconocer en voz alta que admito mi alto riesgo de error y que no profeso otra potestad que la de intentar honestamente relatar cómo se ve la realidad social de mis coterráneos desde el quicio diaspórico al que me ha tocado acceder para mirarla. Estas páginas, por tanto, comparten un parentezco considerable con el relato autobiográfico, y quizás en esa limitación radique su promesa para mi caso particular. El poeta Pablo Neruda dio a su autobiografía el título *Confieso que he vivido* (1974), convidándonos a buscar en la confesión de haber vivido experiencias (y recordarlas a su manera) la base de cualquier legitimidad que puedan poseer sus reminiscencias. En ese sentido, estas páginas aspiran a la legitimidad de la confesión, puesto que se nutren de lo que el autor ha visto y buscan sincerarse admitiendo la subjetividad infranqueable de quien las escribe, sobretodo en la manera de recordar, que a mi parecer depende de mi desterritorialidad respecto al país de origen.

En la citada sección identificaba nuestra pose de combate frente al *trujillismo cultural* como zona neurálgica de la alteridad de percepción de la diáspora. Definía el concepto de *trujillismo cultural* como "la noción perversa de la nación puesta en boga por los escribas del trujillato y mantenida en vigencia en el discurso público hasta nuestros días debido a la larga y perniciosa vida política de Joaquín Balaguer y otros siervos del tirano" (396). Ilustraba nuestra diferente mirada mediante lo que me parecía como el distanciamiento predecible de nuestra diáspora con respecto a la inquietud que en el 1998 había llevado a Enmanuel Esquea Guerrero, entonces presidente del Partido Revolucionario Dominicano (PRD), a pedir la anulación del *jus soli* en la Constitución dominicana y su reemplazo por el *jus sanguinis.* El dirigente político abogaba por suspender el precepto actual —que establece que se obtiene la ciudadanía del país al nacer en su suelo— para cambiarlo por otro que no se la confiere, nazca en territorio nacional o no, a menos que la persona traiga en sus venas la sangre reconocida como inherentemente nacional. En declaraciones para la prensa a finales de mayo del 1998, Esquea Guerrero planteaba la necesidad de incrementar el requisito para acceder la ciudadanía y evitar que "todo el que venga y nazca aquí sea dominicano pura y simplemente, porque somos un país amenazado por una invasión de un país vecino, y si no reglamentamos eso, prontamente la descendencia dominicana será mayormente haitiana" (*El Siglo*, 27 de mayo de 1998, p. 8).

Las palabras del presidente del PRD, organización política entonces todavía identificada con los sectores liberales de país, parecían ilustrar un penoso cambio de piel ideológica en cuanto a su semejanza con la aberración discursiva típica del conservadurismo derechista a la hora de hablar de la nación y preocuparse por la presunta bastardización de "la raza dominicana". Se trataba de la proverbial prédica de la *intelligentsia* trujillista, que naturalizaba lo "blanco" en la herencia nacional, mientras percibía lo "negro" como ente disociador o hasta destructor de la nación y su cultura. Recuérdese lo claro que lo había puesto el músico Jacinto Gimbernard en su *Historia de Santo Domingo* (1971) (tomo dañino que los escolares debían por fuerza leer debido a su rango como libro de texto oficial), al referirse al infortunio padecido por el país durante los años de la unificación, bajo el régimen de Jean Pierre Boyer. Boyer, nos cuenta el músico, se dedicó a "ennegrecer la población dominicana y [**ergo**] *destruir* la cultura de que había hecho gala" (1971: 235) [énfasis mío]. Salta a la vista que Esquea Guerrero ha bebido goloso de fuentes como la de Gimbernard al pensar la nación. De igual manera, para referirse a la inmigración haitiana en la República Dominicana, el político, otrora liberal, rumia el concepto de "invasión" heredado de Balaguer y su obra *La isla al revés* (1984), aquel tosco manifiesto negrofóbico, que espanta igual por la precaria prosa y los datos ficticios, que por su necedad conceptual.

En *La isla al revés*, el autor expresa su profunda preocupación por el peligro que presenta Haití para "el destino dominicano". Balaguer arranca expresando su pesimismo por el subdesarrollo del pueblo dominicano como resultado de su "africanización" debido al contacto con la población haitiana. El país ha sufrido una larga "desnacionalización" debido a la progresiva pérdida de "su fisonomía española" (45).

Como es racial la causa de nuestra desgracia nacional, también deberá ser racial la posibilidad de un futuro promisorio: implantar políticas públicas encaminadas a lograr que la población mejore "gradualmente sus caracteres antropológicos" y que vuelva a "recuperar la pureza de sus rasgos originarios" (98). Balaguer se fija en unos reductos de blancura localizados en varios municipios y poblados de la Cordillera Central y encuentra allí la raza que debían haber tenido los dominicanos en general. Contrario a la población de la capital y a otras zonas del sur, que "estuvieron en mayor contacto con Haití durante la ocupación del territorio nacional entre 1822 y 1844", las gentes de esa región "conservan en toda su pureza los rasgos propios de su ascendencia hispánica". Es decir, gracias a su aislamiento con respecto a la población haitiana, esos pobladores preservan "los rasgos étnicos propios de los primeros colonizadores de la isla" (ver imágenes entre págs. 192 y 193). Al adentrarse en tan alucinante fantasía en torno a los rasgos raciales que podría haber tenido la población dominicana, Balaguer da a entender una rara actitud hacia sus lectores. Tratándose de un país con por lo menos un 85% de afrodescendientes, seguramente hay muchos de sus posibles lectores que no comparten el frenesí racial del autor. Millones de entre ellos seguramente se sienten bien con sus facciones tal como les vinieron al salir del vientre materno y podrían ver en *La isla al revés* un libro que sencillamente los insulta al negarles la legitimidad nacional por el simple hecho de no poseer el fenotipo que el autor ansía. Tampoco se puede descartar que, al fijarse en el afán febril con que Balaguer reitera la queja de que no hayamos preservado los rasgos originarios de los primeros colonos, haya lectores que pongan en tela de juicio la salud mental del autor.

Con lo fácil y saludable que luce distanciarse del discurso racial balagueriano, sobretodo por su incontrovertible ridiculez, desde la diáspora se divisa algo delirante en el espectáculo de un dirigente perredeísta que se hace eco, cual cándido párvulo trujillista, del catecismo racial impartido por *La isla al revés*. Quizás simbolice algo el que esto ocurriera en mayo de 1998, a poco más de dos semanas de morir el líder máximo del PRD, José Francisco Peña Gómez, el domínico-haitiano que había alcanzado el sitial de la figura política nacional de mayor arraigo popular en todo el siglo XX. Valga añadir, además, que desde la perspectiva diaspórica quizás no hiciera eco significativo la inquietud de Esquea Guerrero sobre la posible contaminación de la descendencia dominicana debido a la mescolanza con los haitianos. Pues allá no predomina la mirada que percibe lo dominicano por su *contradistinción* respecto a lo haitiano, ni resulta urgente abogar por la separación quirúrgica de las herencias culturales producidas por la experiencia humana en ambos lados de la isla.

Desde la diáspora tiene más atractivo —porque es más necesario y hace un mayor aporte al conocimiento tanto del drama haitiano como del dominicano— fijarse en las convergencias. Ejemplo lo da la excepcional poeta Rhina P. Espaillat, quien primero llegó a los Estados Unidos en el 1935, y luego se labró un lugar de prestigio en la poesía norteamericana anglófona a la vez que cultivó el dominio de su lengua materna. En la quinta estrofa de su poema inédito "Coplas: nací en la ciudad primada", la voz lírica da su genealogía así: "En mi sangre corre España, / la Costa de Oro y Haití; / taíno, negro y negrero / los tres se juntan en mí" (2013). Compuesto en el género clásico de las coplas, el poema cierra afirmando la inexorable interrelación de haitianos y dominicanos: "Y aunque lo niegue quien quiera, / somos hermanos de cuna: / nos parió la misma tierra/ y toda la tierra es una". El tenor de estos versos de Espaillat se asemeja al de "There Are Two Countries," un poema de la reconocida escritora Julia Álvarez, la primera figura literaria de origen dominicano en alcanzar el éxito de ventas en el mercado norteamericano e internacional. Alvarez debe su prestigio a su ficción autobiográfica así como a las novelas con que escudriña aspectos y personajes distintos de la historia de su país de origen "tales como *How the García Girls Lost Their Accents* (1991), *In the Time of the Butterflies* (1994) e *In the Name of Salomé* (2000). La escritora también ha participado en el campo del activismo social en la sociedad dominicana, sobre todo en protestas contra proyectos de ley propuestos por legisladores afanados en restringir el derecho de las mujeres a terminar un embarazo o el derecho de los dominicanos de ascendencia haitiana a ejercer su condición ciudadana sin obstrucción institucional. Álvarez ha lidereado la iniciativa Frontera de Luz (*Border of Lights*), proyecto que, a principios de cada mes de octubre ya por varios años, ha logrado reunir a estudiantes, maestros, padres de familia, artistas, activistas culturales, miembros del clero y académicos de Haití, la República Dominicana y las diásporas de ambos países en las ciudades fronterizas de Ouanaminthe y Dabajón.

El encuentro anual de Frontera de Luz invita a los asistentes a participar en dos días de trabajo comunitario con el fin de conmemorar la horrenda masacre acontecida en la región en octubre el 1937, cuando, bajo órdenes del régimen dictatorial de Trujillo, macheteros degollaron a cerca de 15 mil inmigrantes haitianos y dominicanos de herencia haitiana. De esa manera, la iniciativa busca crear un espacio de reflexión conducente a promover la concordia mediante la curación y el perdón, dado que ningún gobierno, después del macabro evento, ha tomado acción alguna para ayudar a la población a distanciarse moralmente de aquel crimen atroz cometido en nombre de la nación. El historiador Edward Paulino, de John Jay College, CUNY, ha colaborado de cerca con Álvarez desde el inicio del proyecto. Por su parte, la reconocida artista visual Sherezade García, egresada de Parsons School of Design, tuvo una participación destacada en la edición del 2012 de Frontera de Luz, pues creó un diseño tipo postal para exhibirse al aire libre, con el fin de evocar la experiencia de la matanza mediante lo que recuerdan u olvidan de ella los pobladores de la región. En un artículo conmemorativo escrito en coautoría, Paulino y García han dejado plasmada su impresión de Frontera de Luz y el impacto que el esfuerzo ha tenido desde su comienzo (Paulino y García 2013). Para la misma edición del 2012, Alvarez leyó el poema "There Are Two Countries", el que trae una dedicación que reza "after the maestro, nuestro Pedro Mir". En el mismo, Álvarez evoca los dos paises que comparten la isla y lo hace mediante el diálogo intertextual con "Hay un país en el mundo," la magistral pieza de Mir publicada en 1949, estando el poeta en el exilio debido a la asfixiante tiranía trujillista. El poema de Álvarez consta de quince estrofas. La primera abre diciendo: "Hay dos países en el mundo / en el mismo trayecto / del sol". Y la última cierra imaginando la isla "como un ave / con dos alas" volando camino a su nido "en el Caribe azul, / a incubar un futuro de paz, / con canción de perdón / en la garganta, / y ramita de perejil / entre el pico" (Álvarez 145 y 148. Traducción nuestra).

Baste señalar la vigencia que ha adquirido entre nuestros estudiosos en la diáspora la obra y la vida binacional del memorable poeta y mártir constitucionalista domínico-haitiano Jacques Viau Renaud. A este respecto, véase la colección *J'essai de vous parler de ma patrie* (Mémoire d'Encrier 2018), una selección de versos de Jacques traducidos al francés y editados bajo la dirección de Sophie Maríñez y Daniel Huttinot, con la colaboración de Amaury Rodríguez y Raj Chetty. La publicación, dirigida al público haitiano y al francófono en general, busca ampliar el universo de lectores de un poeta nacido en Port-au-Prince y criado en Santo Domingo que se elevó a la historia por su lucha "internacionalista y anti-imperialista" en el plano bélico. En el plano poético (con un verso en lengua española que cala por su profundidad humana), Jacques se negó a hacer concesión alguna al nacionalismo estrecho que le pidiera declararse haitiano *o* dominicano, como si acaso no hubiese espacio en un alma y una vida para acomodar más de una identidad. Esa tesitura predispuesta a rechazar esencialismos culturales o fundamentalismos nacionalistas que refleja el verso de Jacques Viau la encontramos también en la diáspora. Aflora, por ejemplo, en la meditación lírica que adelanta, desde su morada en Michigan, Rebeca Castellanos en su poemario *Los instrumentos del gozo* (2016). En el poema "What does it mean?" la voz hablante interpone el vínculo humano de la sonrisa como via de comunicación que nos acerca con mayor efectividad que la nacionalidad compartida, una lengua común o el lugar de procedencia. Las cuatro estrofas cortas del breve poema dicen: "What does it mean to be American/ ser dominicano/ o haitiano? /// Nada. O quién sabe/// ¿Ser/ o pertenecer?/ ¿Se pertenece a un espacio?/// Otra vez los mismos rostros/ "¿Dominicana?" (I ask)/ "Mwen pale Panyòl"/ y sonríe ofreciéndome el menú" (Castellanos 2016: 33).

III. Intradependencia y transnacionalidad en Hispaniola

Para muchos en la academia dominicana de la diáspora, la isla Hispaniola constituye una unidad insular que urge estudiar como totalidad analítica integral por su estela de cruces en el plano intrainsular, y a pesar de su larga relación desigual con los poderes imperiales que en los últimos siglos han determinado los destinos del mundo. Permítanseme las siete cláusulas condicionales que siguen para resumir la razón. Si el pérfido régimen balaguerista puede ayudar a desarticular el primer gobierno de Jean-Bertrand Aristide mediante la mera deportación masiva y repentina de trabajadores inmigrantes haitianos que la economía del país vecino no podía absorber debido a su carencia de medios. Si la perfidia del mismo anciano caudillo podía boicotear el embargo (que quiso imponer la comunidad internacional contra el gobierno golpista del general de brigada Joseph Raoul Cédras) dejando que el comercio fronterizo siguiera abasteciendo a la dictadura militar del otro lado de la isla mientras balbuceaba hipocrecías públicas a favor del embargo. Si la ocupación militar de Haití por los Estados Unidos en el 1915 necesitó extenderse al lado dominicano al año siguiente, abarcando la isla entera. Si el apoyo de las autoridades haitianas pudo en gran medida asegurar el triunfo de los Restauradores que combatían al ejército invasor español y sus adláteres dominicanos en la guerra anti-imperialista de 1863-1865. Si el gobierno de Jean-Pierre Boyer en el 1822 juzgó necesario extender la autoridad haitiana hacia el "Haití español" para protegerse de los poderes coloniales europeos y norteamericano, para la fecha todavía renuentes a reconocer la soberanía haitiana y seguramente dispuestos a intervenir en la isla aprovechando el vacío de poder creado por la "independencia efímera". Si el convenio fronterizo negociado entre Francia y España en el 1777 requirió un acápite en el que ambos gobiernos coloniales se comprometían a capturar y devolver cuanto esclavo fugitivo o insurrecto se cruzara de un suelo soberano de Hispaniola al otro. En fin, si la bifurcación misma que convierte a la isla en dos esferas coloniales distintas —creando las condiciones que llevarían al surgimiento de las dos naciones que hoy comparten la geografía insular— no se puede entender sin fijarse en lo mucho que ese territorio les ha importado a los poderes que en los últimos siglos se han disputado el dominio del mundo. La mundialidad de la Hispaniola, en su relación desigual con las grandes potencias, se manifiesta en esa presión externa que en ocasiones ha llevado a los gobiernos haitiano y dominicano a emprender políticas perjudiciales para sus respectivos pueblos. Igual se manifiesta en la injerencia extranjera que a veces ha determinado cómo se modulan las relaciones entre los dos países limítrofes. Así, considerando lo anterior, se entenderá la atracción que la academia dominicana de la diáspora siente por el estudio de la isla como un espacio bipartito interconectado internamente y atado de manera dispar al mundo exterior.

Podemos hablar de cuadros de estudiosos que ya se han organizado en torno a la causa común de estudiar a la Hispaniola como totalidad analítica integral, atendiendo a las dos realidades nacionales, a la interacción de ambas y a la conexión de ellas, juntas o por separado, con otras sociedades del mundo. Una expresión exitosa de esa orientación arrancó con la iniciativa de las jóvenes colegas April Mayes, historiadora de Pomona College, y Yolanda Martín, socióloga de City University of New York, cuando, en el 2010, ambas coincidieron en Santo Domingo como becarias con sus proyectos individuales y armaron una colaboración que contó con el respaldo del Centro Bonó. Con un congreso académico inaugural realizado en Santo Domingo, seguido por un segundo congreso celebrado en Rutgers (New Jersey) y por un tercero que tuvo luvo lugar en Port-au-Prince, la iniciativa se dio a conocer bajo el nombre de Transnational Hispaniola. Esta iniciativa ha concitado el entusiasmo de colegas jóvenes y mayores de origen haitiano y dominicano, además de especialistas oriundos de otras latitudes dedicados al estudio de temas dominicanos y/o haitianos. Para el tercer año de su existencia la iniciativa dio a conocer su visión transnacional e inclusiva en el ensayo "Transnational Hispaniola: Toward New Paradigms in Haitian and Dominican Studies", escrito en coautoría por April Mayes, Yolanda Martín, Carlos Ulises Decena, Kiran Jayaram e Yveline Alexis (2013). Como resultado directo de Transnational Hispaniola, se inició en el congreso anual de la Asociación de Estudios Latinoamericanos (LASA) la sección "Haití-DR", que fomenta la presentación de charlas y mesas de dicusión sobre cada país de la Hispaniola y sobre la isla en general y que coordina las presentaciones en cuestión a fin de garantizar el mayor público para cada sesión. Entre las actividades de la sección sobresale la creación de galardones destinados a estimular la producción académica sobre la materia, en especial el Premio Guy Alexandre de Monografía, para la ponencia más meritoria sobre la Hispaniola presentada en la conferencia de LASA del año anterior, y el Premio del Libro Isis Duarte, para la obra más destacada sobre el tema publicada en el año previo a su selección.

En la producción literaria de la diáspora, sobretodo en la que se expresa en inglés, bien se conoce la crítica al anti-haitianismo y la negrofobia que permean los textos de las ya mencionadas Álvarez y Espaillat. La crítica se torna más acerba en la prosa de ficción de Junot Díaz, tanto en la célebre novela *The Brief Wondrous Life of Oscar Wao* (2007) como en su obra cuentística anterior y posterior. No menos se podrá decir de la poesía y el teatro de Josefina Báez, cuya larga historia de creatividad puede leerse como un manifiesto altisonante de una dominicanidad multiforme que se resiste a las pretensiones homogenizantes del trujillismo cultural que se ha empecinado en definirla a partir de estrecheces raciales, sociales, culturales y religiosas. En sentido también desafiante de los protocolos de exclusión, la escritora Erika Martínez ha compilado *Daring to Write* (2016), una colección de relatos diversos por 25 mujeres de origen dominicano que pone de manifiesto cuánta desigualdad aflora al ponerse sobre el tapete la intersección entre clase, raza y género. De fuerza es mencionar cuánto han hecho las obras narrativas de las conocidas novelistas Loida Maritza Pérez, Nelly Rosario, Angie Cruz y Ana-Maurine Lara por dinamizar la reflexión sobre las identidades sociales, incluyendo el predio de las sexualidades. Vistas en conjunto, sus obras proponen formas de mirar el *aquí* y el *allá* de la experiencia dominicana como polos igualmente marcados por nuestra historia de desigualdades que aportan oportunidades de resistencia marcadas por las particularidades de cada polo.

Entre las voces más recientes, vale destacar la colección *Love Letter to an Afterlife* (2018), primer volumen de versos de Inés P. Rivera Prosdocimi, quien además se ha visto reconocida con la publicación de su poema "Surrogate Twin" (Mellizo Sustituto) en el *New York Times*, seleccionado por la ganadora del Premio Pulitzer y anterior Poeta Laureada de los Estados Unidos Rita Dove (*New York Times* 14 Feb. 2019). *Love Letter to an Afterlife*, el libro inaugural de Rivera Prosdocimi, incluye el poema "Are the Clouds Really Moving?", un texto que evoca el linchamiento del joven inmigrante haitiano Claude Jean Harry, conocido por el apodo de Tulile, en el Parque Ercilia Pepín de Santiago de los Caballeros, el día 11 de febrero del 2015. Sus primeros versos rezan, "¿Se mueven las nubes, Tía, / si un hombre está guindando en el Parque Pepín? / Quisiera pensar que todos lo vemos/ a ese hombre guindando en el Parque Pepín" (Rivera Prosdocimi 2008, 65; Mi traducción, versión libre).

El más sonado éxito reciente en la escritura de la diáspora dominicana es sin duda el de Elizabeth Acevedo, cuya novela en verso *The Poet X* (2018) le mereció, entre otros galardones, el American Book Award (Premio al Libro del Año) en la categoría de Literatura para Jóvenes. Inclinada desde su temprana adolescencia por la poesía hablada, adquirió prestigio en su campo al ganarse la corona en el Campeonato Nacional de Poetry Slam, tras lo cual su reputación ha ido en escala ascendente. Contrario a muchas figuras destacadas en el área de la poesía hablada cuya expresión suele depender casi totalmente del performance en vivo, Acevedo también ha cultivado la expresión escrita mediante el estudio formal de la escritura creativa. De ahí, pues, el Book Award por su novela en verso, a la cual le ha seguido la novela en prosa *Fire on High* (2019). Su primer libro, *Beastgirl and Other Origin Myths* (2016), es un poemario escrito al parecer para la lectura más que para el performance. Allí la poeta deja clara su relación con respecto a las aberraciones de la tierra natal. Baste mencionar el poema "February 10, 2015. For a man nicknamed Tulile in Santiago,

Dominican Republic," cuyo primer verso dice: "la cosa nunca empieza cuando el cuerpo cuelga de un árbol de seda" (Acevedo 2016: 24).

De especial interés resulta el tomo *Night-Blooming Jasmin(n)e: Personal Essays and Poetry*, una colección de textos en verso y prosa de la autoría de Jasminne Méndez, una escritora criada en Texas de padres inmigrantes dominicanos. Como Acevedo, tiene un historial de práctica en el área de la poesía hablada, la que le ha ganado reconocimiento considerable. Anteriormente había escrito un libro de memorias titulado *Island of Dreams* (Floricanto Press 2013) en el que medita sobre la binacionalidad y biculturalidad de su familia y termina haciendo las paces con la historia que la puso en una situación que la dejaría exenta de apegos nacionalistas contundentes. *Night-Blooming Jasmin(n)e* evoca la experiencia de luchar a brazo partido con enfermedades crónicas que le asedian el cuerpo y la ponen en estado de constante alerta acerca de su vulnerabilidad, la impotencia del cuerpo insalubre y la mortalidad. Sin embargo, aún en ese estado doloroso, la hiperconciencia corporal no le impide pensar en otros cuerpos de gente más desafortunada aún, como en el texto titulado "Hands: El Corte" en el que la sangre y la carne lacerada de la voz narratoria le trae a la memoria la gran laceración de la zona fronteriza entre la República Dominicana y Haití para octubre del 1937: "Puntas de los dedos cortados. Niños perdidos. Papeles perdidos. Sin piernas. Sin vidas. Echándose de menos. Sin entender" (Méndez 2018; 156).

Mejor conocido por su producción en verso y figura detacada dentro de la comunidad de escritores de la diáspora dominicana que se expresa en lengua española, Diógenes Abreu se distingue por haber escrito un vertical ensayo crítico del discurso nacionalista dominicano. Renuente a hacer concesiones a los esquemas conceptuales del trujillismo cultural en lo concerniente a su fogosa la prédica anti-haitiana, Abreu anuncia el meollo de su argumento de manera precisa en el título mismo de su obra: *Sin haitianidad no hay dominicanidad* (2014). Especial mención, en ese sentido, merece el laureado escritor César Sánchez Beras, poeta y dramaturgo radicado por décadas en Lawrence, Massachusetts, donde labora como docente de escuela secundaria. Su primera novela, *Al este de Haití* (2016), relata con empatía convincente las peripecias de los Morisseau, una familia haitiana de tres generaciones que debe lidiar con la pobreza y la muchas veces inevitable y difícil migración al lado dominicano de la isla, donde cualquier cosa les puede pasar. Al cierre del relato, cuando Christopher y Claude se encuentran en Santo Domingo después de una larga y quejumbrosa separación, el amor filial y la ternura que exuda la escena dejan claro que estamos ante una evocación artística que ha trascendido la alterización prescrita por el frenesí racial balagueriano. La carga empática de la narración da con el resorte preciso del dolor y la alegría del drama humano en la vida de los personajes haitianos, con tal sensibilidad que nos parece presenciar a nuestra propia familia. Se trata del caso —no común en las letras dominicanas— de un artista literario que escoge expresar la condición humana en la isla a través de personajes haitianos y que lo hace sin *exotizar* ni *patologizar*.

La estadía larga en Berlín de la escritora, curadora y cineasta Alanna Lockward (1961-2019) la dotó probablemente de un acceso especial a la perspectiva diaspórica. Esta compatriota ida a destiempo dejó sentir su visión incluyente y su apego a una noción porosa de la identidad en su libro *Un Haití dominicano* (2014), una compilación de escritos que retratan aspectos poco difundidos de la relación inexorable entre los dos países que comparten la isla Hispaniola. Nos asoma a las grandes amistades entre individuos de ambos lados de la isla y a la colaboración artística, hija del largo contacto intrainsular en esta Antilla, de la que han salido importantes formas culturales. Más allá del relato sobre el Haití de donde salen los haitianos, Lockward nos muestra el Haití adonde los dominicanos van a realizarse. No solo los grandes empresarios nuestros que controlan un segmento grueso de la economía haitiana, sino también compatriotas con menos garantía social que, cruzando la frontera hacia el oeste, procuran ganarse la vida allí, sea en un salón de belleza, en una ferretería o en el mercado sexual. Lockward da voz a compatriotas que se expresan con ecuanimidad y respeto al hablar de los haitianos, señalándonos de esa manera el único sendero capaz de acercarnos al terreno constructivo de la convivencia, ese que comienza con restarle autoridad al discurso antihaitianista que nos sigue recetando el trujillismo cultural a que se aferra la oficialidad.

De similar tenor es la intervención de Charo Oquet, una artista radicada por décadas en la Florida que se expresa a través de diversos medios —pintura, instalación, arte performativo, escultura, fotografía y cine, entre otros— y que, afincada en las raíces afroantillanas que le vienen de su nacimiento en Santo Domingo, se dirige a un público internacional desde Edge Zones, la organización que dirige en Miami Beach. Al mirar a su país, le atrae principalmente la zona fronteriza, que le resulta especialmente fértil para la imaginación, en vista de cómo discurre allí la condición humana en toda su complejidad, a pesar del discurso conservador obstinado en *patologizarla.* Su proyecto *Arrayanos,* en gran medida una plataforma para armonizar las diversas orientaciones temáticas de su carrera artística, se inauguró en el 2017 con una exhibición pasible de expandirse infinitamente. Del mismo se desprende la publicación de tres libros de fotografías que capturan la vida en la zona fronteriza a través de imágenes de fachadas y de interiores de hogares, así como de retratos de personas arrayanas. Estas imágenes persuaden por la fuerza de sus colores, la ubicación, el contexto y la acusiosidad de la mirada que las plasma a través del lente. Les sirve de pareja un documental que muestra a la gente en la zona y la pone a hablar de sí misma en su hábitat. Quien no haya compartido con los arrayanos en su espacio quizá sólo imagine la frontera a partir de su extrañeza, lejanía y extranjería, ya que el discurso oficial que socializa a la ciudadanía reduce la zona a una línea que la gente solo cruza hacia un lado o el otro. Oquet nos ayuda a ver la línea como un ámbito de vida que la gente habita, humanizándolo, acercándolo y haciéndolo reconocible, parecida, de hecho, al ámbito vital de un compatriota cualquiera en tal o cual barrio marginado del país.

Valga repetir lo que dijéramos hace dos décadas en *El retorno de las yolas,* al comentar la inquietud de Esquea Guerrero sobre la haitianización de la descendencia dominicana. La diáspora, en su mayoría, no ostenta el "perfil griego" ni la tez blancuzca del connotado líder perredeísta. Por lo tanto, quizás no sienta que tiene tanto que perder en la economía de los genes, el fenotipo y el origen. Además, después de varias generaciones rompiendo corozos como minoría étnica acosada y marginada por el régimen de supremacía blanca en los Estados Unidos, la diáspora no tiene tanta razón para sentirse asediada por los negros ni por la emigración haitiana, con quienes, más bien, tiende a hacérsele necesaria la alianza en la lucha por la justicia social.

IV. En búsqueda de la dominicanidad temida

Ni la haitianidad ni la negrura meten miedo en la diáspora. De hecho, la indagación sobre el antihaitianismo, la negrofobia, la aspiración caucásica y el manejo de la preocupación racial en el discurso oficial dominicano constituyen el temario principal de la obra académica producida por estudiosas y estudiosos de la diáspora. Así, entre los estudios literarios que abordan estos temas se pueden encontrar, entre otros trabajos, el ensayo que sirve de introducción a la sin par antología poética *Sin otro profeta que su canto* (1988), de Daisy Cocco de Filippis; el ensayo "Anatomy of a Troubled Identity: Dominican Literature and Its Criticism" (1994) de Silvio Torres-Saillant; *La isla y su envés: representaciones de lo nacional en el ensayo dominicano contemporáneo* (2003) de Néstor E. Rodríguez; *La representación del haitiano en las letras dominicanas* (2004) de Aida Heredia; *Narratives of Migration and Displacement in Dominican Literature* (2012) de Danny Méndez; *Le conflit haïtiano-dominicain dans la littérature caribéenne* de Elissa L. Lister (2013); *Rayanos y dominicanyorks: la dominicanidad del siglo XXI* (2014) de Ramón Antonio Victoriano-Martínez; y *The Borders of Dominicanidad: Race, Nation, and Archives of Contradiction* (2016) de Lorgia García-Peña.

La obra *Race and Politics in the Dominican Republic* (2000), del científico político Ernesto Sagás, da cuenta del uso de la negrofrobia como recurso de campaña usado por el gobierno de Balaguer y el Partido de la Liberación Dominicana (PLD) en su alianza electoral contra el domínico-haitiano Peña Gómez en la contienda de 1996.

Por su parte, en *Tracing Dominican Identity* (2011), el lingüista Juan R. Valdez hace una lectura de los escritos de Pedro Henríquez Ureña que lo lleva a adelantar la esperanzadora tesis de que nuestro de otra manera preclaro humanista iba camino a superar el prejuicio negrofóbico cuando le sorprendió la muerte en Buenos Aires en 1946. Los textos sociológicos *Black Behind the Ears* (2007) (de Ginetta Candelario), *Joaquín Balaguer, Memory, and Diaspora* (2013) (de Ana S. Q. Liberato) y *The Dominican Racial Imaginary* (2016) (de Milagros Ricourt) profundizan, cada uno a su manera y desde paradigmas conceptuales distintos, en las consecuencias actuales de la *racialización* en la sociedad dominicana, tanto en lo que tiene que ver con el daño que padecen sus víctimas como en las estrategias de resistencia desplegadas por la gente afectada con miras a afirmar su inapelable humanidad.

En los estudios históricos se destaca el interés en dar con una interpretación a la medida del complejo drama que han vivido haitianos y dominicanos por muchas generaciones, como lo abarca Edward Paulino en *Dividing Hispaniola: The Dominican Republic's Border Campaign against Haiti, 1930-1961* (2016). También se busca un tratamiento de la cuestión de la identidad racial que tome en cuenta la experiencia de los racializados y su propia voluntad o estrategia a la hora de identificarse de una u otra manera, como vemos en *The Mulatto Republic: Class, Race, and Dominican National Indentity* (2014) de April J. Mayes. Además, sobresale el interés en dar a la sociedad dominicana el lugar que justamente le corresponde en la cartografía atlántica creada por la transacción colonial. En ese marco caben los ensayos publicados por Dennis R. Hidalgo, los cuales aprovechan la anchura geográfica cultivada por el autor durante la investigación para su tesis doctoral titulada "From North America to Hispaniola: First Free Black Emigration and Settlements in Hispaniola" (defendida en el 2001 en la Universidad Central de Michigan) y que versa sobre los negros libertos norteamericanos que en la tercera década del sigo XIX se asentaron en la península de Samaná.

De manera semejante, hurgando en el siglo XVI en busca de lo que se pueda saber sobre el estado de los derechos humanos de las mujeres españolas para la época en que fray Antón de Montesinos llevaba a cabo su lucha contra la ignominia, Lissette Acosta Corniel también se ha fijado específicamente en las consecuencias de la diferenciación racial de "negras, mulatas y morenas" en la isla durante ese primer siglo de la demoledora empresa colonial (Acosta Corniel, 2014 y 2015). Y finalmente, Anthony Stevens-Acevedo (especialista en el siglo XVI, con énfasis en las tecnologías de las haciendas azucareras y en paleografía española) escribió, en coautoría con Tom Wettering y Leonor Alvares Francés, el texto *Juan Rodríguez and the Beginnings of New York City* (2013), una monografía que recontruye la vida de Juan, "un liberto de piel oscura de la colonia española de Santo Domingo" que en el 1613 pidió permiso al capitán del barco holandés en que laboraba para quedarse en el Puerto del Hudson y por cuenta propia probar su suerte comerciando y viviendo entre los aborígenes. El mulato quisqueyano obtuvo el permiso deseado y al año siguiente la tripulación de otro barco holandés que merodeaba por la zona dio noticias de haberlo visto en buen estado, lo que convierte a Juan en la primera persona no oborigen en instalarse en esta parte que, con el tiempo, después de una colonización neerlandesa seguida de otra inglesa, pasaría a llamarse "New York City."

La negritud de Juan, aparte de su origen quisqueyano, ha merecido especial consideración en la promoción que ha hecho el muy bien conocido Instituto CUNY de Estudios Dominicanos, la unidad de investigación de la Universidad Municipal de Nueva York (CUNY) responsable del trabajo de rescate que trajo a la luz pública el historial del significativo personaje. Juan se asentó en lo que hoy es Manhattan, el condado donde está localizado el recinto de City College que alberga al Instituto. Esa isla en el Hudson fue por muchas décadas el lugar de destino por excelencia de la migración dominicana a los Estados Unidos. La promoción de la figura de Juan, lidereada por la socióloga Ramona Hernández, la directora del Instituto que se especializa en la migración dominicana, culminó con el significativo voto de la legislatura municipal de New York a favor de rebautizar un largo trecho de la Avenida Broadway en Manhattan —desde la calle 159 hasta la 218— con el nombre de "Juan Rodríguez Way".

La profesora Sarah Aponte, profunda conocedora de la bibliografía dominicana y directora de la muy concurrida biblioteca del Instituto, mantiene una cuenta de las áreas de interés de la gente que viene a los estantes —estudiantes, educadores, investigadores y público en general— con el fin de asegurar que el fondo bibliotecario siga a tono con las necesidades de investigación de los usuarios. Desde que Aponte inició, hace más de una década, el conteo de áreas temáticas entre los usuarios de la biblioteca, los temas entrelazados de *raza*, *prejuicio racial*, *negrofobia*, *supremacía blanca* e *identidad nacional* han monopolizado el primer lugar sin mancar. Aparte de rendir el servicio invaluable de proveer a los usuarios, mediante la biblioteca, recursos para satisfacer la sed de conocimientos respecto a dicho temario, el Instituto ha lanzado el portal *Primeros Negros* (*www.firstblacks.org*), que brinda libre acceso a usuarios ubicados en todo el mundo a un fondo inestimable de documentos del siglo XVI extraídos del Archivo General de Indias en Sevilla, documentos que muestran a Santo Domingo, de manera palpable, como la cuna de la negritud en las Américas. El portal ofrece a cada visitante el facsímil de los manuscritos originales, su respectiva transcripción, una traducción al inglés y un comentario contextualizador.

Producto de la labor intensa de un equipo paleográfico bajo la supervisión de Stevens-Acevedo y el respaldo institucional posibilitado por Hernández, el portal *Primeros Negros* nos presenta piezas fascinantes. Baste ver los documentos referentes a María de Cota, una mujer negra esclavizada nacida en Santo Domingo y trasladada de niña a España, donde su segunda dueña, antes de fallecer en Sevilla, precisó en su testamento que cuando le viniera la muerte María quedaría en libertad. Muerta su dueña y establecida ante la ley su condición de liberta, la afroquisqueyana obtuvo licencia de las autoridades imperiales en Sevilla para viajar a Santo Domingo. Para 1580, cinco años después de obtener la primera licencia, María aparece de nuevo en trámites legales en Sevilla, otra vez solicitando permiso para viajar a Santo Domingo, pero ahora en compañía de su hija de 3 años, quien, según el testimonio de la madre, había nacido en Santo Domingo (Ver Translation No. 69, www.firstblacks.org). Para Hernández, María podría verse como precursora del movimiento migratorio que caracterizaría al pueblo dominicano desde la segunda mitad del siglo XX, ya que tiene el especial simbolismo de que anticipa lo que se conoce en el día de hoy como uno de los rasgos dominantes de la migración dominicana, que se trata de una movilidad "abrumadoramente dominad[a] por mujeres y sus niños" (Hernández 2016). Sin duda, este portal hace un aporte de inestimable valor para la recuperación de la gran saga de la experiencia afrodominicana que las instituciones nacionales, operando bajo el influjo del trujillismo cultural, se han obstinado en invisibilizar. Con recursos como *Primeros Negros* a nuestra disposición, se nos hará menos difícil aprender todo lo que nos hace falta sobre los casi tres siglos de infamia, sobrevivencia y resistencia anticolonialista que vivió la población afro-(proto)-dominicana previo al levantamiento libertario acontecido en 1791 en la parte oeste de la isla, en la colonia francesa de Saint Domingue. El recuento hasta aquí esbozado sobre la visión social y las áreas de énfasis privilegiadas por la parte de nuestra población dedicada a las artes, las disciplinas académicas, la diseminación de saberes y el activismo cultural puede bastar, al menos tentativamente, para declarar cumplida la predicción hecha hace veinte años en la edición original de *El retorno de las yolas* sobre la riña invitable de nuestra diáspora con los portavoces del discurso público en el suelo ancestral a la hora de definir a nuestro pueblo. Allí me aventuraba a predecir, en respuesta a la propuesta de Esquea Guerrero dirigida a suspender el *jus soli* en la Constitución dominicana, que, independientemente de cuanta derechización siguiera experimentando la hasta entonces liberal ideología racial del PRD, cabía muy poca duda de que "la visión conservadora [en lo concerniente a su obstinación con *la sangre reconocida como inherentemente nacional*] estará condenada a entrar en riña con la perspectiva diaspórica" (Torres-Saillant 1999: 399).

V. Raza, desnacionalización y olvido compulsivo

No obstante la prédica antihaitiana de Esquea Guerrero, su partido no tuvo oportunidad de alterar el longevo precepto constitucional del *jus soli*. Esa oportunidad se la robó el Partido de la Liberación Dominicana (PLD), una organización política fundada por el venerado anti-trujillista Juan Bosch, la cual, en razón de ese origen, se decía todavía mucho más liberal y progresista que el PRD. No occurió mediante reforma a la carta magna, sino como fallo de un Tribunal Constitucional creado —posiblemente para ese fin— por el presidente Leonel Fernández Reyna, alumno político de Bosch que ascendió al poder tornándose discípulo de Balaguer, el muy criminoso continuador de la herencia ideológica, política y moral del trujillato. El *opus magnum* del Tribunal fue y será la sentencia TC/0168-13, promulgada, de manera inapelable, el 23 de septiembre de 2013. Por ese medio se estableció que quedaban desprovistos de ciudadanía dominicana todas las personas nacidas en el país desde el año 1929 cuyos antepasados hubiesen inmigrado de manera indocumentada, quedando en los hombros de las personas afectadas la responsabilidad de probar la entrada legal de sus antepasados a lo largo de 75 años.

Quedó instantáneamente claro que la sentencia buscaba principalmente desnacionalizar a la población domínico-haitiana, de la que unos 230,000 ciudadanos pasaron de la noche a la mañana a ser residentes ilegales en su tierra natal. No faltó en el texto del fallo una referencia directa a la necesidad de la sociedad dominicana de preservar su homogeneidad como comunidad nacional que comparte "un conjunto de razgos históricos, lingüísticos y raciales" (Sentencia TC 168-13, acápite 1.1.4). Como era de esperarse, la diáspora respondería ofreciendo un frente de resistencia contra la oficialidad y en apoyo a los sectores de la sociedad dominicana que habían tomado la delantera en la lucha contra la exclusión deliberada que la ley representaba. El rol de la diáspora en el efectivo video dirigido por W. Gerald McElroy, titulado *Eso no se hace*, las posiciones públicas asumidas por las mayores figuras literarias domínico-americanas —Julia Álvarez, Junot Díaz y Rhina P.

Espaillat—, al igual que las de académicos tales como Sophie Maríñez, Lorgía García Peña, Anthony Stevens, Eduardo Paulino y muchos otros, dejaron claro que la diáspora no iba a extenderles cortesías a las autoridades dominicanas empecinadas en desproveer a una minoría nacional del derecho elemental de vivir en su propio país.

A raíz de la sentencia desnacionalizadora, a mí me tocó la oportunidad de terciar con un importante diplomático dominicano asentado en una influyente metropolis del Viejo Mundo, quien tuvo la cortesía de enviarme *in extenso* un artículo suyo que expresaba su apoyo al fallo inapelable del Tribunal Constitucional que había vulnerado a cientos de miles de compatriotas de herencia haitiana (el TC 0168-13). Aparecido en una prestigiosa revista europea, el artículo había visto la luz de forma abreviada, y yo me había referido al mismo distanciándome de los juicios allí vertidos. El compatriota embajador, por tanto, tuvo a bien hacerme llegar la versión *in extenso* para, de esa manera, convidarme a un "diálogo constructivo para superar nuestra penosa herencia histórica que urge trascender" por el bien de "ambos pueblos", refiriéndose a los dos países que comparten la isla Hispaniola. Ante la distinción que me hacía el respetado embajador, me pareció que no había forma más respetuosa de reciprocar su gentileza que haciéndole saber mi diferencia con respecto al tema de su artículo. Me pareció justo, pues, ponerle mis cartas sobre la mesa en cuanto que él y yo no entendíamos ni la historia ni las relaciones sociales de igual manera y que quizás por eso no nos podían doler los mismos hechos del pasado ni del presente.

En el mencionado artículo el autor refiere la "primera independencia" del pueblo dominicano proclamada en el 1821 por el teniente gobernador de la colonia española de Santo Domingo, José Núñez de Cáceres; y a mí me pareció necesario explicarle que yo no le reconocía a ese prócer la misma proceridad que él le atribuía. Ciertamente, Núñez de Cáceres, con miras a romper la relación colonial que hacía a los habitantes de la parte hispanohablante de la isla súbditos de España, se lanzó a proclamar la separación de lo que entonces se llamaba el "Haití español". A ese capítulo los libros de historia convencionalmente le dan el nombre de "la independencia efímera", por haber durado apenas dos meses. Fue cuando intervino el gobierno de Haití, temeroso de que las potencias europeas que adversaban a la joven república negra usaran el vacío de poder que se daba en la parte Este de la isla para aumentar su agenda de agresiones. Llegadas las tropas del ejército haitiano comandadas por el presidente Jean-Pierre Boyer, el licenciado Núñez de Cáceres le entregó al primer mandatario las llaves de la ciudad de Santo Domingo, y nadie se tiró a la calle a protestar por el cambio de batuta. Al contrario, hubo mucha gente que se puso contenta, particularmente las personas que vivían en estado de cautiverio, quienes lograron su libertad gracias a lo efímero de la recién proclamada independencia. Ahí comienza el período de la unificación de la isla bajo la autoridad haitiana, que duraría hasta el 1844, cuando nace la República Dominicana concebida por Juan Pablo Duarte y sus aliados.

Aquí me sentía en la obligación de revelarle a mi interlocutor la convicción de que en la sociedad dominicana, como en cualquier otro sistema social, hay más de una cultura y más de una memoria histórica. En ninguna región del mundo se confima esa afirmación con tanta claridad como en la sociedad dominicana o en cualquier otro país perteneciente al hemisferio occidental. Pues aquí, lo que tiende a denominarse la era moderna arrancó con el choque traumático de poblaciones, memorias históricas, comovisiones y herencias culturales suscitado por la transacción colonial. Aquí la modernidad comienza con la llegada fortuita, de allende los mares, de unos aventureros, implacables buscadores de fortuna, que al arribar se descubrieron capaces de dominar a los pobladores originarios de la región por poseer armas de destrucción masiva que estos últimos no podían igualar debido a que las circunstancias de su historia no les habían exigido tal nivel de desarrollo en las tecnologías de la muerte.

Debido a esa capacidad destructora —incluyendo la de matar a los nativos hasta con los gérmenes que traían en el cuerpo— y a su grado de codicia sin par, a los invasores les cayó en las manos un caudal de riquezas de dimensión inconmensurable y sin precedente en la historia. Se adueñaron de territorios inmensos, de una fertilidad hasta ese momento insospechable para la imaginación europea, en los que los suelos, las montañas y los ríos se revelaron repletos de piedras preciosas y de los metales que para entonces los europeos habían encumbrado al más alto valor de cambio, principalemente el oro y la plata. Pero, para cristalizar todo el enorme potencial de riqueza que yacía latente en ese inmenso caudal, se requería la determinación de poner en práctica un régimen dominado por la lógica del maltrato. Había que obligar a los nativos a dejarlo todo —aspiración individual, familia, comunidad, religión y creatividad—, con tal de forzarlos a trabajar hasta el desgaste en la tarea de convertir las montañas, los ríos, los árboles y los suelos en mercancías capaces de traducirse en dinero vendiéndose en los mercados europeos. Era lo que había que hacer para acumular riquezas, y lo hicieron.

Pasó el tiempo y se hizo necesario suplementar la mano de obra nativa con trabajadores esclavizados traídos de África. Pasó más tiempo y hubo que traer trabajadores de otras regiones semi-esclavizados mediante el sistema de *indentured servitude*, que les sometía al trabajo forzado por un número determinado de años, después del cual los sobrevivientes pasaban a "bandeárselas" en la lucha por la vida como meros inmigrantes. Eventualmente vendría el período de las independencias y surgirían las naciones dichas soberanas que completan casi todo el mapa político del hemisferio. Lamentablemente, el nuevo orden, regentado casi siempre por descendientes de la clase conquistadora original, no hizo nada por rehabilitar las relaciones sociales a fin de que la igualdad predominara en la nueva configuración de la sociedad. Por tanto, el orden social típico mostraba a los descendientes de los conquistadores disfrutando del mayor nivel de privilegio y a los descendientes de los grupos subalternos —negros libertos, indígenas e inmigrantes asiáticos— compartiendo entre ellos las migajas de la adversidad y la impotencia. Nuestras sociedades surgieron estructuradas claramente con líneas divisorias entre los de abajo y los de arriba. La desolación de los de abajo los mantenía en condición hipermnésica frente a la historia de la que procedían, pues los de arriba no tenían la más mínima discreción en desplegar ostentosamente los privilegios que su herencia les había legado. Por ello, los descendientes de gente dominada y esclavizada se sabían ubicados muy claramente en *contradistinción* con la prole de los antiguos amos. De ahí que la contrainsurgencia haya sido un factor tan importante en la obra de gobierno de nuestros estadistas de la región desde el comienzo de las repúblicas.

En vista de lo antes dicho, se puede afirmar que, en las sociedades de nuestro hemisferio, los de arriba y los de abajo no vienen de la misma historia y que la memoria de los unos preserva su diferencia con respecto a la de los otros. Por lo tanto, vale recalcar que en nuestro hemisferio hay más de una cultura y más de un conjunto de valores para apreciar la misma. Cuando parece que sólo hay una, sencillamente se trata de que uno de los legados culturales de la población ha triunfado ejerciendo su hegemonía sobre los demás. De esta suerte, una de las formas de recordar el pasado logra prevalecer como memoria pública oficial: con ello relega al olvido las versiones alternativas e inculca la amnesia en el grueso de la población.

Por ejemplo, la mayoría de la población dominicana es afrodescendiente. Por lo tanto, esa mayoría tiene un mayor parentezco con los antiguos esclavizados que con los amos. ¿De dónde, entonces, la proceridad de Núñez de Cáceres? El no contempló la abolición de la esclavitud en la nación independiente que había proclamado. No fue que se le olvidara, sino que la libertad de los cautivos no le parecía conveniente. Tiempo después explicaría su renuencia con meridiana claridad: "no voy a ser yo quien de un plumazo reduzca a mi pueblo a la pobreza" (citado por Angulo Guridi). Esa posición tenía algo de patriota siempre y cuando uno formara parte del grupo que él consideraba como el conjunto de sus compatriotas. Pues cuando él afirmó que se había negado a empobrecer a *su* pueblo estaba dejando claro que se refería a los propietarios de esclavos que se beneficiaban de la mano de obra cautiva y no a toda la población del Haití español. Peor aún, ya en la parte este de la isla la población cautiva había saboreado la libertad. Unos veinte años antes, cuando en el 1801 el general Toussaint Louverture, actuando bajo la autoridad francesa, llegó a la parte hispanohablante de la isla con fines de efectuar la unificación contemplada por el Tratado de Basilea, una de sus primeras medidas fue la abolición de la esclavitud y la integración racial de las oficinas públicas. Pero ese estado de cosas duró solo hasta el 1802, el año de la avasalladora invasión enviada a ambos lados de la isla por Napoleón Bonaparte con el fin de aplastar la insurrección libertaria de los esclavos de la colonia francesa de Saint Domingue y de restaurar la esclavitud en la isla.

La invasión napoleónica no logró su objetivo en el Oeste de la isla, donde los rebeldes derrotaron el poderío militar francés y convirtieron la colonia francesa de Saint Domingue en la República de Haití fundada en el 1804. Las tropas francesas salieron derrotadas de Saint Domingue, pero pudieron instalarse en Santo Domingo, primero bajo el mando de François-Marie Perichou de Kerversau, y luego, de su sucesor Jean-Louis Ferrand. Allí, con la colaboración de la élite hispánica criolla, los invasores restauraron la esclavitud de las personas afrodescendientes y mantuvieron el dominio francés hasta el 1808, cuando estalló la rebelión de la élite hispana contra las autoridades francesas. Bajo el mando de un empresario leal a la Corona española llamado Juan Sánchez Ramírez, el levantamiento armado tuvo éxito, logrando, con el apoyo del gobierno colonial español en Puerto Rico y el respaldo de los ingleses, expulsar a las fuerzas francesas de Santo Domingo. Una vez liberado Santo Domingo, los dirigentes de esa rebelión conocida por el nombre de la "Reconquista" pasaron devotamente a ofrendar a la Corona española el territorio reconquistado, que entonces asumió de nuevo la condición de colonia y que preservó la esclavitud que padecía una porción considerable de su población. Entonces, ver a Sánchez Ramírez o a Núñez de Cáceres como auténticos próceres dependerá de si uno aprueba o no la decisión que ambos hicieron de identificarse con los residentes de Santo Domingo que debían su bienestar material a la potestad de tener bajo su dominio a seres humanos desprovistos de libertad. Si uno tiene un vínculo ancestral más directo con los esclavos que con los amos, la proceridad de ambos no tendrá el valor que seguramente tiene para los descendientes de los amos. Pienso que desde Sánchez Ramírez y Núñez de Cáceres hasta el presente la dinámica de las relaciones sociales entre los habitantes de lo que es hoy la

República Dominicana puede entenderse como pugna entre un pueblo que anhela la inclusión y un régimen de turno aferrado a la exclusión.

Mi conversación con el referido diplomático se mantuvo en el plano cortés, cada parte atenta a impedir que la discrepancia interfiriera con el buen trato y la cordialidad. Hasta qué punto la discrepancia tiene raíces ideológicas no resulta tan claro, pues poco después tuve ocasión de sostener un intercambio imaginario con dos connotados historiadores dominicanos, uno marxista y el otro liberal, en una "Peña con la historia" transmitada por la televisora del Archivo General de la Nación en Santo Domingo (*Youtube.com*, 16 de agosto de 2012, Pedro de León Concepción). Se trataba de una mesa de discusión sobre la historia como disciplina académica, cubriendo tópicos de índoles diversas, tales como las implicaciones de los elementos que la obra historiográfica privilegie o desdeñe a la hora de escoger la estructura y la lógica de su relato. Me produjo particular curiosidad ver cómo coincidían los destacados historiadores Roberto Cassá y Frank Moya Mons en el superlativo elogio de la empresa magnífica a la que se lanzó José Gabriel García al construir una narrativa de la experiencia nacional que le dio un orden lógico al pasado dominicano. Cuando vi el video de la "Peña con la historia", no pude contener el impulso de externar en voz alta mi desacuerdo con los dos colegas. Por eso siento que sostuvimos un intercambio, aunque fuera imaginario.

La admiración similar de Cassá y Moya Pons por el logro de García, el autor conocido como padre de la historia dominicana, me sorprendió porque esperaba que un marxista y un liberal llegaran a valoraciones distintas. Pero luego me quedó claro que ambos hablaban igual porque compartían el mismo sentimiento de gratitud por lo que García había hecho para bien de la disciplina que ellos hoy día representan con distinción. Estaban expresándose más como miembros de una comunidad académica que como ciudadanos celosos del bienestar de todos sus compatriotas. Lo que desde una perspectiva diaspórica se les podría echar en cara es que no se les haya ocurrido especular sobre la medida en que la lógica del relato de García, identificada de manera implícita con el *statu quo*, haya contribuido a forjar en la población una especie de imaginario colectivo tolerante del abuso, la injusticia, la exclusión y el uso del poder para beneficio personal de las élites gobernantes.

Es evidente que, en su *Compendio de la historia de Santo Domingo*, García expresa la sensibilidad de un heredero de los conquistadores. Cuando dice que "fueron maravillosos" los efectos que tuvo la embestida española contra los nativos en la batalla de La Vega Real, por quedar los indios "tan aterrorizados" que desistieron "del propósito de seguir siendo hostiles a los invasores", está evocando el triunfo de sus antepasados. De ahí que la derrota de los invadidos, quienes a partir de ese momento lo perderían todo, no le duela (García 1979, tomo 1, pág. 35). Igual ocurre cuando, refiriéndose a la sublevación del 27 de diciembre de 1522 (90), nos cuenta cómo el gobierno de "don Diego" tuvo que "combatir una insurrección de mal carácter, promovida entre los esclavos africanos" que laboraban en los ingenios. La respuesta armada de los colonos no se hizo esperar. Capturaron a los cabecillas, "quienes pagaron en la horca su loco atentado", e hicieron que numerosos cadáveres de los sublevados quedaran "colgados de los árboles para escarmiento y terror de los que pensaran imitarlos, habiendo bastado solo cinco días para que la paz quedara restablecida y la calma volviera a reinar en las poblaciones" (91).

Al alabar las motivaciones que orientaron la empresa historiográfica del *Compendio*, Cassá llega a atribuirle a García un alto sentido del deber patriótico "como historiador y como intelectual", aparte del deseo de contribuir al desarrollo de una sociedad "democrática". No hay que contradecir a un colega con conocimientos tan profundos sobre los escritos de García. Pero sí se podría añadir que seguramente García contemplara la democracia para *su* gente, tal cual Núñez de Cáceres había imaginado la independencia para la *suya* al negarse a abolir la esclavitud con tal de no interrumpir el bienestar de *su* pueblo. La aspiración democrática del *Compendio*, cuyo relato estigmatiza a los grupos aborígenes y a los africanos que luchan por su libertad, mientras celebra que los españoles se valieran de toda la violencia para quitársela, tiene sentido solo si aceptamos que García no ambicionaba que los subalternos también disfrutaran de bienes democráticos. En ese sentido, se puede entender a García como un gran precursor de la construcción del olvido en la historia dominicana.

Baste solo imaginarse cuánto podría haber mermado el frenesí negrofóbico en el discurso oficial dominicano si en los 117 años discurridos entre la salida del primer tomo del *Compendio* (1867) y la publicación del delirante panfleto *La isla al revés* (1984) la ciudadanía hubiese conocido el papel de los negros y mulatos de Monte Grande en la independencia dominicana. García sencillamente omitió el detalle, aunque a los *montegranderos* se debe que el primer acto jurídico del gobierno dominicano inaugural fuese la abolición de la esclavitud, de conformidad con un decreto que luego se convirtiría en una ley y que daba a la recién nacida República Dominicana categoría de santuario para los esclavizados del mundo. Además, el discurso mismo del trujillismo cultural, que depende tan decisivamente del odio antihaitiano, seguramente hubiese tenido poca posibilidad de aflorar si la población hubiese aprendido que Duarte jamás predicó antagonismos anti-haitianos y que el primer gobierno dominicano, mediante el acto jurídico mencionado, invitó a la población haitiana residente en el territorio recién convertido en dominicano a quedarse en el país e integrarse a la naciente ciudadanía. Mucho es lo que podría imaginarse acerca del impacto que el acceso a una visión incluyente de nuestra historia podría haber tenido en la calidad de vida de todos los sectores de nuestra sociedad.

Si, al hilvanar el relato de nuestro pasado, el "padre de la historia" hubiese normalizado la diversidad de origen y de fenotipo en la población de la isla —reconociéndole a cada grupo la importancia del papel que haya desempeñado—, quién sabe cuánto mayor sería la autoestima de cada miembro de la ciudadanía. Probablemente no habríamos tenido la recurrencia de tantos negros negrófobos. Recuérdese al conjunto musical Wilfrido Vargas y sus Beduinos en los años ochenta, cuando ejecutaba el merengue "El Africano". Al llegar al estribillo "Mami, ¿qué será lo que quiere el negro?", la coreografía de los cantantes al frente de la tarima incluía la representación visual del negro en cuestión. Para lograrlo, uno de los músicos, cuyas facciones ya eran bastante negroides porque el conjunto entero era afrodominicano, se ponía una máscara de gorila y arrancaba a hacer monerías. Vargas había escuchado la canción en Colombia, ejecutada por el juglar Calixto Ochoa, por lo que se podría pensar que quizás la presencia del simio en el escenario fuese parte integral del *performance* que Vargas presenció al encariñarse con la canción del juglar y de su conjunto colombiano. Pero una búsqueda en el internet de videos de presentaciones en que Ochoa toca ese número da a entender que el uso del mono para representar gráficamente la negritud se originó en el conjunto dominicano.

En fin, una narrativa inclusiva del pasado dominicano en la que aparecieran los de abajo teniendo impacto sobre el curso de los acontecimientos podría haber alimentado el ideal de participación ciudadana de todos los sectores sociales. Democratizar la lógica del relato de cómo llegamos a tener una nación habría ayudado a inculcar la ética cívica de una población dispuesta a ejercer su potestad ciudadana cumpliendo su papel de centinela de la justicia y la inclusión frente a los poderosos. Se puede decir que el prejuicio le arruinó a García la oportunidad de aportar esquemas democratizadores a la historiografía del joven país y a la narrativa de la experiencia nacional que la gente común escucharía y repetiría. Es posible que Vetilio Alfau Durán tuviera algo de lo anterior en mente cuando le reprochó a García, aunque demasiado cortésmente, el haber silenciado lo que aconteció el 28 de febrero de 1844 en Monte Grande, donde los insurrectos protagonizaron, a su parecer, una lucha, "acaso la epopeya más gloriosa que ha librado una raza sufrida" (Alfau Durán 1994: 395).

VI. Arte, empatía y ética humanística

Desde la diáspora es fácil identificarse con la frustración expresada por el reconocido escritor, urbanista y editor Miguel D. Mena al esbozar la vigencia que siguen disfrutando en el discurso público nacional reconocidos predicadores del escarnio como Manuel Núñez, Mario

Bonetti y Ernesto Fadul, cada uno de los cuales, desde sus respectivas tribunas, promueve el odio anti-haitiano, la heteronormatividad y un camaleónico anti-yanquismo. Mena lamenta, por ejemplo, que figuren escritores y artistas como Efraím Castillo, Alberto Bass y Fernando Casado entre la gente que le hizo caso a Bonetti al avalar con sus firmas el documento que este connotado haitianófobo hizo público bajo el título de "Manifiesto de personalidades dominicanas con relación a la haitianización de la República". Para Mena, la vigencia de dichos personajes hace pensar que la sociedad camina hacia una suerte de identificación con "los peores valores de la humanidad", aquellos que fomentan "el desprecio por el ser humano y su pluralidad de opciones sexuales, de color, credos religiosos y procedencias" (Mena 2018). El ideal implícito en la queja de Mena concita gran resonancia en la conciencia diaspórica, la cual, forjada por una historia traumática de opresión y denuesto, tiende a recurrir al arte en búsqueda de un *locus* de humanización.

En ese sentido, las obras literarias producidas por esa comunidad tienden a asumir casi como credo estético la inquietud por hacer justicia a algún personaje del pasado que no la tuvo en su tiempo, por dar primacía en el escenario a un personaje cuyo equivalente social en la cruda realidad se relegaría al margen o bien por crear un ámbito mnemónico capaz de fomentar el recuerdo de personajes y saberes que el *statu quo* querría inducirnos a olvidar. En ese terreno entra la pieza de teatro *Cuatro disparos en la noche*, obra de ficción dramática que en el 2017 hizo merecedor del Premio de Teatro Cristóbal de Llerena a César Sánchez Beras. La obra evoca la desaparición de cuatro jóvenes que figuran entre las más conocidas víctimas de la violencia asesina del régimen balaguerista. Como suele ocurrir con los artistas de la diáspora, Sánchez Beras se niega a olvidar: "mientras permanezca impune una atrocidad de Balaguer o de Trujillo, tenemos la obligación de enfrentarlos desde todos los frentes, en este caso desde la literatura" (Martínez 2017). Como si presintiera el designio de alguna ley natural que niega a los agentes del mal la luz humanizante del arte verdadero, Sánchez Beras le concede al Balaguer escritor apenas "una oratoria barroca desconectada de la audiencia a la que iba dirigida", y deja claro que en los textos del caudillo no encuentra más que una continuación de su maligna obra política (*ibid.*).

La crítica literaria de la diáspora se aproxima a la escritura artística con la mirada puesta en la medida del aporte de cada obra a promover un credo humanístico que tienda a rehabilitar las relaciones sociales, liberándolas de opresiones, exclusiones y descalificaciones en renglones tales como clase, sexualidad, cultura, raza y credo, entre otros. Ello lo ilustra la lectura que hace Néstor E. Rodríguez de la novela *El hombre del acordeón* (2003), obra del promimente escritor dominicano Marcio Veloz Maggiolo y cuyo personaje principal evoca la figura del legendario acordeonista Ñico Lora. Rodríguez comenta favorablemente la obra, aplaudiéndole al autor la forma de delinear al personaje que protagoniza el relato y cómo recrea de manera compleja la realidad social y el contexto cultural rayano que sirven de trasfondo a la trama. No obstante el aplauso, el crítico expresa un cierto resquemor por las implicaciones de un personaje que aparece quizás demasiado heroizado, elevado como individuo al sitial de "paladín de la causa campesina y loá del panteón rayano", puesto que en ello la novela termina haciendo concesiones al *statu quo* "patriarcal y autoritario" prevaleciente en la sociedad dominicana en la época correspondiente a la acción que se narra en el texto (Rodríguez 2016: 687).

Esta lectura ilustra una tendencia reconocible en la práctica de los estudios literarios efectuados desde la diáspora, pues en ellos prima la expectativa y hasta la exigencia de que los textos creativos y la producción intelectual en general reflejen algún compromiso ético. No sorprende, por tanto, encontrarse con un artículo de opinión firmado por el académico Ramón A. Victoriano-Martínez, en el que muestra su indignación ante la noticia de que la Academia Dominicana de la Lengua había instalado como miembro de número al destacado autor y publicista antihaitiano Manuel Núñez, el afrodominicano, autor del ensayo *El ocaso de la nación dominicana* (1990 y 2001), que se identifica de manera fogoza con la preceptiva del trujillismo cultural. El articulista expresa descontento, no solo por considerar a Núñez inelegible para distinciones extendidas por una entidad que se dice humanística, sino también por habérsele asignado la silla "Q", cuyo anterior ocupante fuera el fenecido poeta Manuel Rueda. Excelso poeta y destacado pianista, Rueda consagró buena parte de su verso a evocar la textura de la experiencia humana de la zona fronteriza, donde se cruzan las culturas de haitianos y dominicanos, dando pie, con su particular forma de ver desde la perspectiva rayana, a una tercera expresión. Para el articulista, Núñez simplemente carecía de la calidad humana necesaria para ocupar el asiento de Rueda (Victoriano-Martínez 2015).

Movido por esa índole de urgencia ética, Victoriano-Martínez ha realizado una lectura puntual de *Contrariedades y tribulaciones en la mezquina y desdichada existencia del señor Manfredo Pemberton* (2006), *No verán mis ojos esta horrible ciudad* (2009) y *La manipulación de los espejos* (2012), tres textos narrativos del autor afrodominicano Roberto Marcallé Abreu. Prosista con una larga trayectoria de trabajo en el periodismo y en la ficción, dicho autor se ha hecho portavoz del anti-haitianismo esgrimido por el trujillismo cultural. En el 2013 su nombre llamó la atención de la diáspora por figurar en una lista de ocho "escritores" de Santo Domingo que, a propósito de una visita de trabajo de Junot Díaz a su tierra natal, unieron sus firmas en una carta pública en la que declaraban al escritor de *The Brief Wondrous Life of Oscar Wao* persona no deseada en el país. Dada con ceremonia a la prensa, la carta condenaba la visita de Díaz a Santo Domingo, repudiándole su "autodenominarse dominicano" y acusándolo de ofender la sociedad ("Ocho escritores…", 2013). La animadversión se debió a más de una declaración hecha pública en la que el famoso artista literario domínico-americano condenaba la sentencia 0168/13, instrumento mediante el cual el Tribunal Constitucional había retirado la ciudadanía a cientos de miles de dominicanos de herencia haitiana. Dos años después, Marcallé Abreu recibió el Premio Nacional de Literatura, el más alto galardón conferido en la República Dominicana en el ámbito de las letras. Acompañado de un sustancioso emolumento, el Premio se destina a reconocer la obra de toda una vida.

No obstante el reconocimiento que el *statu quo* de su país ha extendido a Marcallé Abreu al concederle no solo el premio mayor de las letras, sino también —previamente— el Premio Nacional de Novela en tres ocasiones, es difícil descartar la pobreza artística que dicierne en su obra Victoriano-Martínez, quien se dedicó a una lectura detenida de las 1,730 páginas de la trilogía distópica que configuran las tres novelas mencionadas, las cuales operan, según el crítico, como tres entregas de un continuo relato. Se verá que, en el juicio del crítico, el desbordado desdén de Marcallé Abreu por la exigencia ética tendrá un valor decisivo. Como si no tuviese interés alguno en ser discreto sobre la ubicación ideológica de su narrativa, el agraciado novelista dedica el primero de los tres tomos analizados por Victoriano-Martínez a tres dominicanos que al parecer considera correligionarios, gente "cuya espada es la palabra". Se trata del reputado predicador del credo antihaitiano Manuel Núñez, el mayor general Rafael R. Ramírez y el diputado Pelegrín Castillo, dirigente del partido Unión Nacionalista, el cual mantiene la prédica anti-haitiana en el tope de su plataforma política. El análisis de Victoriano-Martínez llega a la conclusión de que estamos ante una obra pobre en los conceptos, precaria en la escritura y torpe en un estilo que no parece destinado a alcanzar una meta estética discernible (Victoriano-Martínez 6).

Contrariedades, la primera entrega, nos presenta a Pemberton, personaje abatido por infortunios causados por el mal generalizado reinante en su sociedad. Entre las causas que lastiman al país se destacan las siguientes: los jesuitas, los *dominicanyorks*, las ONG, Haití y "sus amigos". El glosario que explicaría por qué cada integrante de esa lista constituye un adversario del orden que añora Pemberton hay que buscarlo en el ideario del trujillismo cultural, del que se nutre el discurso ultranacionalista dominicano. Según la lógica de ese ideario, cada uno de los términos listados merece el mote de adversario debido a su participación en o su consonancia con un entramado maléfico que busca destruir la nación dominicana. A los jesuitas les cabe por atribuirse autonomía ideológica respecto a la jerarquía de la cúpula católica en el país: así, cuando mandaba la Iglesia el cardenal Nicolás de Jesús López

Rodríguez, incondicional aliado de Balaguer y antihaitiano acérrimo, esa autonomía los llevaba a asumir posiciones públicas independientes y poco afines con las apetencias del régimen. En lo que se refiere a los *dominicanyorks* (término despectivo usado por la clase media para referirse a nuestra emigración), son considerados adversarios porque una buena parte de ellos rechaza los preceptos del trujillismo cultural. Las ONG se ganan el mote de adversarias debido a que, manteniéndose a flote gracias a fondos extranjeros, gozan de una independencia que pueden utilizar en la crítica al *statu quo*, lo que estorba la paciente armonía que prefiere el orden operante. El carácter de adversario que ostentaría Haití resulta evidente. Escritor de mala tinta, Balaguer en el subtítulo de su aberrante manisfiesto *La isla al revés* junta a "Haití" y al "el destino dominicano" cual factores en pugna, lo que se dramatiza en el cuerpo del libro, cuya principal intención es demostrar la medida en que el vecino país constituye una amenaza para la posibilidad de que la población dominicana pueda de hecho tener un futuro promisorio. En ese sentido, Haití es adversario por antonomasia del pueblo dominicano. Finalmente, el epíteto "amigos de Haití" funciona como fórmula genérica para referirse a Francia, los Estados Unidos y Canadá (a veces, también la Unión Europea). Son estas naciones sospechosas de haber estado por años urdiendo un plan macabro de "fusionar" los dos países que comparten la isla y, de esa manera, deshacerse del "problema haitiano" tirándoselo encima a los dominicanos.

Victoriano-Martínez nos hace ver en *Contrariedades* una voz narratoria entregada a elucubrar a partir de la nostalgia por un régimen autoritario y patriarcal (9). Sube a la escena Ulises María González (El Hombre), un varón con don de mando, capaz de traer orden a la sociedad a partir de un liderazgo individual que puede poner coto a los distintos poderes del Estado. Su asistente y consejero cercano, el Dr. Juan Pablo Robles, anuncia con pesar las medidas drásticas que hay que tomar para lidiar con "la presencia de la *peste* negra del Oeste", es decir, "medidas encaminadas a liquidar este virus que perturba el espíritu de la patria y amenaza de forma grave nuestra existencia" (Marcallé Abreu 2006: 49; Victoriano-Martínez 10). Ya presidente,

"El Hombre" se deja seducir por lo que suena como lo que el Tercer Reich denominó la "Solución Final" (*Endlösung*), porque él también lo ha estado madurando en la cabeza, algo que se hace evidente en un larguísimo monólogo suyo sobre la relación entre los dos países que comparten la isla. El presidente se refiere a "indicios crecientes de planes para refundir la Patria dominicana con el seudoestado colapsado del oeste" con tal de que los dominicanos tengan que lidiar con "los desafueros y perversidades de la gente dañada y dañina que proviene de esos ámbitos de enfermedades contagiosas e incurables, de vudú y magia negra" (Marcallé Abreu 49, 256; Victoriano-Martínez 10). Conversando con el cardenal Alberto Castillo Tejeda, el Dr. Robles señala directamente a Francia, Estados Unidos y Canadá como cabecillas del plan fusionista que haría al país responsable de "la peste negra del Oeste", esa gente al otro lado de la isla que él tilda de "primitiva, violenta y dañada" (Marcallé Abreu 459-60; Victoriano-Martínez 11).

La lectura de Victoriano-Martínez muestra que en la segunda entrega de la obra tripartita de Marcallé Abreu la trama dramatiza los pormenores del plan genocida vislumbrado en el primer tomo. El presidente González y su grupo paramilitar "La Causa" proceden a diseñar medidas eugenésicas bajo el "Programa Preservación". Se destaca la figura del director de Migración, Lic. Vinicio del Orbe, quien plantea imponer como requisito para que el inmigrante haitiano pueda hacerse "residente legal" el que dicho inmigrante se someta "voluntariamente a una operación de esterilización", si bien, una vez esterilizados y desprovistos de la capacidad de reproducirse, a esos inmigrantes se les deportará "en su casi totalidad" (*No verán mis* ojos 199; Victoriano-Martínez 12). El director de Migración edulcora su proyecto genocida alegando, magnánimo, que no se trata de "exterminar la peste negra del Oeste" sino de "contribuir de manera humanitaria" a una extinción que ya "se está produciendo de manera dolorosa, llena de sufrimientos" (*No verán mis ojos* 200; Victoriano-Martínez 12). Finalmente, la última entrega de la trilogía evoca un período en el que, realizada ya una gran masacre de "indeseables", prevalece el orden, puesto que, como observa el crítico, no se percibe rastro alguno de Haití. Militarizada, con la delincuencia eliminada gracias a la pena de muerte, la decencia restaurada a raíz del control estatal del Internet y un sistema de censura para compositores de música popular, la sociedad opera como debe ser, tal cual la añoraba Pemberton al comienzo de *Contrariedades* (*Manipulación* 59, 62; Victoriano-Martínez 14).

La sinopsis de la trilogía de Marcallé Abreu analizada por Victoriano-Martínez resulta enigmática por varias razones. La obra se lanza a crear una fantasía genocida que escandaliza. El relato se identifica con una nostalgia autoritarista difícil de comprender para quien tenga alguna noción de cuánto dolor todavía queda por superar de la herencia dictatorial y la perversidad legada por los Hitler, Trujillo, Franco, Duvalier y Pinochet, para no alargar la lista. A través de personajes que al parecer quedan validados en la estructura narrativa, el texto normaliza el racismo en su expresión más cruda. A final de cuentas, la trilogía se convierte en un gran canto de amor a la crueldad, el odio, el prejuicio y la violencia, brindando una plataforma para "los peores valores de la humanidad", para decirlo en palabras de Mena. Se trata, pues, de un texto que desafía la expectativa crítica que va al texto literario en procura de un ámbito de humanización donde se cultive la empatía, la compasión y el mejor entendimiento de la complejidad de nuestra especie. ¿Cuál podrá ser la motivación de un autor para dedicar años de trabajo en la confección de una obra tan declaradamente antihumana?

El precedente que se nos ocurre, la trilogía de novelas escrita por Thomas F. Dixon Jr. (1864-1946), autor estadounidense que consagró su prosa de ficción a predicar negrofobia y glorificar la organización terrorista Ku Klux Klan (KKK), resulta más fácil de contextualizar. Su relato tripartito consta de *The Leopard's Spots: Romance of the White Man's Burden* (1902), *The Clansman: A Historical Romance of the Ku Klux Klan* (1905) y *The Traitor: A Story of the Fall of the Invisible Empire* (1907). El ímpetu de Dixon se nutre de la convicción de que la emancipación en 1863 de la población de origen africano esclavizada en las plantaciones del Sur de los Estados Unidos y la posterior política del gobierno central de usar presión militar para forzar a los blancos de la región a reconocer la igualdad ciudadana de los libertos habían mancillado la dignidad de todas las personas blancas de esa zona. Para Dixon, con la igualdad cívica de los negros vendría la mezcla de las razas y, con ello, el fin de la nación. En la primera entrega, *The Leopard's Spots*, un personaje llamado Gaston se dirige en estos términos a un interlocutor llamado Charlie: "Estoy mirando al futuro. El instinto racial es la brújula de nuestras vidas. Lo perdemos y no tenemos futuro. Una gota de sangre negra hace a uno negro. Encrespa el pelo, ancha la nariz, engruesa los labios, apaga la luz del intelecto y enciende el fuego de la pasión salvaje. El comienzo de la igualdad del negro como hecho vital es el comienzo del fin en la vida de esta nación" (Dixon 1902, 242. Traducción nuestra). Blanco y miembro de una familia esclavista, Dixon había sido amamantado por la idea de la superioridad racial de su gente y de la incurable inferioridad de los negros, así como por la presunción de que la dominación de los segundos por los primeros correspondía al orden natural. Él escribía para lectores que compartían con él la preceptiva del dogma racista. Para él, hablar a su gente era dirigirse a la humanidad, por lo que formulaba la estigmatización de los afrodescendientes partiendo de que con ello velaba por los humanos verdaderos, que no eran negros.

En *The Clansman*, la segunda parte de la trilogía de Dixon, leemos sobre la lucha de los blancos del sur, con los jinetes encapuchados del Ku Klux Klan a la cabeza, quienes usan la violencia y la intimidación para regresar a los negros al lugar de sumisión que les corresponde. Los encapuchados se imponen y el orden vuelve a reinar en la región tal como había reinado antes de que el presidente Lincoln proclamara la emancipación, orden en que la raza "superior" manda y la "inferior" obedece. La tercera entrega, *The Traitor*, ofrece un cuadro complejo. Puesto que ya se ha cumplido la misión histórica de restaurar el dominio blanco y la normalidad de la vida en el Sur, el Ku Klux Klan pierde vigencia y surgen disputas entre varios segmentos del mismo en torno a su disolución. Al haber amainado la resistencia y la peligrosidad del sujeto negro debido al triunfo racial blanco, el conflicto de la trama pasa a girar en torno a problemas internos, específicamente sobre los celos que se generan entre distintas facciones del Klan. *The Clansman* fue la más conocida de las tres partes de la novela, debido principalmente a su adaptación para al cine, realizada por D. W. Griffith bajo el título de *Birth of a Nation* (1915). Pero, con o sin el aval del celuloide, la obra de Dixon dejó de importar en la medida en que la negrofobia fue perdiendo espacio en el menú del discurso oficial de los Estados Unidos.

El racismo, respaldado por el Estado, contra segmentos diferenciados de la población norteamericana había creado un mercado protegido para la diseminación de la prédica negrofóbica en la prensa, los textos literarios y la industria del entretenimiento. Al producirse los movimientos sociales que en el 1964 culminaron en la Ley de los Derechos Civiles, la expresión del odio racial perdió su mayor tribuna en la esfera pública. A partir de ahí, se recluiría al marco de lo privado. Los voceros racistas obstinados en avanzar su dogma por medios públicos se recogieron en antros de extremismo que la sociedad debía tolerar por ampararles la ley de la libre expresión. Pero el tener que valerse de esos antros los hacía verse como feligreses de un culto aberrante, lo que ponía coto a su capacidad de influenciar. Por lo tanto, ya no se estila que autores con talento, a los que les interesa entregarse en serio al arte literario, se lancen a componer obras dirigidas abiertamente a repudiar, difamar y estigmatizar grupos diferenciados por su origen o fenotipo. De hecho, a menos que se cuente con antros populosos de extremistas y fundamentalistas raciales con afición por la lectura, se le hará difícil a una novela, a un poemario, a una pieza dramática o a una colección de cuentos encontrar una casa editora respetable que le dé albergue si sus páginas se consagran a la prédica de odios y discordias en desmedro de grupos de herencias distintas.

Un texto literario, para realizarse, necesita algo que le permita comunicarse con personas externas a la tribu a la que pertenece quien lo escribe. A menudo a ese resorte de comunicación se le llama universalidad, lo que suena más complicado de lo que tiene que sonar. Sencillamente, hablamos del contacto con la fibra de lo humano en un sentido profundo, algo que haga detonar la necesaria carga de empatía y de compasión, de modo que permita al texto trascender su especifidad de origen, fenotipo, lengua, clase, tiempo y espacio. Es lo que constatamos cuando vemos a Hécuba desnudarse un seno y mostrárselo a Aquiles, el guerrero sanguinario que acaba de matarle a su adorado hijo Héctor y quien, en furia desenfrenada, insiste en seguir desfigurando el cadáver. Al implorarle, con el seno descubierto, que pare el repulsivo maltrato, pidiéndole que se recuerde de su madre, Hécuba confía en que ese monstruo tendrá algún corazón y que si se recuerda de su madre e imagina lo que ella sufriría al verlo a él, ya muerto, sometido a similar trato, podrá entrar en razón. Ahí hay una comunicación que opera en el plano de la empatía a nivel humano, que cala en quien lea sin importar que uno simpatice con el lado aqueo o el lado troyano. Homero sabe que nada evoca la maternidad con tanta claridad como el seno y que es difícil construir un plano afectivo más concreto que el de la interdependencia de la madre y la criatura durante la étapa de lactancia y amamantamiento. Homero sabe que tanto los lectores aqueos como los lectores troyanos se van a identificar con el *pathos* que evoca la acción desesperada de Hécuba, esa madre que lo único que pide es que le dejen el cadáver de su hijo tranquilo. Yo, hijo del Caribe, sin planes de jamás viajar a la región del mar Egeo donde acontece la acción de la *Ilíada*, todavía no puedo llegar a la escena de la impotente Hécuba y el colérico Aquiles sin conmoverme profundamente, aún después de cuatro décadas de haber dado con ese poema épico compuesto —se piensa— por un señor ciego casi tres mil años antes de mi nacimiento en Santiago de los Caballeros.

Quizás el púlpito eclesiástico o la tribuna partidista, sí, se presten todavía a la difusión de algún tipo de odio contra determinados grupos de personas, puesto que allí funciona, por lo menos por un tiempo, la especificidad tribal indisoluble; pero la literatura no se presta eficazmente a tramitar plataformas de odio porque se nutre casi medularmente de la complejidad. Las *binariedades* que dividen el mundo en compartimentos cavernícolas como los unos (nosotros) = *buenos* y los otros (ellos) = *malos* no le sientan bien. Fuera de los antros de extremismo, ya no hay tantos lectores para novelas como las de Dixon porque, gracias a las transformaciones sociales por las que muchísimas generaciones han luchado, han surgido protocolos de inclusión que han recuperado la noción elemental de que la humanidad es diversa, que los dioses no escogieron una raza para dominar las otras, ni dieron a los varones potestad para hacer y deshacer con las hembras, ni repartierieron desigualmente la inteligencia ni la belleza entre los varios segmentos de la familia humana. Es decir, los dioses no son racistas, machistas, homófobos, clasistas, colonialistas, ni adversarios de todo el que provenga de una formación espiritual distinta a la aconsejada por una estructura religiosa dominante. Por ello, habrá que hacer una lectura más detenida de la obra de Marcallé Abreu para precisar la ubicación ideológica del autor con respecto a esos personajes suyos que deambulan por las páginas de su trilogía espetando improperios contra la "peste negra del Oeste".

Contrario a Dixon, un blanco aferrado al dogma de la supremacía caucásica que podía trazar una línea racial nítida entre negros y blancos en la región segregada donde vivía, Marcallé Abreu, un afrodominicano con facciones negroides pronunciadas, carece de un lugar identitario de blancura desde donde poder afirmar su *contradistinción* respecto a "la peste negra del Oeste". No queda claro si la imaginación racial de su relato estigmatiza con igual ahínco la negrura que habita en "el Este", la cual él mismo encarna. La demonización de la religiosidad neoafricana por parte del "Hombre", que incluye lo que él llama "vudú y magia negra" entre las "perversidades" atribuibles a esa "gente primitiva", quizás sugiera que sí. ¿Cúal es la carga de empatía que la trilogía quiere hacer detonar y a quién se dirigiría la invitación empática? A los lectores afrodescendientes se les hará pesado lidiar con la negrofobia frenética del texto. Es difícil también —a menos que uno haya de antemano abrazado con fervor el credo antihaitiano del trujillismo cultural— identificarse con personajes que son voceros del odio y que articulan sus prejuicios de manera tan burda y elemental, pues reducen a los haitianos a una masa de enfermos contagiosos, de gente "dañada y dañina" desprovista de virtud alguna.

A primera vista la trilogía parece una novelización del cuerpo conceptual aberrante que llena las páginas de *La isla al revés* y su conocido engendro *El ocaso de la nación dominicana*. El extremismo racista de los personajes de la trilogía supera, de hecho, al de Balaguer y al de Núñez. Pues, aunque ambos, en sus textos, valoran positivamente el servicio "nacionalizador" que Trujillo rindió al país mediante el asesinato masivo de octubre de 1937, ellos no anhelan explícitamente la ejecución de un nuevo genocio como lo contempla el "Programa Preservación". La cosmovisión reinante en la obra se torna aún más ácida que la de su precedente más de un siglo antes. En la obra de Dixon no prima el deseo genocida, sino el de la mera dominación, que tiene por finalidad el sacarle provecho a los dominados como fuerza de trabajo no remunerada. En fin, tan burdamente retrógrada es la visión que exuda la trilogía de Marcallé Abreu, que podría sospecharse un ardid tétrico del autor. Quizás él produjo una representación de la sociedad palpablemente execrable con tal de, si se la saludaban con aplausos, hacer constar lo hondo que la *intelligentsia* criolla tiene los pies sumergidos en el fango ideológico del trujillismo cultural.

VII. Súbditos, ciudadanos y autonomía moral en la diáspora

La más o menos exitosa resistencia de la diáspora a los excesos del trujillismo cultural se ha debido en gran medida a la autonomía material con respecto a las autoridades del país de origen, lo cual le ha permitido preservar la autonomía moral. Por autonomía moral se debe entender la postura cívica que asiste a cada persona de poner distancia entre su ética y la que exhiben las autoridades al invocar el nombre del pueblo o la patria para justificar tal o cual medida o política pública. Cuando desde arriba se toman decisiones para beneficiar a los de arriba y esas decisiones son promovidas alegando el interés de hacer avanzar los intereses de la ciudadanía, urge a cada ciudadano preguntarse si su nombre se está usando éticamente. Si uno detecta que no, debe ser capaz de pararse frente a la autoridad estatal y poder decir: "No, eso usted no lo está haciendo por mí. Yo no se lo pedí, ni veo cómo pueda esa medida ser buena para mí, mi familia, mi comunidad, etc. Le pido, por favor, no invocar mi nombre para avanzar agendas suyas". Un gobierno particular, en control de la autoridad y los recursos del Estado, podrá en determinado momento apoyar medidas que a miembros conscientes de la ciudadanía se le podría facer difícil respaldar. Piénsese en la promulgación de leyes dirigidas a limitar el derecho de las mujeres a tomar decisiones sobre su propio cuerpo o a desproteger zonas protegidas del país con el fin de satisfacer la petición de determinada compañía deseosa de montar allí un nuevo complejo turístico. La condición ciudadana, para significar algo más que la elegibilidad para votar en elecciones, requiere que la persona guarde vigilia por el bien colectivo, la justicia social y el respeto a la diversidad.

Ha sido fácil para la diáspora ejercer su vigilia con respecto a las acciones del Estado —protestando cuando ha habido que protestar— porque, en cierto sentido, le ha costado relativamente poco. Sin estar amarrada a un empleo en el país, en espera de una beca o compitiendo allí en el ámbito empresarial, la persona de la diáspora, que atiende a sus problemas materiales en otra sociedad, puede ejercer su función ciudadana frente a las autoridades dominicanas sin temer represalias. Durante los noventa, este servidor pudo publicar en la revista *Rumbo* los ensayos que luego luego constituirían buena parte del contenido de la primera edición de *El retorno de las yolas*. Posteriormente, pude dar curso mediante las páginas del periódico *El Caribe*, cuando fungía como su director el historiador y economista Bernardo Vega, a los artículos que luego aparecerían recogidos en el volumen *El tigueraje intelectual* (2da. ed., Mediabyte, 2011). Eran textos en los que a veces expresaba severas críticas a las inconductas del Presidente, el Cardenal o de tal o cual ministro o líder del sector empresarial, sin por ello temer que mis supervisores en la universidad recibieran alguna llamada en la que cierta instancia superior de la sociedad dominicana se quejara de mis juicios y pidiera mi cancelación. Consciente de esa ventaja frente a colegas en la tierra natal que debían medir lo que decían, procedí con un gran sentido de responsabilidad y ejercí mi crítica con la seguridad de que hablaba también por colegas de allá que, por razones materiales, debían conducirse con mucha mayor cortesía que yo frente al *statu quo*.

Nunca fui tan incauto como para creer que la verticalidad que muchos amigos atribuían a mi prosa venía de alguna "valentía" especial. Doy el ejemplo del compatriota que me saludó al final de la charla que me tocó dictar en octubre del 2014, en la Pontificia Universidad Católica Madre y Maestra, recinto Santo Tomás de Aquino, en Santo Domingo, adonde me había invitado la historiadora y valorada colega Mu-Kien Adriana Sang en colaboración con la académica y columnista Dra. Marianella Belliard. Era un señor alto, mulato, con pelo grisáceo y aire distinguido. Esperó unos minutos a que hablaran conmigo un par de estudiantes y luego se me aproximó para contarme, con habla pausada, que había seguido mis escritos y declaraciones por varios años y que quería decirme que yo podía considerarme el intelectual dominicano "que habla con la mayor independencia". ¿Cómo no quedar conmovido ante halagos que vienen carburados por tanta generosidad? No recuerdo cómo se lo expliqué, pero sí recuerdo que aproveché brevemente la ocasión para intentar desviar la dirección del encomio y dar más crédito a mi ubicación en la diáspora que a mi virtud personal.

Semanas antes de mi visita a la PUCMM, un episodio memorable me dio mucho qué pensar en lo concerniente a la sostenibilidad de la autonomía moral de la diáspora. Se trata del caso del profesor Steven Salaita, un especialista en estudios de la población indígena en Norteamérica a quien el recinto de Urbana Champaign de la Universidad de Illinois le retiró la firme oferta de trabajo que se le había extendido, después haber sido escogido mediante un riguroso proceso de competición, a solo semanas de comenzar el año lectivo. La suspensión de su nombramiento se debió a unos comentarios que Salaita publicó en su cuenta de Twitter en julio del 2014, durante uno de los más feroces bombardeos de las fuerzas armadas israelíes en la Franja de Gaza de Palestina. En esa contienda, que alguna prensa le llama "la guerra de Gaza", perecieron 66 soldados isralíes y 7 civiles, mientras que murieron 2014 personas palestinas, de las cuales 1462 eran civiles, incluyendo 253 mujeres y 495 niños (www.bbc.com 1 de septiembre 2014, "Gaza Crisis"). Salaita sentía que los bombardeos de la fuerza aérea israelita privilegiaban objetivos donde se congregaban niños, como los jardines infantiles y los hospitales de niños, además de que quedó impactado por las imágenes televisivas que mostraban a la comunidad en Gaza improvisando refrigeradores portátiles y comerciales y cajas de hielo fabricadas al vapor con tal de dar abasto con el número creciente de niños muertos cuyos cuerpos había que proteger de la descomposición. En vista de que previamente portavoces del Estado israelí habían expresado inquietud por lo que consideraban un crecimiento demasiado rápido de la población palestina, Salaita, americano de herencia árabe, escribió varios twits condenando el bombardeo. He aquí uno de los más citados: "A estas alturas, si Netanyahu apareciera por televisión vistiendo un collar hecho con dientes de niños palestinos, ¿acaso habría razón para sorprenderse?" (Steven Salaita (@ stevesalaita) July 20, 2014).

El profesor Salaita no perdió el empleo por haber cometido una falta en la función para la que había sido contratado ni había pecado de infracción alguna en el seno de la universidad que ahora sería su hogar académico. Su labor docente ni siquiera había comenzado. Él, americano, perdió el empleo en una universidad americana por comentar desfavorablemente la acción de un gobierno extranjero en el Medio Oriente, acción que él consideraba digna de condena en el contexto de lo que parecía una guerra contra los niños de Gaza. Phillis W. Wise, rectora de la Universidad de Illinois, recinto de Urbana-Champaign, habló de los cientos de quejas que había recibido de parte de donantes, egresados y otros vinculados a la universidad, que objetaban la conducta de Salaita en sus twits, conducta que algunos consideraron vulgares y hasta antisemitas. Lo que también estaba detrás del asunto, y quizás de la manera más decisiva, era el *lobby* israelí, una difusa pero influyente entidad cuya trayectoria John Meirsheimer y Stephen Walt han esbozado en su estudio *The Israel Lobby and US Foreign Policy* (2007). Se trata de una plataforma compuesta de influyentes grupos de orientaciones dispares que coinciden en la solidaridad común con el Estado israelí. En los Estados Unidos, su poder se estima inconmensurable.

Cuando de un candidato a un escaño municipal o estatal en la ciudad de Nueva York comienza a rumorarse que "no apoya a Israel", hay razón para esperar que pierda las elecciones. Debido a la extensión de la influencia judía en las distintas áreas del desarrollo humano, el impacto del *lobby* israelí, que tiende a ser gobiernista independientemente de la ética o la cosmovisión del liderazgo israelí de turno, se manifiesta en el sector público igual que en el privado. Al afincarse en una visión tribal, por necesidad el *lobby* cae en estrechismos. De ahí que el mote de anti-semitismo se blanda contra quien objete las acciones del Estado israelí aunque las mismas vulneren a los propios israelitas. De esa manera el gobierno israelí se convierte en beneficiario oficial de lo que en otro lugar hemos denominado el *fraude metonímico* (Torres-Saillant 2003, 9).

El 20 de septiembre del 2014, en el marco de la 17ª cumbre anual de la Mesa Redonda Domínico-Americana, celebrada en Washington, DC, me tocó compartir una mesa de discusión con varios expositores invitados a contribuir a una introspección colectiva sobre la situación actual y proyección futura de los políticos de herencia dominicana que habían alcanzado puestos de relevancia en los Estados Unidos. Fuese por nombramiento a cargos administrativos importantes (como el de Thomas E. Pérez, Ministro del Trabajo en la administración de Barak Obama) o mediante contiendas electorales a nivel federal, estatal y municipal, ya había una presencia numéricamente significativa de varones y mujeres de padres dominicanos en la arena política de la nación americana. Por lo tanto, ya estábamos en condición de meditar sobre el futuro de nuestros políticos y la Mesa Redonda nos ofrecía una tribuna para hacerlo. Mi modesto aporte quiso articular una visión que invitara a imaginar lo que haría falta para velar por que nuestros políticos comenzaran y terminaran sus carreras abanderados de las causas más humanas. Es decir, que sostuvieran el compromiso con la meta innegociable de ayudar a democratizar y humanizar la sociedad, de modo que al final de sus carreras se pueda decir que el país está mejor que antes de ellos entrar al sistema en las áreas de la inclusión, la justicia social, el fomento de la diversidad, el cuidado del medio ambiente, el apoyo a la educación (en especial la pública) y la lucha contra la desigualdad y el prejuicio. Para mí, la clave estaba en la recaudación de fondos para financiar campañas electorales. Se había dicho que el Obama de las elecciones del 2008 llegó a la presidencia gracias a un movimiento social que involucró a una demografía nueva en la que sobresalían los jóvenes, las mujeres y las personas de bajos ingresos. Para recaudar los fondos, la campaña se había propuesto llevar su mensaje a muchos para que donaran poco en vez de a la inversa, razonando que las personas, incluso si solo podían dar $10 o $5 dólares, se iban a sentir tomadas en cuenta, parte del movimiento, lo cual incrementaría su interés en comparecer a las urnas hasta en compañía de familiares y amistades. Para mí, imitar ese modelo es lo que puede salvaguardar la ética de los políticos dominicanos de la diáspora, es lo que puede ayudarlos a diferenciarse de los políticos de *aquí* y los políticos de *allá*. De lo contrario, se corre el peligro de que los nuestros actúen como los demás legisladores, es decir, haciendo "lo que hay que hacer" para mantenerse en el poder.

Está claro que en muchísimos casos la ideología o la moral de quien provee los fondos para costear la elección o reelección de aspirantes tiende a infiltrarse en el razonamiento de los elegidos a la hora de respaldar una causa o votar a favor de tal o cual proyecto de ley en la legislatura. Las corporaciones que administran cárceles privadas, por ejemplo, con gusto financiarán las campañas de candidatos dispuestos a proponer leyes que aumenten la frecuencia con que las infracciones ponen gente tras las rejas o que aumenten la duración de la estadía de los reos en la prisión. Corporaciones tales como Koch Industries, interesadas en continuar la explotación de productos derivados del petróleo sin regulación del Estado, felizmente costearán los esfuerzos de cualquier candidato dispuesto a obstruir proyectos de ley dirigidos a incrementar la protección del medio ambiente o a negar el impacto de la industria en el calentamiento global o cambio climático en general. De igual manera, la Asociacion Nacional del Rifle (NRA, por sus siglas en inglés), que recibe remuneración directa por cada arma de fuego vendida en el territorio nacional, respaldará contenta a candidatos que insistan en que todo ciudadano, para la seguridad suya y de su familia, debe estar armado hasta los dientes todo el día, ya sea en la casa, en el trabajo, en la escuela, en el hospital y hasta en la iglesia.

En los Estados Unidos, las corporaciones tienen sus cabilderos con los ojos puestos en todo tipo de legislación capaz de favorecer los intereses de sus accionistas. Que los gobiernos extranjeros también los pueden tener es algo que se encuentra sugerido en nuestra anterior referencia al *lobby* israelí. Las diásporas pueden servir de puente importante para que esos gobiernos canalicen sus intereses frente a las autoridades norteamericanas. En los últimos años se ha visto una intensificación del interés de los gobiernos por valerse de sus respectivas diásporas para esos fines. En la "introspección" auspiciada por la Mesa Redonda del 2014 se habló de los esfuerzos de la República Dominicana en ese sentido. Uno de los disertantes se refirió a sus conversaciones con el presidente Danilo Medina sobre el particular. Aparentemente, la necesidad de cabilderos se hizo especialmente urgente ante el repudio de la opinión pública internacional a la sentencia del Tribunal Constitucional que retiró la ciudadanía a la porción más vulnerable de la población dominicana (la TC 0168-13). En el caso de nuestra emigración, se ha venido viendo una presencia notoria de la oficialidad del país de origen en la vida política y las actividades culturales de la comunidad en la diáspora. Hoy día existe, con sede en Nueva York, el Comisionado Dominicano de Cultura en los Estados Unidos, una extensión ultramarina del Ministerio de Cultura de la República Dominicana. Con un personal fijo cuyos sueldos vienen del Estado Dominicano, de donde vienen también los costos de operación de la oficina y de sus multiples actividades, el Comisionado es actualmente el mayor foro de promoción cultural y artística de la comunidad dominicana en este país, habiendo desplazado, de cierta manera, al activismo anteriormente conducido colectivamente por diversas organizaciones y grupos comunitarios. También se ha visto un incremento palpable en la participación de sectores políticos y económicos de la República Dominicana en los proyectos y las aspiraciones de candidatos domínico-americanos que buscan ser elegidos o reelegidos en escaños legislativos a nivel municipal, estatal y federal de los Estados Unidos.

Llegada es la hora de comenzar a plantearnos seriamente cuáles podrán ser las consecuencias de que el capital público o privado de la República Dominicana se infiltre de manera masiva en el ámbito político o en la arena de la producción artística y cultural de nuestra emigración. Pienso que las consecuencias serían letales, principalmente para el sostenimiento de la autonomía moral que nos ha permitido conformar un espacio de respuesta al trujillismo cultural. La vigencia del trujillismo cultural en la sociedad dominicana sustenta un orden de cosas orgánicamente conformado para impedir la democratización de la sociedad y el ejercicio ciudadano que, de otra manera, le correspondería a cada miembro de la comunidad nacional. Tal es su vigencia, que ha hecho posible el regreso literal de Trujillo en la persona de Luis José Ramfis Domínguez Trujillo, el hijo único de María de los Angeles del Sagrado Corazón de Jesús Trujillo Martínez, mejor conocida como "Angelita", la mimada criatura del tirano, autora del libro *Trujillo, mi padre. En mis memorias* (2010), un panegírico consagrado a exculpar a su papá de las calumnias que ha sufrido su memoria de parte de quienes por décadas lo han tildado de "dictador" y de haber hecho cosas indebidas durante sus treinta años de "servicio" desinteresado al progreso de su país. Domínguez Trujillo, quien desde el 2010 funge de vicepresidente ejecutivo de la Fundación Rafael Leónidas Trujillo Molina y que defiende el libro de su madre por su "carácter académico", así como por su intento de señalar las "muchas cosas buenas" que llevó a cabo el Generalísimo, hoy goza de acogida en la prensa como candidato presidencial por el Partido Demócrata Institucional para las elecciones del 2020 (Pereyra, "El enfático interés del nieto de Trujillo…" 2017). Durante su visita a Nueva York en marzo del 2018, el enigmático candidato presidencial dio a conocer su plan de construir un muro a lo largo de la frontera domínico-haitiana, alegando que, si bien algunos inmigrantes haitianos aportan cortando la caña, "otros son capaces de matar a un dominicano para robarle". De esa manera Domínguez Trujillo comparte la inquietud que llevó a

Donald Trump a proponer su célebre muro para contener el flujo de "mexicanos violadores y asesinos", por lo que añadió: "en ese sentido nosotros apoyamos la política de este país también" (Cortes, "Nieto de Trujillo propone muro…" 2018). Hay "indicadores crecientes" de que Domínguez-Trujillo puede ser candidato viable para el 2020.

¿Qúe pasaría con la solidaridad interna de la diáspora si, afín con el modelo del *lobby* israelí, el cabildeo desde el Palacio Nacional en Santo Domingo o sus aliados en el sector privado lograran seducir a nuestros legisladores? Digamos a Ydannis Rodríguez en el Consejo Municipal de la Ciudad de Nueva York, a Marisol Alcántara, asambleísta en la legislatura del Estado de Nueva York, y a Adriano Espaillat, representante en el Congreso de los Estados Unidos, para solo mencionar a tres compatriotas a quienes me une una larga historia de colaboración. ¿Qué pasaría si, por necesidad de sufragar los gastos de sus campañas, tuvieran ellos que mostrar mayor identificación con los intereses de los sectores de poder de la República Dominicana que con la autonomía moral de la diáspora? ¿Cuánto tiempo pasaría antes de que se imponga entre nosotros a la mala la preceptiva del trujillismo cultural? Baste recordar que la oficialidad dominicana no ha superado la tendencia a manejarse autoritariamente y que la población, como no ha experimentado otra práctica desde el trujillato hasta el presente, la ha seguido tolerando. Recuérdese que en el 2015, en su condición de cónsul general de la República Dominicana en Nueva York, el arquitecto Eduardo Selman procedió a declarar "anti-dominicano" a Junot Díaz, un hijo legítimo de nuestra diáspora nacido en Santo Domingo y criado en New Jersey. El nombre del escritor repudiado apareció en la página web del Consulado, en un texto donde el funcionario además daba a conocer su intención de hacer revocar la Orden al Mérito Ciudadano, la distinción que el gobierno dominicano había conferido a Díaz en febrero de 2009. Dicha declaración era la represalia del cónsul contra la participación del escritor en una actividad previamente realizada en Washington, D.C., dirigida a pedir que congresistas estadounidenses presionaran al gobierno dominicano con miras a restaurar la ciudadanía a los cientos de miles de compatriotas de herencia haitiana desnacionalizados dos años antes mediante el fallo TC 168/13 (Redacción, *Almomento.net* 23 oct. 2015).

Valga señalar que tal como las quejas de "donantes y egresados" —léase también el *lobby* israelí— se valieron del fraude metonímico al tildar de "anti-semitismo" los juicios del profesor Salaita sobre la violencia del gobierno de Netanyahu, el cónsul dominicano hace lo mismo al denunciar a Díaz. Es decir, no lo tilda de opositor al régimen o enemigo del gobierno del Partido de la Liberación Dominicana (PLD), bajo cuya égida se creó el Tribunal Constitucional que llevaría a cabo la desnacionalización. Más bien, busca la forma de caracterizarlo, en virtud de su oposición a una acción de su gobierno contra un segmento étnicamente marcado de nuestro pueblo, como enemigo del país, que es lo que expresa el mote de "anti-dominicano". De esa manera, el funcionario Selman se suscribe a la teoría y a la práctica trujillista para lidiar con ciudadanos prestos a ejercer su condición de tal. Es decir, en la lógica falsificadora de Selman, uno traiciona a su país si ejerce la oposición necesaria a medidas injustas que lastiman gravemente a determinados segmentos de la población. Esta tendencia a tildar de traidores a la patria a todo aquel que se oponga a la sentencia inapelable del Tribunal Constitucional se convirtió en práctica común a partir del septiembre del 2013, cuando se anunció el infausto fallo. A propósito de ello, el historiador y economista Bernardo Vega recordó que tal actitud funcionó como recurso natural de la retórica de la dictadura para nombrar a sus enemigos. El "Jefe" llevaba personalmente al Congreso el nombre de la persona desafecta y pedía para ella una condena *in absentia*, asignándole el epíteto específico de "enemigo de la patria". De esa herencia se nutría el arquitecto Selman, cónsul dominicano en Nueva York, para viabilizar su represalia contra el muy laureado escritor domínico-americano, por este atreverse a ejercer su derecho a la diferencia ideológica con respecto al régimen. Sin embargo, quienes nos identificamos con las denuncias de Díaz las entendemos como producto de un profundo amor por el pueblo dominicano. Desgraciadamente, solidarizarse con el pueblo dominicano casi siempre implica enemistarse con su gobierno.

Hasta ahora la diáspora ha sido un aliado confiable de los sectores en la sociedad dominicana abocados a resistir los embates del trujillismo cultural. Nuestra solidaridad con los sectores que luchan por la democratización de las relaciones sociales, la justicia social, la inclusión y la igualdad en la tierra de origen ha sido posible gracias a la autonomía material que ha sustentado nuestra autonomía moral con respecto a los sectores de poder en Quisqueya. Con la incursión del capital público y privado de la sociedad dominicana en los predios de la diáspora y sus amagos por influenciar y controlar nuestra vida política y nuestra producción cultural, surgen inevitables temores en torno a la sostenibilidad de nuestra autonomía material y moral. El arquitecto Selman ya no es cónsul. Regresó a Santo Domingo a ocupar el cargo de ministro de Cultura, lo que lo hace supervisor directo de todo lo que acontece, en términos de producción cultural, en el Comisionado Dominicano de Cultura en los Estados Unidos, con sede en Nueva York. Vale preguntarse si podrán exhibirse las obras de Junot Díaz en la próxima feria del libro del Comisionado o si, al escoger la próxima persona a quien se dedicará la feria, hará falta verificar el grado de solidaridad de persona con las medidas del gobierno en el país de origen, antes de fijarse en sus credenciales en el plano de las letras.

Finalmente, si la creciente incursión del capital público y privado de la sociedad dominicana, con sus respectivos cabilderos, continúa su ascendencia en los predios legislativos de nuestra diáspora, ¿acaso no podrá, de hecho, venir una llamada a mis supervisores en la universidad para pedirles mi destitución por alguna ofensa que haya yo cometido al ejercer mi labor crítica respecto al Estado dominicano, cosa que vengo haciendo ya por algún tiempo? Si la llamada fuera de parte del Cardenal o de un ministro en Santo Domingo, el asunto no pasaría de una curiosidad que el rector podría compartir conmigo al son de una copa de vino. ¿Pero si, ahora, la llamada viniera avalada por legisladores domínico-americanos ubicados en el municipio, el Estado o el gobierno federal de los Estados Unidos, acaso podría mi rector —que dirige los destinos de una institución de educación superior necesitada del respaldo de esos distintos estamentos del poder gubernamental— darse el lujo de hacer chistes con dicha la llegada de dicha petición? A la hora de escoger entre mi derecho soberano al ejercicio de la libre expresión y la estabilidad de su institucion, se puede apostar peso a moriqueta que yo no sería su prioridad. Yo pasaría a ser un Steven Salaita más.

Me daría pena imaginar un momento en que la diáspora de la que soy parte ya no goce de la potestad de ofrecer una alternativa al trujillismo cultural que sigue vigente en la sociedad dominicana y que dejemos de ofrecer un frente de solidaridad para los compatriotas de la tierra ancestral que combaten el autoritarismo, la exclusión, la desigualdad y "los peores valores de la humanidad". Esos compatriotas luchan día a día por afirmar la necesidad de ejercer una ciudanía crítica, es decir, una que se aplique a fondo en la tarea de desautorizar la fraudulenta ecuación entre gobierno y nación/patria que promueven las autoridades adscritas ideológica y moralmente a los preceptos del trujillismo cultural. Cuando la ciudadanía desconoce o descuida su derecho a distanciarse de las ideologías y las prácticas del gobierno de turno, derrocha su autoridad ciudadana, esa que la acredita como centinela de la justicia, la inclusión y la igualdad, en fin, como vigilante del ideal democrático. Aceptar la ecuación entre las autoridades y "la patria" equivale a ofrendar nuestra heredad a los personeros del poder y abandonar nuestra condición de ciudadanos para convertirnos en súbditos. También me entristecería que dejáramos de aportar lo que hasta ahora hemos estado aportando, para el futuro dominicano, en relación con la intersección entre ciudadanía y diversidad. Desde la diáspora esa intersección, sin la que la democracia no tendría ningún sentido en nuestro variopinto Caribe, se ha percibido con claridad. Los años venideros dejarán ver si en la diáspora nuestro liderazgo político desarrollará la capacidad de autogestión que la proteja de la avanzada posiblemente seductora de los dineros públicos y privados provenientes de la tierra ancestral, evitando de esa manera el que se nos despoje del mayor atractivo que poseemos, el potencial de ayudar a mejorar las dos sociedades que nos competen, la de la tierra ancestral y la del país de residencia.

Referencias

Acevedo, Elizabeth. *Beastgirl and Other Origin Myths*. Portland: Yesyes Books, 2016.

Acosta Corniel, Lissette. "Colonial Hispaniola: Fray Antonio de Montesinos and Spanish Women's Human Rights. *Montesinos' Legacy: Defining and Defending Human Rights for Five Hundred Years*. Ed. Dana E. Aspinall, Edward Lorenz, and J. Michael Raley. Lanham: Lexington Books, 2014, 39-46

Acosta Corniel, Lissette. "Negras, mulatas y morenas en la Española del siglo XVI (1502-1606)", *Esclavitud, mestizaje y evolucionismo en los mundos hispánicos.* Ed. Aurelia Martín Cesares. Granada: Universidad de Granada, 2015, 201-218

Alfau Durán, Vetilio (1994). "Cómo acabó la esclavitud en Santo Domingo: El suceso de Monte Grande". *Vetilio Alfau Durán en Clío: escritos (II).* Ed. Arístides Incháustegui y Blanca Delgado Malagón. Santo Domingo: Gobierno Dominicano, 361-396.

Althusser, Louis. *For Marx*. Trad. Ben Brewster. London: Allen Tate/ The Penguin Press, 1969.

Alvarez, Julia. "There Are Two Countries". *Afro-Hispanic Review*, vol. 32, no. 2 (2013): 145-148

Anzaldua, Gloria. (1999). *Borderlands/La Frontera: The New Mestiza*. 2da. ed. San Francisco: Aunt Lute Books, 1999.

Balaguer, Joaquín. *La isla al revés: Haití y el destino dominicano*. Santo Domingo: Librería Dominicana, S.A., 1984.

Castellanos, Rebeca. *Los instrumentos del gozo*. San Juan/Santo Domingo: Isla Negra Editores, 2016.

Cortes, Zaira. "Nieto de Trujillo propone muro...". www.telemundo47.com 29 de marzo de 2018

Dixon, Jr., Thomas. *The Leopard's Spots: A Romance of the White Man's Burden, 1865-1900*. New York: Doubleday, Page & Co., 1902.

Espaillat, Rhina P. "Coplas: Nací en la ciudad primada". Leído en Banquete Anual, Dominican-American National Roundtable, Rutgers University, New Jersey 12 diciembre de 2013

Esquea Guerrero, Enmanuel. "Entrevista". *El Siglo*. 27 de mayo de 1998, pág. 8

García, José Gabriel. *Compendio de la historia de Santo Domingo*. Sociedad Dominicana de Bibliófilos, Santo Domingo: Editora de Santo Domingo, 1979.

Gimbernard, Jacinto. *Historia de Santo Domingo*. Santo Domingo: Offset Sarda, 1971.

Hernández, Ramona. "Notas para los orígenes de la migración dominicana: María de Cota, una mujer negra ex-esclava entre dos continentes en los años de 1500". Circular electrónica. Dominican Studies Institute. Recibida por S. Torres- Saillant, 30 abril 2016

Marcallé Abreu, Roberto. *Contrariedades y tribulaciones en la mezquina y desdichada existencia del señor Manfredo Pemberton*. Santo Domingo: MC Editorial, 2006.

Marcallé Abreu, Roberto. *La manipulación de los espejos*. Santo Domingo: Editorial Santuario, 2012.

Marcallé Abreu, Roberto. *No verán mis ojos esta horrible ciudad*. Santo Domingo: MC Editores, 2009.

Martínez, Vianco. "Entrevista a César Sánchez Beras: 'Los políticos dominicanos superan la ficción'". *Acento.com.do,* 25 de diciembre de 2017.

Mayes, April J. et. al. "Transnational Hispaniola: Toward New Paradigms in Haitian and Dominican Studies". *Radical Historical Review*, no. 115 (2013): 26-32.

Mena, Miguel D. Email, Re: "La Fiesta de Payasos y Verdugos", recibido por STS, 25 de julio 2018.

Méndez, Jasminne. *Night-Blooming Jasmin(n)e: Personal Essays and Poetry*. Houston: Arte Publico Press, 2018.

"Ocho escritores ponen en duda la dominicanidad de Junot Díaz y lo acusan de 'ofensivo'". *7dias.com,* 29 de noviembre de 2013.

Paulino, Edward, y Scherezade García. "Bearing Witness: The 1937 Haitian Massacre and Border of Lights". *Afro-Hispanic Review*, vol. 32, no. 2 (2013): 11-118.

Pereyra, Emilia. "El enfático interés del nieto de Trujillo…". www.diariolibre.com, 7 de diciembre de 2017.

Rivera Prosdocimi, Inés R. *Love Letter to an Afterlife*. Black Lawrence Press, 2018.

Rivera Prosdocimi, Inés R. "Surrogate Twin". *The New York Times* 14 febrero 2019.

Rodríguez, Néstor E. "Merengue, vudú y nación: el panteón rayano de Marcio Veloz Maggiolo". *Revista de Estudios Hispánicos*, vol. 50, no. 3 (2016): 679-689.

Torres-Saillant, Silvio. *El retorno de las yolas: ensayos sobre diáspora, democracia y dominicanidad*. Santo Domingo: Ediciones Librería La Trinitaria y Editora Manatí, 1999.

Torres-Saillant, Silvio. "Elogio del irrespeto". *El Caribe*, 11 mayo 2003, p. 9.

Viau Renaud, Jacques. *J'essai de vous parler de ma patrie*. Ed. Sophie Maríñez y Daniel Huttinot con Amaury Rodríguez y Raj Chetty. Montreal: Memoire d'Encrier, 2018.

Victoriano-Martínez, Arturo. "El sillón de la infamia", *acento.com.do* 3 de febrero de 2015

Victoriano-Martínez, Arturo. "'The Black Plague from the West': Haiti in Roberto Marcallè Abreu". *Racialized Visions: Haiti and the Hispanic Caribbean*. Ed. Vanessa K.Valdés. Albany: SUNY Press forthcoming

Editorial
Universitaria Bonó